游子吟——永恒在召唤

D0343234

作　者：里程
封面设计：冯喆
联合出版及发行：

◇　海外校园机构（OCM）

　　　1753 Cabrillo Ave.
　　　Torrance, CA 90501-3624
　　　电话: (310) 328-8200
　　　传真: (310) 328-8207
　　　电子邮件: order@oc.org
　　　网站: www.oc.org
　　　出版书号. BK-S002-S

◇　使者协会（AFC）

　　　福音资源事工
　　　21 Ambassador Dr.
　　　Paradise, PA 17562-9988
　　　电话: (717) 687-0506
　　　传真: (717) 687-8891
　　　免费电话: 888-999-7959
　　　电子邮件: CRM@afcinc.org
　　　ChineseResourceMinistry.org

版　次：2014年9月第四版　（第二次修订本）
国际书号：978-1-58533-100-0
•版权所有•

Song of a Wanderer —— *Beckoned by Eternity*
(Simplified Script Version)
Author: Li Cheng
Cover Design: Joe Feng
Co-publishers/Distributors:

◇　Overseas Campus Ministries, Inc. (OCM)

　　　1753 Cabrillo Ave.
　　　Torrance, CA 90501-3624
　　　Tel: (310) 328-8200
　　　Fax: (310) 328-8207
　　　E-mail: order@oc.org
　　　Website: www.oc.org
　　　Cat No.: BK-S002-S

Ambassadors for Christ—
Chinese Resource Ministry

　　　21 Ambassador Dr.
　　　Paradise, PA 17562-9988
　　　Tel: (717) 687-0506
　　　Fax: (717) 687-8891
　　　Toll free: 888-999-7959
　　　E-mail: CRM@afcinc.org
　　　ChineseResourceMinistry.org

Published by permission
©2014 by Overseas Campus Magazines
4th Edition: Sept, 2014 ; 2nd revision by the author.
ISBN: 978-1-58533-100-0
•All Rights Reserved•

作者简介

本书作者里程，毕业于北京大学生物系。1978年入中国科学院研究生院学习，1981年获硕士学位。1982年赴美，1987年获密歇根州立大学博士学位。先后在俄亥俄大学 (Ohio University) 和西方储备大学 (Case Western Reserve University) 工作。1993年后，在威斯康星医学院从事医学基础研究工作。

作者长期崇尚无神论和个人奋斗。在神的大爱的感召下，逐渐认识了基督教信仰是客观真理，遂决志信主，1992年复活节受洗。1997年蒙召，专职传道。已婚，现有一子一女。1998年，作者十岁的女儿决志、受洗；至此，全家四口都归在主的名下。蒙神引领，作者于1999年秋季，进入美国海外神学院学习。目前作者为"中国基督徒作家基金会"专业作家，及米城中华基督教会的差传牧师。

修订版前言

　　《游子吟》初版蒙神使用，得到热烈的响应。应广大读者的要求，现将初版修订，重新出版。

修订主要有几方面：

第一、书中的《圣经》经文，按《圣经》启导本校
　　　订。

第二、将各章的主要参考书目改为注释，尽可能指明
　　　书中引文的准确出处，以便读者进一步查阅。

第三、对第三、五、六章的内容有较多补充。

第四、将附录"迢迢真理路——我的得救见证"改为
　　　"见证——愿主的旨意成全"。

第五、纠正书中的错误。除了不少错别字，病句和不
　　　恰当的标点外，初版最大的一处失误是关于达
　　　尔文的婚姻（繁体字本，217页第三段；简体字
　　　本，188页第四段）。这段记叙是严重失实的。
　　　事实是，达尔文娶了他舅舅的女儿Emma为
　　　妻；因近亲结婚，其子女多数身体不好，但十
　　　名孩子中，仅三名在婴儿或孩童时期夭折。虽
　　　然笔者发现失真后，及时作了勘误，但仍感内
　　　疚，在此再次公开向广大读者致歉。

　　修订版已作了不少校正，但错误、疏忽之处仍在所难免，请读者继续批评、指正。感谢广大读者、

《海外校园》杂志社、"基督使者协会"、"中国基督徒作家基金会""校园书房出版社"和众教会弟兄姊妹的支持，感谢我家人的理解与爱心，谢谢我的儿子冯喆为修订版设计了封面。

在此书增订、校阅过程中，笔者又一次经历了神深切的怜悯和灵里的丰盛，仅以敬畏、感恩之心将它献上，愿神悦纳，继续使用这本小书。

里　程

1999年感恩节

于美国加州圣荷西市

前　言

　　近年来，一批又一批中国学生、学者来美求学、深造，有机会接触基督教。他们聪慧、勤奋，富于进取。不少人开始翻阅《圣经》，步入教堂。然而，"神六日内创造天地万物"，"童女生子"，"死人复活"，像一盆盆冷水劈头盖脑浇来。他们或满心狐疑，或面露轻讽。唯物主义、科学至上和世俗骄傲，横梗在神与人之间。他们虽仍偶尔参加教会一些活动，寻求真理的心门却渐渐关闭了。

　　我理解他们的挣扎，因为我曾经历过。但是，感谢圣灵光照，我在多方查考资料并深思熟虑之后，坚信基督教信仰与科学、理性没有根本冲突。1992年起，我在教会开办慕道班，按《圣经》的观点，从科学和理性的角度探讨基督教的基本信仰，并到其它教会参与布道事工，使不少人得到帮助。为和更多人分享，在众教会的弟兄姊妹的多次敦促下，才将大纲、资料整理出来，成为此书。书中的信息首先不是为了劝说别人，而是为要说服自己。

　　神借着大自然和《圣经》这两本书向人类启示他自己。神创造大自然，科学家研究大自然，《圣经》和科学决不会彼此相悖。基督教信仰植根于耶稣复活这一历史事实的客观真理，是经得起质疑和推敲的。

有幸来到神面前的诚实人，都会相信耶稣，因为他是又真又活的神。我不奢望借着这本小册子，把一个人几十年形成的无神思想体系一下子扭转过来。拆除藩篱，使人能够谦卑地走近神、亲自面对神，是本书的主要目的。

两年多的写作过程并非坦途，但常得到神奇妙的引领。感谢各教会的弟兄姊妹用恒切的祷告托住我，感谢我的家人的全力支持。这本书从策划到付印，得到《海外校园》杂志社苏文峰牧师、苏郑期英师母和同工们的直接帮助。没有他们的鼓励、参与和忍耐，本书现在是无法和读者见面的。

旅美逾十载，仍梦思萦绕着故土。人生近半百，始回到天父怀抱。我以双重游子的身份，将此书献给神，献给海外学人和骨肉同胞。愿更多灵魂被拯救，盼望祖国繁荣昌盛。愿神使用这本书，得到他当得的荣耀。

里　程

1996年8月11日

关于第二次修订的几句话

《游子吟》增订版 1999 年出版至今，已经十年了。感谢神使用这本小书。

不时有弟兄、姊妹告诉我：在他们寻求信仰的过程中，《游子吟》帮助他们领悟了神的真实、大爱和大能，认清了自己是一个亟待被神拯救的罪人，从而心悦诚服地接受了耶稣基督的救赎。这使我倍感欣慰。

"所以我告诉你们，被神的灵感的，没有说'耶稣是可咒诅'的；若不是被圣灵感动的，也没有能说'耶稣是主'的"（林前 12：3）。基督徒传福音的果效，是圣灵作工的结果。若没有圣灵的感动，仅凭一堂布道会，一本人写的书，绝不可能把听众、读者的的世界观、人生观和道德观翻转过来，使他们认耶稣基督是主。基督徒应该辛勤栽种、浇灌，但是，惟有神能叫它生长（林前 3：6-8）。

有一件事，令我铭心刻骨。一位尚未信主的先生翻阅《游子吟》。读着读着，他想哭。几经掩饰无效后，他跪下悔改信主。当他平静下来，再看《游子吟》的时候，他很困惑："书上这些话也没什么呀，可我当时怎么会那么感动呢？"当我听到这个见证时，我流泪了。

我深知，自己有限、不配，常常会出错；我更知，神以不变的爱接纳我、使用我、更新我。我怀着敬畏、战兢、又欢喜快乐的心事奉神，一切归荣耀给神。神能使用不完美的人和人的有瑕疵的事奉达成祂的旨意；事奉祂的人却当尽自己的本分。在事奉中，我要求自己：全心依靠圣灵的带领，努力持守《圣经》的真道，随时修正自己的错误。感谢神，自《游子吟》增订版问世以来，我一直不断地得到广大读者的指教和鼓励。

一个人的事奉很有限，时空有限，服事的人群也有限。甚至，一代人也很快会过去。大使命的完成，需要一代又一代的基督徒为主摆上，互相鼓励，彼此建造，前赴后继。综合读者的意见，我现在对全书又一次作了修订，内容没有大的变动。主要的修订有两处。一处是第五章，加了一段文字，对信仰与科学的关系，作了更清晰的阐述；另一处在第六章，增订版引用达尔文关于眼睛的话不完整，现在作了增补，力求准确地理解达尔文的思想。除此之外，其他修订主要是个别字句的修正。

再次以敬畏、感恩的心将此书献上，愿神悦纳，继续使用这本小书。

里程

二〇〇九年八月十八日

于美国威斯康辛州米尔沃基市

目　录

第一章

神存在的真实性

在无神论教育下成长的知识分子，大都有相似的关于人类认识发展的基本观念，就是当人类处于生产力低下的原始阶段，人们对雷电、洪水、地震等自然现象产生恐惧心理，因而开始拜雷公、水神、山神、地神，产生了宗教。随着生产力的发展，人类对自然界的认识能力不断提高，认为这一切都是自然现象，并不是什么超自然的神明，因而确定了无神论信仰。也就是说，有神论是人类愚昧无知时期的产物，无神论则是人类进入文明时期后的必然归宿。因此，受过高等教育的知识分子持无神论观点被视为理所当然并引以为豪。

随着国家的对外开放，越来越多的中国学生、学者到西方学习和工作。面对美国这样一个既有世界第一流科学技术水准，却又是有神论思想占主导地位的国家，我们的惊愕和困惑是可想而知的。然而要让我们来一个一百八十度的大转向，重新面对我们过去不屑一顾的有神论，无论在感情上还是理性上，都是十分困难的。我个人旅美的前八、九年，坚决抵制有神论，从不接触基督教和任何宗教。

可是，神的存在是一个不以人们的主观意志为转移的客观事实。对神的存在所持的态度与每一个人休戚相关，没有人能够回避。凡追求真理、勇于在真理面前不断修正自己的观点的人，或迟或早都会认识到神的真实存在。英国哲学家培根(Francis Bacon)曾一再指出，一点点哲学会引导人走向无神主义和物质至上的错误；伟大的哲学却会引人归向宗教。[1] 不仅象牛顿、爱因斯坦这样的科学巨匠相信有神（虽然爱因斯坦信的神是没有位格的），连达尔文主义的先锋战士赫胥黎(Thomas Henry Huxley)也承认："从纯粹哲学立场上看，无神论是站不住脚的。"[2]

近几年来，经过反复探讨、思索和挣扎，我放弃了无神论观点，心悦诚服地接受了有神论，接受了耶稣基督作我个人的救主和生命的主宰。现在，我拟从几个方面探讨神存在的真实性，与大家分享。

《圣经》第一卷书〈创世记〉的第一句话是："起初神创造天地。"这是一个伟大的宣称。因为，神的存在无须证明，也是人有限的理智无法证明的。但神爱世人，特赐下启示让人能认识他。神的启示可分为普遍启示和特殊启示两大类。

一、神的普遍启示

神的普遍启示又称自然启示，是神借着他创造的大自然（包括人类本身）向人们启示他自己，这是在任何时间、地点，人人均可领受的启示。

井然有序的宇宙

宇宙的浩瀚无际一直令人叹为观止。太阳系有一颗恒星、九颗行星、几万个小游星和无数流星。地球带着月亮以每秒三十公里的速度绕着太阳旋转，太阳则带着九大行星以每年一千五百亿里的速度在一个大轨道上绕着离太阳最近的一颗恒星（昴星）旋转，每转一周需要几千年。这颗星又绕着不知名的中心旋转。太阳系所属的银河系的星云，总质量是太阳系的两千亿倍，直径约十万光年。但银河系只是一个小宇宙而已。大约一千亿个小宇宙构成一个中宇宙，其直径达一百五十亿光年。至于大宇宙有多大，大宇宙之外还有什么，目前甚至不能猜想臆测。

宇宙如此恢宏，又这样精确，很难让人相信是自然碰撞形成的。对天文了解越多，越叹服造物主的大能，所以不少天文学家都是虔诚的基督徒。牛顿是基督徒，但他的一位好友却总不相信神的存在。据说有一次他到牛顿家作客，见到一具精美的太阳系模型。只要摇动曲柄，众星球就各按其轨道运转起来。他玩弄良久，爱不释手。他问牛顿，这模型是哪一位能工巧匠设计、制作的。不想牛顿却不经意地说："没有人。"他的朋友大惑不解："怎么会没有人呢？"牛顿问道："如果一具模型必须有人设计、制作的话，为什么像这具模型这样实际运转着的太阳系却会是偶然碰撞形成、而没有一位设计者、创造者呢？"这位朋友一时语塞，顿然醒悟，遂接受了有神论。

地球本身是设计的证明

人类生活的地球，一切都安排得十分妥当。太阳是地球光、热、能的主要来源。地球与太阳的距离、自转的速度、地球的大小、大气层的组成等，都恰到好处。地球特殊的生态条件，使它成为太阳系九大行星中唯一有生物的星球。如果地球离太阳比现在稍近，地球将太热，反之则太冷。由于地球的自转轴与公转轨道平面斜交66°33′，而且此倾角在地球公转过程中始终不变，因此在一年中，太阳的直射点总是在南北回归线之间移动，从而产生了昼夜长短的变化和四季的交替。[3] 如果没有这个偏角，热的地方将总是热，冷的地方将一直冷。在太阳系中，行星的自转轴大多与公转平面接近垂直，但天王星的自转轴的倾斜度竟为98度，"躺着"绕太阳公转。它的公转周期为八十四年，太阳轮流照射它的北极、赤道、南极、赤道，其昼夜要四十二年才变换一次。[4] 月亮对地球的山脉和海洋的形成、乃至生物体内的韵律都有重要作用。奇妙的是，月球自转与公转同步，即月亮自转一周的时间恰好等于公转一周的时间！所以月亮总以同一面对着地球。[5] 可无人知道月亮是怎样形成的。按照公认的假说，月亮是地球在旋转时"甩"出去的一部分形成的。按此假说，地球岩石和月亮岩石应是同源的。但是美国登月火箭从月球上采集的月岩标本，经化验，与地球岩石的组成有很大差异，说明地岩与月岩不同源。这在天文学界产生巨大回响。不少天文学家承认，这是对至今为止提出的有关月亮形成的各种假说的致命一击。[6] 地球大气层的重要性是众所周知的。但是，如果地球的直径比现在小，大气层中的氢气、氧气就不能被地球的引力吸住；如果地球的直径过大，地球的引力又将太大而使人体无法承受。此外，大气层的结构也很重要。金星大气中97%以上是CO_2，同时还有一层厚达20-30公里的由浓硫酸组成的浓云。CO_2和浓云只许太阳光通过，达到金星表面，却不让热量透过云层散到宇宙空间。所以，太阳辐射使金星表面越来越热，而且使金星大气压非常高，约为地球大气压的90倍，相当于潜水到900米所承受的压力。任凭我们有钢筋铁骨，到了金星也会粉身碎骨。[7]

水的重要性无须冗述。水的一个重要特性是"反膨胀"。地球上的物质，大都是热胀冷缩。但水在 4°C时密度最大，温度低于4°C时，反而膨胀，所以冰总是浮在水面上。如果水也越冷越缩，一结冰就会往下沉，那在冬天，河、湖、塘、池从上到下将被冻得结结实实的，没有任何水生生物可以继续生活。由于水的反膨胀，冬天的水面皆被冰所覆盖，起到保温层的作用，使冰下的水生生物不受严冬的伤害。这是何等奇妙！人们可以从水化学的角度解释水如何会反膨胀，但却解释不了为何水会反膨胀。这是造物主的独具匠心。

奇妙的生物界

地球上的生物变化万千、奇特多姿，但彼此配搭得十分巧妙。绿色植物的光合作用把太阳能变为植物体中的化学能，直接或间接地为所有的动物提供了食物；而动物的排泄物和遗体又是植物生长的原料。六、七十年代在大陆兴起的县级小化肥厂，生产碳酸氢铵（NH_4CO_3），其关键产物合成氨需要高温高压才能合成。可是在生物酶的催化下，植物在常温、常压下即可合成各种复杂的有机物。"将来有一天，当我们能在休外复制叶绿休和各种酶的时候，在温室里，这边输进太阳光、CO_2、和H_2O，那边就源源不断地生产出牛奶、面包、肉类、水果……"这是中学生物老师曾为我们描述的令人无限憧憬、神往不已的前景。几十年匆匆过去了，要实现这个目标，谈何容易啊！除食物链外，气体循环也很合理。一切生物呼吸时，需要吸收O_2，吐出CO_2，植物的光合作用则用CO_2合成各种有机物，同时释放出O_2。这些巧妙安排，只能是造物主的精心设计。

二十世纪四十年代，生物学正酝酿着重大突破，遗传物质的秘密即将被揭开。当时，第一流的生物学家、化学家大都倾全力研究蛋白质。当时普遍的想法是，生命现象如此复杂，只有像蛋白质这样复杂的大分子才可能是遗传物质的携带者。令人颇为意外的是，沃森（James Watson）和柯里克（Francis Crick）于1953年发现的DNA（脱氧核糖核酸）双螺旋结构，证明DNA才是遗传密码的携带者。人们怎么也没有想到，仅由四个不同核苷酸组成的DNA，竟是控制千变万化的生物活动的遗传物质（想了解详细情况的读者可参阅H. F. Judson，*The Eighth Day of Creation*）。

但事后想来，也不难理解。每一个氨基酸是由DNA长链上三个相连的核苷酸所决定的。一个由300个氨基酸组成的中等大小的蛋白质分子，则需由大约含一千个核苷酸的DNA来控制。因为DNA仅由四种核苷酸组成，这一DNA分子的核苷酸就有不同的排列组合，一共有4^{1000}或100^{600}种不同的组合方式。大家可能对这个数字没有什么概念，让我举一个参照数。有人估计，整个宇宙的电子数是10^{105}。这样一比，就知道100^{600}有多大了，也就可以理解DNA为什么可以成为遗传密码的携带者了。"耶和华

说：'我的意念，非同你们的意念；我的道路，非同你们
的道路。天怎样高过地，照样我的道路，高过你们的道
路；我的意念，高过你们的意念。'"（赛55：8-9）　每
当想到生物学这段历史，我都不禁由衷地感叹造物主的神
奇大能。

　　几年前，我们需要一批新生小鼠做实验。一组要剖腹
产的，另一组要自然分娩的。母鼠本来就不大，加之多
胎，新生鼠会很小。因此在剖腹产以前我们做了精心准
备。当我们把母鼠的腹部切开时，子宫立即突了出来，像
一支长茄形的氢气球，子宫壁已被撑得半透明了。我们小
心翼翼地把子宫剪开，看见了八只小鼠。但每只小鼠还被
一个衣胞紧紧地包着。若不尽快剪开衣胞膜，小鼠就可能
被窒息死。衣胞膜非常薄，我们不敢下剪子，怕伤及小
鼠，只好改在解剖镜下操作。新生鼠没有毛，皮肤又红又
嫩又薄，就象粘膜一样，紧紧地与衣胞贴在一起。好容易
才把衣胞去掉。但脐带无法处理：太细，无法结扎，不敢
剪断，怕小鼠会失血过多。一个M.D.，一个Ph.D.，汗流
浃背地忙了两个小时，才把剖腹产做完，到头来还死了两
只小鼠。

　　第二天下午，另一只母鼠要分娩了。当它开始宫缩
时，实验室马上骚动起来，女士们反应尤为热烈。这个
说："赶快用布把笼子盖严，别让母鼠受风……"那个建
议："笼子里的木屑太粗糙了，是否应换一些柔软的东
西，要不小鼠会受不了的……"我不理会这些议论，觉得
她们过虑了。如果实验室这么好的条件还不行，在野地里
生小鼠又该如何呢？有了头一天剖腹产的遭遇，我最关心
的是看母鼠如何自己接生。我趴在笼前，目不转睛。母鼠
回身舔舐一阵，第一只小鼠就被它用嘴衔出来了！接着，
用两只前爪抱着，用舌舔着。不一会儿，这只满身血污的
小鼠就变得十分洁净、利索了。母鼠把小鼠安放在木屑丛
中，自己则稍事休息。大约十分钟后，第二只小鼠出世，
照样很快被收拾停当。在间歇期，我注意到母鼠一直在吃

什么。原来，它是把带出体外的胎盘、衣胞、粘膜等一点不剩地全部吃了，连粘在木屑上的血迹也舔舐干净。啊，它是在补添能量！我的心被深深地触动了。

在大陆，妇女分娩前，要拼命吃煮鸡蛋，以预备充足的精力。在美国，分娩前不再吃东西，直接把营养液输进体内。这样分娩者既有了能量，又使消化系统空着，为产道让路。但不管用何种方法，分娩前总需积蓄能量。没想到，老鼠也懂也会！这是谁教给它的呢？在间歇期，母鼠嘴衔、爪抱，频频为小鼠转移地方，以便更安全。它的尖爪、利齿竟丝毫不会伤害小鼠那极幼嫩的皮肤，真令人难以置信。一个多小时后，小鼠全部处理完毕，个个活泼、健壮。

目睹全过程的我，大饱眼福。但我还有一个疑问：小鼠的脐带怎么样呢？脐带太细，肉眼看不清楚。我小心取了一只小鼠放在解剖镜下。小鼠的全身又干净又滑溜，就像小孩洗完澡后全身扑上爽身粉一样；脐带齐刷刷地从肚脐根断掉，只有一小点血斑。太神奇了！

过去，我们惯于把动物各种奇特的行为（如密蜂制造的蜂房、蚂蚁的严密组织、候鸟的迁徙、鱼类的回游等）称之为"本能"。我很少想过，也不明白，生物的"本能"从何而来。《圣经》清楚地记载是神创造了地球上的各种活物，各从其类，而且神看是好的（见〈创世记〉第1章）。也就是说，是神给了各种生物生存和生活的能力，这就是生物"本能"的来由。

耶稣也极生动地以飞鸟和百合花启示大家。他说，"你们看那天上的飞鸟，也不种，也不收，也不积蓄在仓里，你们的天父尚且养活它；"（太26:26）"你想野地里的百合花，怎么长起来；它也不劳苦，也不纺线；然而我告诉你们，就是所罗门极荣华的时候，他所穿戴的还不如这花一朵呢！"（太6:28-29）一切生物都是在神的看顾下才得以生存的。想到这些，我被一种强大的力量所慑服，领悟到神创造的奇妙、完美和伟大。

　　在我还不认识神的时候，把自然界的一切美妙、和谐都归之于"自然规律"。在我的心目中，自然规律是永恒的"第一因"。其实，一切律（社会律、自然律）都是受造之物，必须由权威制定，并在权威的监督下才得以运作。现在，越来越多的科学家相信，宇宙不是永恒的，而是有始、有终，是被造的〈详见第六章〉。因此，宇宙的一切自然律也是被造的。自然律是谁造的呢？当我们挣脱无神论的禁锢，把思想向自然律背后稍作引伸，就很容易"看见"神了。〈罗马书〉1章20节说："自从造天地以来，神的永能和神性是明明可知的，虽是眼不能见，但借着所造之物，就可以晓得，叫人无可推诿。"神创造了宇宙万物，并用他的大能托住万有，维护着宇宙的正常运转。这位造物主正是借着他的创造，向人类启示他自己：只有他才是万有的源头、宇宙的第一因和创始成终者。

二、灵性世界

　　记得小时候，夏夜乘凉时，我总爱听大人讲鬼的故事。越听越害怕，越怕越想听。流逝的岁月，也冲不淡那些难忘的记忆。只是，随着理性的增长，不再信以为真罢了。但一次活生生的经历，使我的思想受到很大的冲击。

目睹鬼附身的经历

　　1975年我参加"农业学大寨"工作组到农村驻队。一天早上，一个小队干部气喘吁吁地来到我的住处说："不好了，我们队闹鬼了！"我不禁一惊："大白天的，闹什么鬼呀？！"他说："有人被鬼附着了！"他希望我前去处理。那个队本不在我管辖之内，但当时工作组长回城了，我无法推脱。我虽觉得荒唐无稽，但心里也有些打鼓，硬着头皮赶到出事地点。挤得水泄不通的人群为我闪开一条路。

我进到内圈,见一个披头散发的妇女正手舞足蹈,又哭又闹。我忙向该队队长询问详情。原来这是一个穷队,无副业可搞,一个工才值一毛多钱。不久前人们发现表土下面有沙土,可用于翻砂。于是各家各户自行去挖沙,然后用架子车拉到县城里卖给翻砂厂。虽价格低廉,但总可以挣一点买油、盐的钱。该队一个中年男子挖沙特别起劲,洞越掏越深,又无任何安全设施。不幸沙洞坍方,他被活活埋在洞里。当人们把他刨出来时,已血肉模糊。家人无力出殡,买了一张草席,和衣把他埋了。

这发疯的妇人是死者的邻居,那天早上突然疯癫起来,满口是死者的话语。队长介绍完后,我听见这妇女说,"我死得太惨了!没有棺材,连衣服也没换一件就把我埋了!我太屈了!"语气、声调都像那死者。我不觉倒吸了一口凉气。

当时正是出工的时候,我让几个人把她搀回家去,以便让大家散开,下地干活。不料这位多病纤弱的妇女的脚像钉在地上一样,几个小伙子都拉不动!我一时无计可施。几个老者见状献策说,只有让死者的家属出来劝驾了。找派人找来死者的妻子。她对那妇女说道:"你丢下我们一甩手就自己走了。你已把我们害得够苦的了!为什么现在还要搅和我们?!你快走吧!过几天我们给你送一身衣服去就是了。"这一招还真灵。那发疯的妇女安静下来,说:"好,我走。但走前让我再喝一口家里的水……"我忙吩咐人用大海碗盛了满满一碗凉水来。她咕通咕通一口气喝下后,就瘫在地上不省人事了。待她醒来后,我问她倒底怎么回事。她说她什么也不知道,只觉得累极了,浑身一点力气也没有了。

我曾听说过鬼魂附身的事,但亲眼见到却是第一次。用无神论很难解释。联想到小时候听到的故事,有些也是亲人们亲身经历过的事情,他们没有必要编瞎话呀。可相信鬼神,又与我们一直受的教育相左。两难之间,我只好采取"信则有，不信则无"的模棱两可的态度，竭力想把这些事忘掉。

美国心脏科权威的书

1991年冬天，我正广泛研读各种有关基督教的书籍，处于将决志的重要时刻。那年圣诞节晚上从教堂聚会回家后，继续阅读罗林斯(Maurice Rawlings)的著作《死──怎么回事？》（*Beyond Death's Door*），作者罗林斯医生是全美著名的心脏科权威，并于1976年被推荐到美国心脏协会国家教授团。由于心脏复苏技术的进步，从临床死亡复苏的心脏病人日渐增多，他亲耳听到的病人的自述，说明肉体的死亡是另一种生命形式的开始，有天堂，有地狱，与《圣经》所述相符。强烈震撼之余，他更自觉地收集此类资料，终成此书。他在序言中写道："这本书中，列出各种死后生命的经历，绝没有被选出来支持某种信仰或哲学理念。不过，如果碰巧跟某种信仰或理念相同时，我可以肯定地告诉你，那的确是每一位经历者真正的亲身体验。我个人也是从每一位经历者的描述中，心头从疑惑到可能会有而至确实相信。很多事情在没有临到我们时，尤其是这类看不到、摸不着的事情，我们会说那是骗局、荒诞无稽、只有傻子才会相信。然而，不管你信不信，书中所写的每一个例子都是真真实实的。"

触动他的第一件事是当他抢救一个乡村邮递员时发生的。这位患者在他办公室进行"压力测验"时，心脏突然休克。体外心脏按摩、肺扩张器、口对口呼吸、人工心律调节器等全然无效，心脏区完全阻塞了。最后只得使用前导器，把电力装置的两极分别插入动脉和静脉，形成吊摆，使心脏跳动规则并克服阻塞。病人时而复苏，时而坠入死亡。

每当恢复心跳、呼吸时，病人就声嘶力竭地尖叫："我在地狱啊！求您别再让我回那里去好不好？！"见惯病人紧张情绪的罗林斯开始并不在意，甚至对患者说：

"那就继续游你的地狱去吧！"然而，病人极度惊吓，表情怪异，瞳孔扩张，浑身打颤，冷汗淋漓。这位医生才真正相信病人处于从未有过的恐怖之中。他更加激烈快速地工作着，并在病人的坚邀下，一齐跪在地板上向耶稣求告。病人的情况终于稳定下来，被转到别的医院。

罗林斯回到家里后，"掸去《圣经》上的灰尘，开始仔细阅读，其中所描述的地狱真是如此。"病人出院后成了基督徒。这件事对罗林斯震动极大："以往死亡之于我，不过是行医时的例行现象，人死如灯灭，无须为之后悔或忧虑。但现在我开始相信，死后毕竟是有生命的。"[8]

《圣经》明确地写到："按着定命，人人都有一死，死后且有审判。"（来9:27）为解开死后生命之谜，他继续认真研读《圣经》，努力收集病人自述的第一手材料。几乎每个病人临床死亡时都有灵魂出窍，飘游在外，冷眼观看医生、护士抢救躺在床上的自己的躯体的经历，也会见到早逝的亲朋。有人到了鲜花烂漫的光明处，有的则身临幽暗、阴森之地。

有一件趣事值得一提。一次他抢救一位七十三岁的老绅士，经历了六次反复死亡。罗林斯不得不要求别的医生来帮忙，并说："再试一次。如果这次休克仍无法控制，我们只好放弃！"作者用十分感叹的笔触写道："多么盼望我当时没有说这句话！因即使他当时不省人事，却居然完全听得一清二楚！后来他对我说：'你这算什么'，'我们放弃'，当时被抢救的人可是我啊！"

一口气读完此书，已近深夜，我陷入沉思。作者的身分、地位、写作的认真、朴实，使我对该书内容的真实性深信不疑。这样，我就被逼入绝境，不能不开始面对真实存在的灵性世界。灵性世界有神和神在灵界创造的天使，以及因犯罪由天使堕落而成的鬼魔、邪灵。既然灵性世界可以不因我们主观的认同或否定而客观地存在着，那么我们能因眼看不见、手摸不到就否定神的存在么？如果灵性世界是真实的，那么我们只看眼前物质世界的世界观、方法论岂不应该修正、充实么？基督教信仰是唯心的还是唯物的呢？它既不唯心，也不唯物，而是唯实的。它同时承认物质世界和灵性世界这两个客观实体。唯心论纯属主观，唯物论则有失全面……

铃声打断了我的遐思。朋友从外州来电话祝贺圣诞节。说到神，她说她信，并讲述了不久前经历的事。数月前她父亲病危，但她因故无法回大陆探望，十分伤心。她不住祷告，求神让她再和父亲见一面。果然，一天夜里她梦见父亲来看她了，还抚摸了她。梦后几天，国内来长途电话告诉父亲离世的消息。她在电话中描述了她父亲走时的衣着、仪表等各种细节。使国内的亲人大为惊诧。原来，她在梦中所见与实际情况完全一样！神应允了她的祷告。我小时候听到的故事、十几年前亲眼见到的鬼魂附身、罗林斯的书、朋友电话中讲的经历，全都联在一起了。我从未感到神是如此真切。神创造宇宙万物，自有永有。与神相比，人类是多么渺小和微不足道啊。然而这位伟大无比、深不可测的神顾念人类，竟垂听每一个人的真诚祷告，与我们每一个人的日常生活这样息息相关。神的真切、高深、威严和慈爱，使我的敬畏、感激之心油然而生。在当天的晚祷中，我不能自禁，第一次两膝双双下跪。

三、人类的道德律和崇拜神的自然倾向

人类崇拜神的自然倾向

有人称人类是宗教性的受造物。《圣经》说，人是按神的形象和样式造的（创1:26）。神造人时，把他的生命之气吹入人的鼻孔里，使人成为"有灵的活人"（创2:7）。我们常说"人类是万物之灵"，大概就是这个意思。虽然人类始祖对神的叛逆使人类与神的交通受阻，但人心中的灵使人类不能从物质世界得到真正的满足，要去寻找那位超自然的造物主，向往永恒。无论过去还是现在，从最原始的部落到最发达的国家，凡有人的地方，就有对神的敬拜。按照我前面的认识论的观点，不少学者曾推断，人类最初是多神崇拜，逐渐演化为现在的一神崇拜。可是，近年的研究结果与此推论恰恰相反：人类最初是单一神崇拜，然后才产生多神敬崇。这个发现与《圣经》的记述相符，很有启迪意义。⁹

且不论别的国家，我们中国从远古开始就敬拜单一神。我国常称神为天（"一"加"大"），我想意即一位至高至大者。《书经》和《诗经》对"天"都有详尽说明。《书经》曰："惟神不常，作善降之百祥，作不善降之百殃。"有人误以为"上帝"是西方人的神。其实，我国自周朝起，就常把"天"与上帝互用。¹⁰ 东汉学者郑玄说："上帝者，天之别名。"¹¹ 仕北京天坛的祈年殿内，也赫然刻着"皇天上帝"四个大字！

儒家创始人孔子也是虔诚敬神的。据记载，孔子的父亲叔梁纥为朱国的大夫，娶颜氏小女征在为妻，久未生子，夫妻遂往尼丘山（现山东省曲阜县东南）求拜神，因而怀孕生孔子。为念神恩，为孔子取名曰丘，字仲尼。¹² 孔子虽说过"敬鬼神而远之"，这并不表明他不信神。孔子说："未能事人，焉能事鬼？未知生，焉知死"（论语·先进第十一）？又说，"子不语怪力乱神"（伦语·述而第七）。因此，孔子说，"务民以义，敬鬼神而远之，可谓知也"（伦语·雍也第六）。可见他觉得自己无力洞察上天之事，于是不求天道退而求人伦道德。但在日常生活中他很虔诚。如，"子疾病，子路请祷。子曰，丘之祷久矣。"当人告诉他说桓魋要谋杀他时，孔了说，"天生德于予，桓魋其如予何！"颜渊死时，孔子则说，"天丧予。"孔子认为人的命运是掌握在神手中的。他还说，

"吾十有五而志于学；三十而立；四十而不惑；五十而知天命；六十而耳顺；七十而从心所欲，不逾距"（伦语·为政）；"知我者，其天乎"（伦语·宪问第十四）；"朝闻道，夕死可矣"（伦语·里仁）。他一生都顺天安命，渴慕真道。

人类良心、道德律的一致

由于社会制度、文化背景的差异和两国人民的长期隔离，赴美前我曾担心能否与美国人相处好。到美国后我立即发现自己的担心是多余的。我与美国老师、同学、朋友、邻居相当融洽。他们的热情、率直和真诚给我留下深刻印象。出人意料的是，美国人的道德观念与我们的十分相似，都崇尚勇敢、勤奋、谦逊、诚实、乐于助人等美德。地理和制度的隔绝为什么产生如此相近的道德标准呢？我找不到答案，而归之于人的"本性"。

我们常提到"良心"，也确实感到良心的存在。可"良心"又是什么呢？人们生气时会质问："良心卖多少钱一斤？！"使人无言以对。后来，我在《圣经》找到了答案。神说："我要将我的律法放在他们里面，写在他们心上。"（耶31:33）"律法的功用刻在他们心里，他们是非之心同作见证，并且他们的思念互相较量，或以为是，或以为非。"（罗2:15）神放在人心中的律法，使人能明善恶，成为人类共同道德标准和良心基础。

有人会问，在那些杀人成性、无恶不作的强盗、惯犯身上，如何体现这种道德共性呢？我的看法是，第一，这种人或迟或早、或多或少也会受到自己良心的谴责。第二，看一个人的道德标准，不仅要看他如何欣赏发生在别人身上的事，更要看同样的事情发生在他自己身上时他的反应。如果这些强盗、惯犯自己或亲友被杀、被辱、被抢时，他们的切齿痛恨、怒不可遏才是他们内心深处的道德律的真实反映。

唐崇荣牧师在《智慧的人生》中讲到一个事例。一对住在澳大利亚墨尔本的年轻夫妇，一次口角后，丈夫一气之下把妻子杀死，并碎尸灭迹，远逃到西海岸，下决心重新开始，并与当地一漂亮女子结了婚。数年后，事业有成，妻贤子孝，被推崇为模范家庭。不想一天男方突然失踪，妻子十分焦虑。后来女方被叫到警察局，告之她的丈夫在那里，她大为惊讶。见到丈夫后，男方告诉妻子关于杀前妻的事，并说他主动自首："二十五年来，我天天受到良心严厉的谴责。如果我被处死，也心甘情愿；如果我不自首，我的神经会完全崩溃的。"[13]

德国思想家康德(Immanuel Kant)在《实践理性批判》的序言中说过："有两件事使我愈来愈感到害怕：第一是闪着星光的大空，第二是在我心里说话的良心。"[14]神正是借着他创造的大自然，和他安放在人心里的灵启示着人们。

四、神的特殊启示

特殊启示又叫超自然启示，是神在特定的时间、地点，向特定的人而发的。人要认识神，需要和神直接沟通。所以除了普通启示外，神也直接用他的话语传递他的启示。神的显现、异象、异梦、天使的传信、神迹，尤其《圣经》和耶稣本人是完备的特殊启示。神借着两本书启示人类。一本书是大自然，一本书是《圣经》。透过大自然的奇妙，使人的确知道超自然的设计者、创造者的存在。《圣经》是神所默示的，通过研读《圣经》，使人们了解这位设计者、创造者是谁，他的属性怎样、与人类的关系如何。通过《圣经》，我们方能明白人从何而来、人生的真谛是什么、人要往哪里去；尤其重要的是，《圣经》充分阐明了神的救恩计划和神的国度。

自人类的始祖亚当、夏娃悖逆神后，死亡进入世界，世人陷在罪中不可自拔。是神差遣他的独生子来到人间，用他的宝血洗净人的罪，使一切信他的，不至灭亡，反得永生。

也就是说，只有借着耶稣基督，人才能到神那里去。这些，在后面几章还会详细讨论。这里要提及的是，每一个信从耶稣的人，都和神建立了个人关系，在日常生活中时时感到神的同在。对信徒而言，神的存在不再是理论问题，而是个人的切身体验了。

刘牧师信主和服事的经历

刘牧师布道时，向我们讲过他信主的经过。他祖籍福建省，因家境贫穷，九岁就下南洋谋生。十几岁回家乡时遇到一位传道人。好歹已混上一身西服的他，从心眼里瞧不起身着土布衫的传道人，更不相信他传的道。传道人离开后，亲戚告诉刘牧师，此传道人是一名牌大学的毕业生，放着通达的仕途不走，却甘愿作一名衣食无靠的乡间传道人。刘牧师听后虽有感触，但感而不动。

可是，自那位传道人走后，他无缘无故地连续三夜通宵失眠，烦躁不堪。他想起那传道人离走时曾留下一个地址："你若有什么事，可以去找他。"万般无奈，第四天他按地址找到一住处。从外隔窗里望，见一人正跪在地上。闻声开门后，那人立即说："你是刘××弟兄吧。"刘牧师不胜惊奇："我们从不相识呀！"那人笑答道："我已为你祷告三天三夜了。"刘牧师大为震惊、感动，当即跪下，痛哭悔改，接受了耶稣作他的救主。

后来他成为福州教区总医院的负责人，并到美国进修医院管理。在美期间，虽竭力挣扎、逃脱，仍被主拣选，作全时间传道人，于四十年代末期携带妻小，逆着人流，回到福州，全身心献上，忠心为主作工。"十年浩劫"期间，一次他被戴帽、挂牌揪斗，跪在被焚烧的《圣经》的火堆前，火顺风势扑向他，他力渐不支。就在他晕倒的那一刹那，他向神呼救。结果，风向突变，把火吹向批斗他的人们，他们惊惶四逃，批斗会不了了之。刘牧师被几位信徒抢救回家，后得痊愈。直到他八十年代中期再度来美，见到一位当初抢救他的教友时，方知当时发生的这一切。

许医生的得救见证

几年前我听到一个录音见证。见证人许医生从香港来美留学，获M.D.、Ph.D.后在加州行医。谁也想不到这位众人眼中的幸运儿、佼佼者的内心却充满无可名状的悲伤，常常独处落泪。后觉腹部不适，经多位医生会诊和穿刺检查，确诊是肝癌，已到后期，只有几个月的存活期了。如果肝移植术成功，存活期可延长一年左右。这晴天霹雳是他无法接受和承受的。但事实毕竟是事实，他无路可寻。他打电话把病情告诉了他一位当牧师的朋友。朋友得知后深表同情，但也回生乏力，劝他向神祷告。

许医生虽然十几岁时在香港作了基督徒并且受了洗，但以后忙于求学、事业，自来美后很少读经、祷告。面对绝境的他跪下来求神了。他的祷告很简短。他说："神啊，这么多年我都没有祷告了，现也不知从何谈起；我只有一个请求，如果你真存在的话，就让我临死前看看你。"祷告时热泪纵横，祷告后内心立即平静下来，有着多年未曾感到的平安。

与家人商量后，决定做肝移植手术。当医生们切开他的腹腔时，都呆住了：没有肿瘤扩散现象！仅在一叶肝上发现一个肿块。医生们只好在手术台上改变手术方案，作了肝脏局部切除。化验的结果是：由恶性向良性转化的肿瘤！从确诊到手术，中间只隔了七天。医生们百思不解，最后说："我们只希望今后不再遇到像你这样的病人！"主刀医生是犹太人，他不信神，但他对许医生说："这种事可以让所有的无神论者改变想法。"许医生心里十分明白，是神医治了他，不仅治好了他肉体的恶疾，也医治了他灵性的失聪，恢复了与神的关系。他倍受激励，在美国、加拿大、中国各地作见证，颂扬神的大能和大爱。我听到的，就是他一次见证会的录音。[15]

我个人的一点见证

　　除了上述这样典型的事例外，在日常生活中体验神的机会也很多。几年前，我颇费周折地买到了一个狗的肝脏的DNA基因库。这个样品是下午快下班时到的，被随手放到-70°C的冰箱里。晚饭后看说明书才发现，在放到-70°C前必须先加防冻剂，否则噬菌体会受到伤害。我心里大为不安，立即赶回实验室，但样品已在-70°C冻5个多小时了！

　　回到家后我相当沮丧。当时我正在第一次通读《圣经》，每天读两、三章。那天晚上实在没有心思读《圣经》了。但我觉得有一股力量催促我去读经，我强打精神翻开《圣经》。那晚该读箴言第三章。刚读了几句，一段经文就跃入我眼帘：“你要专心仰赖耶和华，不可倚靠自己的聪明；在你一切所行的事上，都要认定他，他必指引你的路。”（箴3:5-6）我顿有所悟。神是万能的，一切都是他创造的，只要认定他，有什么难成的事呢？我精神为之一振，继续往下读。不久，又一段经文跳了出来：“忽然来的惊恐，不要害怕；恶人遭毁灭，也不要恐惧；因为耶和华是你所倚靠的，他必保守你的脚不陷入网罗”（箴3:25-26）。太奇妙了！完全对症！我并不是像过去学毛选那样，“带着问题”去学《圣经》，而是按步就班地读到这一章了。在读以前，我压根儿不知这一章写的是什么。可是，经文多么有针对性啊。我深知是神借着《圣经》在向我说话，在启示、指引我。

　　当晚在祷告中我说：“神啊，求你保守这些噬菌体不被冻死；即使死了，也求你让它们活过来。你是复活的主，生命在你，复活也在你。死人都可以复活，何况这小小的噬菌体呢。神啊，我认定你了。求你帮助、指引我。”祷告后心里安定多了，睡了个好觉。第二天，我心里还是有些含糊。早上到实验室后立即给出售样品的公司挂电话，对方听完我讲的情况后沉吟一会说：“这么多年来，我们从未碰到过这种情况，恐怕够呛。"我的心不禁一沉，她似乎感觉到了我的情绪，安慰道："也不一定一点希望也没有了。接种试试，如果长起来了，就是活的。"我心想，这不是废话吗？虽有些失望，但有昨晚的经文垫底，我的心还是比较踏实的。立即开始做接种试验。我想，即使不全死，这些噬菌体的存活率必然会降低。所以，除一个培养皿中按说明书要求的浓度外，别的培养皿都接种高浓度的噬菌体。

几天后看结果时，不免忐忑。我首先看接种浓度高的培养皿，根本看不到噬菌斑。直到最后一个培养皿（正常接种浓度），噬菌斑出现了！原来，噬菌体的活性一点没受影响。那些高浓度接种的噬菌休太多，已把细菌全部吃掉，噬菌斑连成一体而无法分辨了。我当时的心情是难以言表的。我的激动不为别的，因我真切地感到神与我同在。第二天我打电话告诉那家公司说："不加防冻剂在-70℃冻几个小时于噬菌体无损。"

后来我作见证时，有朋友说，按他个人的经验，不加防冻剂，噬菌体在-70℃也不会死。我的响应是：第一，生命现象很复杂，他的经验不一定适用于我的情况；而且，此出售公司是要求加防冻剂的。第二，问题的关键不在于不加防冻剂噬菌体会不会死，而是在于，当我和出售产品的公司都心中忐忑不安，没有把握时，神就借着《圣经》的话启示、安慰了我，并且为实验结果所印证。

五、直接证据——神曾访问过我们星球

神存在的直接证据是神从无限进入有限，来到我们地球，这就是降世为人的耶稣基督。神的儿子取了人的形状，用人能理解的话语亲自向人们讲解天国的道理，行了种种神迹、奇事，最后他被钉十架，用宝血洗尽了人的

罪，完成了神对人类的救赎计划，使一切相信他的人进入永生。耶稣死后第三天从死里复活，以大能显明他是神的儿子，升天后坐在圣父右边为人代求。耶稣在世只有短短的三十几年，却无可比拟地、深刻地影响了、并正影响着人类历史的进程。这些，我在第三章〈谁是真神〉和第四章〈耶稣基督复活的证据〉中还要详细讨论。

六、一些反思

　　既然神存在的证据如此充分，为什么许多人仍不相信神的存在呢？或者说，如果神这样真切、与人类的关系这样密不可分，为什么很多人感觉不到神的存在呢？这是一个很切合实际的问题，可以从两、三个方面思考。

　　首先，是理性障碍的存在。我在本章开头已提到，在无神论背景下成长的人，尤其是知识分子，常把有神论看作是迷信、愚昧的代名词，不屑一顾。这种根深蒂固的观点其实是似是而非的。迷信是盲目的相信。基督教的一神论信仰是建立在客观事实基础之上的真实信仰，与迷信风马牛不相及。有人曾比喻说，小时候我们看木偶戏，以为那些神灵活现的木偶是真的、活的；长大以后知道那些只不过是木制玩艺而已，这是我们认识能力提高的表现。然而，如果在否定木偶的生命性的同时把在幕后操纵的艺术家们的存在也一起否定，那就从一个极端走到另一个极端了。我们现在面临的情况十分相似。否定人类对各种自然现象的盲目崇拜是人类生产力发展、认识能力提高的结果；但在否定这种迷信的同时，把创造这些自然现象的神，也不加分析地加以否定，就有失依据而走向极端了。

　　现代科学发展的一个重要结果是引导人们从对自然界的受造之物的崇拜转向对自然界的创造者——神的敬拜。许多科学家和诺贝尔奖得主正是在认识宇宙的过程中逐步认识了神，完成了从无神论者到有神论者的飞跃。因此，

认为有神论是人类认识低级阶段的产物、无神论是人类走
向文明后的必然归宿的观点并非历史的真实。

　　我过去也常以无神论者自诩，对有神论采取不接触、
不探讨、不相信的态度。后来才渐渐明白，所谓无神论
者，必须是那些对无神论和有神论作过深入、系统的研
究、比较，最后相信无神论的人。而我的无神论观点是以
结论的形式从老师那里、书本上承受过来的，对有神论没
作过任何研究。按此标准，我过去够不上一个无神论者，
只是一个以为没有神的人罢了。我想，不少人的情况与我
过去相似。我们应该越过先入为主的认识观点，存一个开
放的心理，对有神论作一番了解，研究比较，再决定取舍
不迟。如果持我过去那种"三不"态度，神存在的证据无
论如何真确、充分，我们也无从了解而信之。

　　其次，是理性至上、科学万能的观点的束缚。"神在
哪里？如果你能证明给我看看，我就信！"这是我以前与
传道者辩论常持的"王牌"论点。现在我传福音时不想也
受到同样的挑战。我们很多人认为科学是万能的，只有被
科学证实的事物才真实可信；理性是最可靠的，只有理性
判为合理的事才可以接受；神的存在既不能用科学方法加
以证明，又不合理性，因而难以相信。我过去以为这种逻
辑、观点是无庸置疑、天经地义的。现在才知道这种观点
并不正确，是受了人文主义和科学主义的影响。

　　人文主义竭力抬高人及其理性的地位，把人看作是宇
宙的中心，一切要由理性审视以决定去留。科学主义则过
于夸大科学的作用，把科学方法当作检验客观真理的唯一
标准。这些是不符合实际的。科学不是万能的，其方法和
自身都有局限性，对灵性世界更是鞭长莫及。神超越时
空、超越万有，是科学无法企及的。所以科学既不能证明
神，也无法否定神。神创造了宇宙，科学则是去研究、认
识神创造的宇宙。在这个层次上，神的创造与科学是和谐
的。科学研究的对象是自然界的受造之物，神则远在自然

界之上之外。基督教信仰不排斥科学，是涵盖科学、超越科学的。

至于人的理性，也不是那么靠得住的。有人说过："如果我们真要用理性来思维的话，一件确定无疑的事就是，人的理性十分有限。"一个人如果有幸活到一百岁，除头去尾，真正精力旺盛、思维敏锐的时间只有五、六十年；如果再去掉睡觉、娱乐的时间，一个人真正能用于学习、工作的时间不过二、三十年。在这样短暂的年日里，一个人能到多少地方、经历多少事物、能涉及多少领域、能钻研多深呢？与浩瀚的宇宙相比，与今日爆炸的知识相比，一个人的认识算得了什么呢？再者，人犯罪后，其理性也受到玷污。有人说，"人是合理性动物。"这是说，人明知作了一件错事，仍要用理性编出一套理由为之辩解。

按科学主义的实证观点，只有人的五官或借仪器能感觉的东西才可信。但是，人的感官是很有限的。人眼可见的，只是可见光这一部分，波长太长、太短都看不见；即使在可见光范围内，太大、太小、太远、太近的东西，肉眼仍看不见。我们的耳朵也如是，频率太高、太低的声波都听不见。何况人的感官自中年后就日渐衰退了呢。我们使用的仪器，与浩瀚的宇宙相比较，也是极有限的。以如此短促的人生，这样有限的感觉、思维和创造能力，如果我们硬要充当宇宙万物乃至神的仲裁人，硬说在我们的感觉以外没有客观实体的存在，就显得不够明智和过于武断了。人们常问："科学能证明神的存在吗？"我的回答是："科学不能证明神，因为科学太有限。"但我总可以列举许多神存在的证据。我也可以反问："科学能证明没有神吗？"人们恐怕很难有肯定的回答，最多不过说："因为我五官感觉不到神。"可是这充其量是"存在就是被感知"的唯心主义命题，连唯物主义都算不上啊！关于科学与神的关系，在第五章〈现代科学与基督教信仰〉中还要专门讨论。

最后，我们要有谦卑的态度。《圣经》多次严厉批评人的骄傲。耶稣在登山宝训中列举了几种福份，名列首榜的是"虚心的人有福了，因为天国是他们的。"（太5:3-11）因为骄傲的人充满世俗的智慧，不能明白属灵的事，反倒以为愚拙。"世人凭自己的智慧，既不认识神，神就乐于用人所当作愚拙的道理，拯救那些信的人；这就是神的智慧了。"（林前1:21）

有人说，骄傲的人的眼是长在额头上的。这种人总爱居高临下地俯视一切，因而永远找不到神。因为神远远高于我们，只有谦卑地仰望才能看见。要做好一件事，工具一定要用对。看东西要用眼，听声音要用耳。要找到神，也必须有正确的途径。"神是个灵；所以拜他的，必须用心灵和诚实拜他。"（约4:24）正像收看电视，无线电广播必须调准频道一样，我们只有真诚地承认自己的不足，真诚地求神启示我们，真诚地用自己的心灵与神的灵共振，才能与神相交、契合。

恐怕没有人愿意骄傲；可我们常常已陷入骄傲而不察觉。过去，我虽从未读过《圣经》，连《圣经》的目录都未看过一遍，却断言《圣经》不可信。这不是实事求是的科学态度，而是自恃有知识、理智，自以为真理在握的骄傲态度。我们认为没有神，但周围有许多同样聪明、有才能、智慧的人却相信神。如果我们不去了解就断言对方错了，那我们就可能失去认识真理的机会。相反，如果我们能认真地反省，去掉骄傲，谦卑下来，我们才有可能找到神，找到永生之道。"耶和华的眼目，看顾敬畏他的人和仰望他慈爱的人；"（诗33:18）

注 释

1. 李道生编著。《世界神哲学家思想》。台北：大光书房，1992。

2. 韩伟等著，《科学理性与信仰》，台北：宇宙光出版社，1989，页20。

3. 崔振华主编，《天文博物馆》，中国：河南教育出版社，1995，页44。

4. 同上，页84。

5. 同上，页50。

6. Henry M. Morris 著，*Scientific Creationism*. Institute for Creation Research, San Diego, USA, 1979. 韩伟等译，《科学创造论》，美国：更新传道会，1991，页29。

7. 同3，页29。

8. Maurice Rawlings著，*Beyond Death's Door*. Thomas Nelson, Inc., 1978. 橄榄翻译小组译《死——怎么回事？》，台北：橄榄文化事业基金会，1989，页4。

9. 马有藻，"需有弃假归真的勇气"，《中信月刊》，（1997年12月），页10-13。

10. 李美基，鲍博瑞与唐妙娟著，《上帝给中国人的应许》，台北：道生出版社，1996，页8。

11. 同上，页16。

12. 张郁岚著，《认识真理》，美国：使者大陆文字事工部，1996，页60。

13. 唐崇荣著，《智慧的人生》，台北：校园书房，1990，页96-97。

14. Immanuel Kant, Critique of Practical Reason. New York: The Liberal Arts Press, 1956.

15. 许医生的见证已被写成了报告文学，收在宁子著的报告文学集《寻梦者》中，台北，校园出版社，1997，页41-58。

第二章

《圣经》是神默示的

第一章已谈到，神借着普遍启示（大自然、人的良知、道德本性等）和特殊启示（神直接显现、异梦、异象等）向人类启示他自己。《圣经》则是神的特殊启示的完备内容。使徒保罗指出："圣经都是神所默示的，于教训、督责、使人归正、教导人学义都是有益的，叫属神的人得以完全，预备行各样的善事。"（提后3:16-17）这里，"默示"二字的希腊原文是"呼吸"，即《圣经》是神所呼出来的。《圣经》不是吸入了神的气息，而是神呼出来的作品。《圣经》各书卷的作者并不是机械地笔录神说的话。各书卷都有自己的特色和风格。作者是在神的灵感动下，以各自特有的方式写出。神的灵在他们身上有控制性的影响，使他们在著作中透过自己的语言所表达的，不折不扣的是神要说的话。贺智（Charles Hodge)把"默示"解释为，"圣灵在某些被拣选的人的影响，使他们成为神的工具，能够丝毫不错误地传达神的心思和旨意。"[1]但默示的实际过程，与重生、成圣等圣灵的工作一样，仍是个奥秘，我们现在不能完全明了。

在基督徒心中，《圣经》有至高无上的权威，是其信仰和生活的唯一准则。《圣经》这种绝对权威是由它的一系列特性所确立的，证明它是神的话语。

一、《圣经》的作者和正典的形成

《圣经》包括旧约三十九卷和新约二十七卷，共六十六卷，由不同的作者写成。旧约主要用希伯来文写成（其中有一小部分用亚兰语），新约则是希腊文。旧约完成于耶稣降生前数百年，新约则始于耶稣受难、复活、升天以后。一般认为，〈约伯记〉可能是《圣经》中最古老的一卷，但成书的准确时间不详。除了〈约伯记〉外，最古老的摩西五经（旧约前五卷书〈创世记〉、〈出埃及记〉、〈利未记〉、〈民数记〉和〈申命记〉的通称）写于公元前1400年左右，旧约《圣经》各书卷在公元前400年左右写成。新约《圣经》的写作从第一世纪中叶开始，于第一世纪末完成。两约之间有四百年的间隔期（被称之为"沉默期"）。所以新、旧约的写作历时一千五百年左右。

《圣经》最初书写在羊皮（绵羊、山羊或羚羊）、小牛皮或盛产于埃及、叙利亚浅湖中的芦苇制成的纸上。这种芦苇又叫纸草，由叙利亚的白百罗港(Byblos)出口。希腊文Byblos 意为"书"，即由此港口之名而来。英文的"纸"字(paper)也源于希腊字"纸草"(papyrus)。此外，有些经文则保存在瓦片、石碑、蜡板等上面。抄写的工具有芦苇、羽毛、金属笔等。墨水是由木炭、胶和水制成的。

《圣经》的四十几位作者，不仅各自所处的时代不同，职业、身分不同，写作的环境也有很大差异。摩西是政治领袖，约书亚是军事领袖，大卫和所罗门是君王，但以理是宰相，保罗是犹太律法家，路加是医生，彼得、约翰是渔夫，阿摩司是牧羊人，马太则是税吏。新约时代，犹太人被罗马人统治。税吏是那些身为犹太人却替罗马政府向自己的同胞征税并从中渔利的人。好像抗日战争中替日本人效劳的汉奸。有人说税吏是犹奸。有的写于皇宫之中，有的则著书在牢狱或流放岛上；有的写于戎马战时，有的却完成于太平盛世；有的写于喜乐的高潮，有的则写于悲恸、失望的低谷之中。《圣经》各卷书都是独立写成的，写成后即在各犹太会堂或基督教堂传读。《圣经》的作者们并不知道这些书卷日后会被汇编成册，形成新、旧约正典。奇妙的是，当人们把这六十六卷书编在一起时，这些跨越六十代人写成的、风格迥异的作品却是那样的和谐，前后呼应，浑然一体！不用说一千多年所造成的时、空差异，就是同一时代的人独立写成的作品，也很难彼此和谐。即便是同一人的作品，随着时间的推移，其观点也会自相矛盾呢！试想，我们会怎样看待自己在十年前写成的作品呢？事实上1996年刚刚出版的《游子吟》，现在我就不得不出修订版了！《圣经》的奇特的连贯性，只能解释为是神的灵贯穿始终，神是《圣经》的真正作者。

公元前250年左右，应埃及王托勒密二世(King Ptolemy II)的邀请，犹太大祭司以利沙(Eleazar)从犹太十二支派中各选出六位译经长老，携带旧约经卷去亚历山大城，将希伯来文旧约译成当时流行的希腊文，这就是有名的七十士译本。在那时，旧约已有了很好的雏形。到耶稣时代，旧约已定型了。在新约《圣经》中，主耶稣和新约的作者们，常引用旧约。"经上如此说"中的"经"即指旧约。但正式宣布旧约正典告成是在第一世纪末叶。公元70年，当圣城耶路撒冷即将被毁之际，犹太拉比犹迦南获罗马当局的许可，在犹大地约帕城和亚锁都城之间的吉母尼亚(Jamnia)召开了犹太教的高级会议。会议所议论的事项，先以口传，后来则记载在拉比的著作中。会议中曾对是否要将〈箴言〉、〈传道书〉、〈雅歌〉、〈以斯帖记〉等书列入正典有过分歧，但讨论结果仍确立三十九卷书都属于旧约正典。

公元140年左右，马吉安(Marcion)开始散布异端，写成一套所谓的新约正典。这启发教会应确立正统的新约正典，以抵制马氏的影响。再者，东方许多教会陆续开始运用一些来源不正的经卷，因此，确立新约正典的范围也日趋必要。到公元303年，罗马大帝戴克理仙(Diocletian)下诏摧毁所有基督教的经书。在如此险恶的环境中，信徒需要知道哪些书卷是值得舍命保存的新约经卷。由于这些原因，促使人们编辑新约正典。虽然对是否应把〈希伯来书〉、〈雅各书〉、〈彼得后书〉、〈启示录〉等列入正典颇有争议，亚他那修(Athanasius)在一封公开信中把我们现在的新约二十七卷书列入新约正典。382年在以耶柔米(Jerome)为主要人物的罗马的大马新(Damasine)会议上及397年的加太基(Carthage)会议上（奥古斯丁是主要人物）都一致承认这二十七卷经书。从此，罗马及非洲两大教区对新约正典应有的书卷不再有争议，新约正典终告完成。

　　在新、旧约的间隔期，还有其它一些犹太著作流传。《伪经》是一些从公元前200年到公元后200年犹太著作的通称。其中一些著作是冒亚当、以诺、摩西和以斯拉等人的名写的，故称之为《伪经》。《伪经》以传统故事、启示性的异象、异梦等形式出现，其目的是要帮助正经历异常困苦的犹太人坚守信仰。由于其所记载的事有的怪诞离奇，有的有明显错误的教义，所以犹太人拒绝将它们收入旧约正典之中。除《伪经》外，当时流传的还有十四、五卷《旁经》或《次经》，写于公元前200年到公元后100年，大体上准确地反映了两约之间的宗教、政治和社会情况，并有不少真实而有价值的教训。由于其中有真理上的错误，如准许人自杀、为死人祈祷，及历史的错误，同时，它们本身也没有宣称是神所默示的，所以犹太教和基督教（作为一个整体）不接受旁经为正典。但天主教会将大部分旁经纳入其正典之中。

　　由于《圣经》六十六卷书的收集历史过程涉及到人的方面，我们会以为成为正典与否是由人决定的，即似乎人的判断是订定正典的关键。但事实不是如此。这六十六卷书之所以是正典，是因为它们是神默示的。它们在被写成时就是正典了。神的子民公认这些著作是神的默示，这件事本身并不能使它们成为神的默示。神的默示是一件事实，不因人的公认而改变。人的公认只是"正式追认"、接纳那些散在各地的会众早已承认的正典书卷而已。新、旧约订定的实质是：神默示这些书卷，使之成为正典；它们在神的护卫下，得以流传、保存；神的子民在圣灵的启示下，承认、接纳他们为神默示的《圣经》正典。《圣经》从写作到正典形成都是神的作为，只不过是借着人达成的罢了。正像《圣经》都是神所默示的，却是人手写成的一样。

二、《圣经》的教训

《圣经》博大精深，远远超过了人类的思想，《圣经》中的基本真理更常与人们的心思意念相反，充分显明只有神才是其真正的作者。

《圣经》的焦点从始至终都在神身上。大自然启示我们一位超然的造物主的存在，《圣经》则详尽地向人类启示他的属性和位格。这位无所不在、无所不能的神是万有的源头，他不仅创造了万有，而且用大能托住万有，使之维持正常运转。神是公义、圣洁的，又是慈爱、善良的，在绝对的公义和无限的怜爱中为犯罪的人类预备了救赎之道。这位神是独一无二的，却又有圣父、圣子和圣灵三个位格，是"三位一体"的独一真神。这既不是有三位神，又不是只有一个位格的神。古往今来，很多人曾借用各种模拟来解释"三位一体"，但至今无法理解这个奥秘。因为三一神是独一的造物之主，而人们用的一切比喻都是受造之物，没有可比性。"那圣者说：你们将谁比我，叫他与我相等呢？"（赛40:25）"耶和华啊，照我耳中听见，没有可比你的，除你以外再无神。"（代上17:20）这并非悖逆理性而是超越理性，不是人能想出来的理念，而是神启示的真理。

《圣经》中的耶稣基督也是非常奇特的。他是无限的真神，却借童女所生，进入有限，取了人的形象。他身为万有的创造者却死于人手；他完美无瑕却被人钉上十架。他的教训带有极大的权柄，却不迎合人意。他行了许多神迹奇事，但拒绝作犹太人的王。他智慧、谦卑，却坚称自己是那独一的真神。这些，我们在第三章还要详细讨论。若不是受到神的独特启示，福音书的作者是不可能如此描绘耶稣的。

《圣经》不仅向人类启示神，而且让人认识自己。有人说，《圣经》不是人的神学，而是神的人类学。人对自己的天性一直大惑不解，众说纷纭。有人发现人性的复杂性，称人"一半是天使，一半是魔鬼"。有人则鼓吹人的神性："诸神是不朽的人，人是会死的神明。"在我国，素有孟子的性善说和荀子的性恶说之争。随着进化论的崛起，不少人则认为人仅是进化到高级阶段的动物而已。

只有《圣经》清楚地启示了人类的本性。人是神造的，是按着神的形象和样式造的。神在造人类的始祖亚当时，将生气吹进亚当的鼻孔里，使他成为有灵的活人。人不仅像别的动物那样有体、有魂，而且还有灵。这是人与其它动物的根本差别。人是万物之灵，可以与神相交，追求永恒而无法从所处的自然界得到完全的满足。"神看着一切所造的都甚好"（创1:31），人受造时性是善的。然而，由于始祖的悖逆，人和神的关系中断，人类开始过一种以自己为中心的生活，陷在各种罪中不能自拔。从此，人一生下来性就是恶的。"我是在罪孽里生的，在我母亲怀胎的时候，就有了罪。"（诗51:5）因而，人是伟大的，但又是堕落的。

《圣经》不止一次入木三分地鞭笞人的罪性和罪行，严厉地指出，"世人都犯了罪，亏缺了神的荣耀。"（罗3:23）《圣经》在描写以色列人的祖先时，对他们的过失、污点直言不讳，毫不掩饰，与一般的传记、历史文学形成鲜明的对比。《圣经》指出，即使像被誉为"信心之父"的以色列人祖先亚伯拉罕、被称为"合神心意的人"的以色列国王大卫等伟大的先贤人物，都不过是亟待神的救恩的罪人。对人的这样鞭策入里的描绘，实非人手所为。美国德州达拉斯神学院创始人查非(Lewis Chafer)精辟地说过，"《圣经》不是人想写便写得出来的，也不是人愿意写便能写得成的。"[2]

神爱世人，为罪中痛苦挣扎的世人预备了救恩。《圣经》的救恩观是非常独特的。世界一切别的宗教都劝人行善、赚取功德，靠人的好行为讨神喜悦以便得救。《圣经》却指出，活在罪中、被罪所捆绑的世人是无力始终行善、无法达到神的道德标准的。因此，神差派他的独生子耶稣降世为人，作人的替罪羊，用他在十字架流出的血洗净世人的罪，使一切相信他的人不再被定罪，并成为神家的儿女，进入永生。所以，《圣经》的救恩观是"因信得救"。"你若口里认耶稣为主，心里信神叫他从死里复活，就必得救；因为人心里相信，就可以称义；口里承认，就可以得救。"（罗10:9-10）

这种救恩观丝毫不迎合人的普遍存有的"行善积德"的心态，与一切别的宗教划出明确的界限。"你们得救是本乎恩，也因着信，这并不是出于自己，乃是神所赐的；也不是出于行为，免得有人自夸。"（弗2:8-9）《圣经》中神的这种救恩并不是神话或空话，而是真实可靠的，因为它是植根于耶稣基督从死里复活的历史事实之中的。

三、《圣经》的历史性

很多人认为《圣经》是一部优秀的文学作品，是一部伟大的伦理著作，而非真实的历史事实。十九世纪中叶达尔文提出进化学说后，《圣经》的权威受到严重的挑战，被不少人认为是虚构的、不科学的。为了回答这种挑战，"圣经考古学"应运而生。此门学科的研究范围包括出土文物的鉴定、《圣经》所记录的古代城镇的发掘、与《圣经》有关的古文字的译解等等。十九世纪以前，有关《圣经》的时代背景的知识相当贫乏，一般只有参考《圣经》本身的记载和古希腊史学家的著作。而这些著作主要是关于新约的，有关旧约的却极为稀少。"圣经考古学"虽只有一百多年历史，但已硕果累累。尤其二十世纪以来的许多重大发现，帮助人们建造起《圣经》的历史架构，并验证了一些过去被怀疑和被嘲笑的圣经故事，充分肯定了《圣经》的历史性。

例如，有人曾基于人类文化的观念，坚持摩西五经不是摩西写的，因为他们认为在摩西时代大多数人还没有文字，摩西不可能写出如此详尽的律法条文。而1901年出土了《汉慕拉比法典》(The Law Code of Hammurabi)。它是一块高约210公分，宽180公分的石碑，其上刻有近三百条律法。此法典属于汉慕拉比王统治下的巴比伦时代（公元前1728-1686年），比摩西五经的写作时间还早二、三百年。从此，这种认为摩西五经不是摩西所写的论调才销声匿迹了。

《圣经》中记载了一个民族叫赫人。摩西五经中提到赫人在迦南地居住，亚伯拉罕在希伯仑定居时曾与赫人为邻。但史书上从未有过关于赫人的记载，故批评家们都认为《圣经》的此项记载毫无历史价值。然而，1906年在土耳其首都安加拉以东一百四十五公里的哈里斯河湾(Halys River)，考古学家发掘出赫人帝国的首都波格斯凯的废墟，发现一大批刻有赫人楔形文字的泥板。证明赫人是一个重要的古民族，曾有两个强盛时期（公元前1800年左右及公元前1400-1200年），其帝国灭亡于公元前1200年左右。不仅如此，这些被鉴定和翻译的泥板，开始展现出整个古代《圣经》世界的时代背景。比如，根据赫人律法，在买卖土地时，买主必须同时买去土地上的一切附属物；其买卖须在城门口进行，并有见证人在场等。这与〈创世记〉第23章记载的关于亚伯拉罕为葬妻子撒拉想向赫人买一块墓地，最后却不得不把墓地所属的田地并田地四周的树木全部买下来的记载完全相符。

考古学的发现证明，以色列人的祖先亚伯拉罕的家谱具有绝对的历史性，都是可以证实的历史人物。不仅考古的发现可以证实《圣经》的记载，《圣经》的记载也可以帮助考古发掘。翁格(Merrill Unger)说："根据新约《圣经》的资料，考古学家们挖掘出好几座古代的城市，发现过去被人视为根本不存在的民族。考古学以惊人的手法增添我们《圣经》知识的背景，也填补了历史上的空隙部分。"[3] 旧约〈列王纪上〉9章15节记载的米吉多、夏琐和基色三个城市都是由以色列王所罗门建造的。1960年，当著名以色列学者也丁(Yigael Yadin)继发掘米吉多城后发掘夏琐城时突然有了灵感。他想米吉多城门每边都有三间房子，夏琐城门是不是也这样呢？于是，他将米吉多城门大闸的图形在发掘工地上画上临时记号，然后通知工人挪开瓦砾碎片，按记号挖掘。完工时，工人们都用奇异的眼光看着他，好像他是魔术师或占卜师似的。因为，发掘的结果与他按米吉多米门复制的草图完全一样！

圣经考古学的资料不断充实《圣经》的背景知识，有助于人们对《圣经》经文的理解。在摩西五经中，在神引领以色列人从埃及进到所应许的迦南美地时，对迦南人采取绝灭的政策。许多人觉得神似乎太残忍了。从1929年到1937年在叙利亚海旁的拉斯珊拉(Ras Shamra)出土的大批乌加利(Ugarit)泥板，是公元前1500-1400年的迦南人的宗教文献，充分揭露了迦南宗教的黑暗、败坏和邪恶。有史以来人类绝少有像迦南宗教那样惊人地将暴力、情欲集于一身的。对邪恶的迦南人，神也曾给予宽容，等待其悔改。从考古学的发现看，从亚伯拉罕时代到四百多年后的约书亚时代，迦南人毫无悔改之心，已恶贯满盈，非被彻底剪除不可了。按其恶行和淫虐，即使约书亚和以色列人不加征讨，迦南人也会自取灭亡的。

新约中的许多记载都为考古学所证实。使徒保罗的三次传道旅程，如今都可根据考古学的资料很正确地追溯出来。史学家们一度对路加著的〈路加福音〉和〈使徒行传〉的记载的历史性提出质疑。他们认为在〈路加福音〉第3章1到3节中描写的有关耶稣诞生前的情况是不真实的。因为历史资料找不到有关申报户口的事，居里扭也没有作过叙利亚巡抚。但后来考古学的发现证实罗马帝国每隔十四年就有一次人口普查，要求交税人报名注册。此法令是从罗马皇帝亚古士督任期开始的，首次申报户口是公元前23年至22年，或公元前9年至8年。路加所记载的可能即后者。同时，考古学家也找到了居里扭在公元前7年左右任叙利亚巡抚的证据。有趣的是，凡是路加的记载与史学家的资料不相吻合之处，考古学都证实路加是对的，史学家是错的。世界著名考古学家兰赛爵士（Sir William Ramsay）甚为钦佩地写道："路加是位第一流的历史学家，他所写的资料不但真实可靠，他也具有史学家应有的历史感。路加的名字应与世间伟大的史学家同列。"[4]

耶鲁大学的考古学家鲍罗斯（Millar Burrows）说："全面来说，考古学的发现无疑地印证了《圣经》的可靠性。许多考古学家因为在巴勒斯坦的挖掘工作，而使自己对《圣经》的敬畏之心大增。"[5] 犹太考古学家葛鲁克（Nelson Glueck）说："我可以肯定地说，至今所有考古学上的发现，没有一项是与《圣经》文献相抵触的。……《圣经》中有关历史记载的正确性是无可比拟的，尤其当考古学的证据能印证它时更是如此。"[6] 世界著名考古学权威亚布莱特（William F. Albright）的话，可以作为《圣经》的历史性的总结之言："十八、十九世纪期间，许多重要的历史学派都怀疑《圣经》的可靠性，虽然今天仍有一部分当时的学派又重复地出现于学术界，但早期怀疑学派之说均已逐渐被否定了。考古学上的新发现一再印证

《圣经》中许许多多细枝末节的部分，使人们重新认识《圣经》乃是查考人类历史的一部最好资料。"[7]

四、《圣经》手抄本的可靠性

我们今日的《圣经》是根据历史上保存下来的手抄本印刷而成的。《圣经》经卷的原稿已无处查寻。那么，我们今日的《圣经》是否与原稿一样呢？也就是说，历史上流传下来的手抄本是否可靠呢？先看看新约。前文谈到，新约各卷在公元一世纪末完成。现在已找出五千多本新约手抄本（完全的或部分的），最老的手抄本来自公元第四世纪，与原稿只相隔二、三百年。新约手抄本之多，距原稿时间之短，都是别的古典著作无法相比的，充分显示了新约手抄本的可靠性。

罗马凯撒的《高卢之战》（*Gaellic Wars*)写成于公元前一世纪，现只有九十一本较好的版本，其最早的手抄本是公元900年写成的，与原著相距一千年。其它古典著作，如古希腊作家沙浮克理斯(Sophocles)的悲剧作品，塔西图(Tacitus)的《年鉴》等，其保留至今的手抄本数量之少，距原著时间之长也与《高卢之战》相似。此外，新约各手抄本的差异是非常小的。除一些字的拼写有些差异外，整本新约的二万句话中，仅有千分之一、二是有疑问的。写于公元后七世纪的荷马史诗伊利亚武(Iliad)的一万五千句中却有5%的句子有疑问。莎士比亚的作品至今只有三百年，但原稿亦均不复存在。其三十几个剧本中，每一本都有上百处地方引起争议，这些差异都足以影响整个句子的意义。与莎翁的印刷版本相比，新约《圣经》手抄本的高度准确、可靠，令人肃然起敬。

保存至今的希伯来文旧约手抄本的数量不如新约手抄本那么丰富。在死海古卷发现前，人们拥有的最早的希伯来文旧约手抄本是来自公元900年左右的"马所礼经卷"（*Masoretic Texts*)，与原著相隔一千三百年。旧约手抄本流传下来不多的原因是多方面的，但犹太人对旧约手抄本的极严格要求是一个重要原因。犹太人中的文士按照犹太法典的规定以非常严谨的态度抄写旧约经卷。如果某一页中发现任何一点差错，整页经文就完全毁掉。经卷抄写后，经严格审查完全无误后，抄本就被当作正本一样，一视同仁地在犹太会堂诵读。

按中国人传统，往往视原著最宝贵，哪怕残缺不全也然。但犹太人的注意点却完全集中在手抄本的完整无缺，以便无误地传达神的话语。所以犹太人视新手抄本比旧手抄本更可贵，因为它们是完整的。随着时间的推移，经长久使用而残缺的旧手抄本不断被新手抄本所代替。这些残缺的手抄本就被废弃。每个犹太会堂中都有一个大木柜，专门用来存放这些残缺的旧约手抄本。这些手抄本在木柜里往往因为被忽视而进一步被损坏。当木柜中累积的手抄本太多时就会被埋到地下。不少现存的最古老的旧约手抄本都是在这种木柜中找到的。犹太人世世代代饱经忧患，流离失所，旧约的手抄本也随之丧失。犹太人精心保存下来的多是他们认为值得保留的马所礼经卷。

马所礼经卷是由专门从事编辑、校订旧约经文的马所礼人编成的。他们使用了整套极严密细致的查验方法，以避免在抄写、编辑中出现错误。同时，他们在经文中加上元音的拼音符号，以帮助读者正确发音（在此之前，希伯来旧约抄本中无元音），被视为当今标准的希伯来文旧约经卷。然而，马所礼经卷毕竟与旧约原本相隔一千多年。而且马所礼经卷与公元前二世纪被译成希腊文的七十士译本旧约相比，由于翻译的原因，也有不少差异。马所礼经卷是否与旧约原本一样呢？多年来，人们无法回答这个问题。

1947年春天，在耶路撒冷东面的死海（盐海）附近牧羊的阿拉伯牧童，为了寻找迷失的羊，将石头掷进死海西边的岩洞里，结果其中一个岩洞发出石头打破瓦罐的声音。进洞后发现了很多皮质经卷用棉布包着，装在几个大瓦罐中。其中五卷被耶路撒冷城中叙利亚东正教修道院的红衣主教所收购。因这位主教不识上面的文字，他打电话给耶路撒冷的美国东方研究学会，其代理会长查伟（John Trever）把部分经卷拍摄下来寄给霍普斯金大学的美国《圣经》考古权威亚布莱特教授（W. F. Albright），被鉴定为在公元前100年左右写成的希伯来文旧约经卷！

接下来的几年，各国考古学家纷纷到死海地区发掘，一共发现了四万多经卷碎片，有五百份经卷是由这些碎片拼成的。根据C^{14}放射性测年法、古文字鉴定法、出土的钱币和"昆兰社区"的习俗等综合鉴定的结果，证实这批抄本是公元前三世纪至公元一世纪中叶的作品。其中，有〈以赛亚书〉十几个抄本。这些抄本中，以IQIs[a]和IQIs[b]最完整、重要，被专家们确定为公元前一、二世纪的作品。IQIs[a]大致完整，在字句方面和马所礼〈以赛亚书〉有些差异，但对经义的解释没有重大影响；IQIs[b]含〈以赛亚书〉10章至66章，和马所礼〈以赛亚书〉完全一样！[8] 从死海古卷到马所礼经卷，《圣经》被抄传千年之久，仍准确无误！这样，人们所拥有的希伯来文旧约抄本一下子提早了一千年，与旧约原本仅相差二、三百年。

综观上面所谈，如果我们仍对《圣经》各书卷持怀疑态度的话，实际上是在贬低其它古典巨著的地位，因《圣经》远比它们可靠。麦道卫（Josh McDowell）在《铁证待判》中写道："我个人原企图粉碎《圣经》的历史性及可靠性，结果却因此认识《圣经》在历史性上是绝对正确可靠的。如果一个人认为《圣经》是一本不可信的书，必须将之抛弃的话，那么除了《圣经》外，他恐怕要连所有的古典文学作品都掷弃不用了。我个人所面临的最大试探，我相信也是大多数人最易犯的一项错误，就是用一种标准来衡量通俗文学，却用另一种标准来衡量《圣经》。其实，我们该用同一尺度来衡量所有的文学作品，不论它们是通俗性的，还是宗教性的。"[9]

五、《圣经》的预言

　　《圣经》的无与伦比之处，还在于其预言的多样性、准确性和独特性。有人统计过，《圣经》每四节经文中就有一句是预言性质的，此外还有一千多个独立的预言。《圣经》中神借众先知预言个人、民族、城市乃至列国百年、千年后的事，在历史中应验不爽。通过这些预言，彰显神的无所不能、无所不知，让人们知道他才是《圣经》的真正作者。信主前，我认为《圣经》只不过是像天方夜谭之类的神话故事，无须花时间研读。后来有一位基督徒姊妹借给我一本《福音漫谈》的小册子，其中主要谈及《圣经》中的预言及其应验，使我受到强烈震撼。我第一次感到《圣经》与我想象的不一样，值得认真研究。陈宏博牧师在《圣经预言图解》的序言中说："在多年的事奉中，无论是做牧师、教授或预言大会的讲员，我亲眼看见成千上万的人因着预言而来到主前。"[10] 我也正是从了解《圣经》的预言开始，一反过去的轻慢之心，转而努力寻求《圣经》真理，逐渐认识到其客观真确和无比神圣，而最后相信了耶稣基督。

　　《圣经》中的许多著名预言，如推罗、西顿两城的遭遇、以色列人的历史、耶稣的降生、受死及复活等，在各种福音书籍或文章中都有极详尽的论述。所以我不打算再占用大的篇幅描述这些预言的细枝末节，而主要谈谈我对这些预言的一些感受。

　　地处地中海东岸的古城推罗曾是世界著名的航海、商业中心。由于其居住的腓尼基人罪恶极大，神通过先知以西结预言说：推罗城将受到多国的攻击，财物被掠，城垣、房屋被毁，其石头、木头、尘土都将被抛在水中，使之成为净光的磐石，作渔夫晒网的地方（详见〈以西结书〉第26章）。同时，明确说明此城将不会被重建："我必叫你令人惊恐，不再存留于世；人虽寻找你，却永寻不见。这是主耶和华说的。"（结26:21）预言发出不久，推罗即遭巴比伦王尼布甲尼撒的围攻，十三年后破城。其后，希腊亚力山大大帝进兵已迁至海岛的推罗，把老城的木、土、石抛在海里，筑成一道通向海岛的长堤，配合战船，将推罗攻破。经风雨洗涮，老城磐石裸露，终成为渔人晒网的地方！史东纳博士(Peter W. Stoner)曾著《科学的见证》（Science Speaks — An Evaluation of Certain Christian Evidences)一书。[11] 书中说：“推罗大陆城内有雷雪兰大水泉(springs of Raselain)，能供应该城大量鲜水，该泉迄今犹在不断流着，但是所有的水，都流入海中。有一位工程师估计该泉每日所产水量，约为一千万加仑。推罗依然是一个优良的城址，并有足够的鲜水，可供一个现代化的大都市之用，但是迄今犹未重建。这就应验了距今已达二千五百年之久，迄今仍屹立不移的预言。这就是以西结所作预言中的第七件事：推罗古城将永不重建”(P.56)。根 据 某 些 网 上 的 资 料（如：www.britannica.com），在推罗遗址，以捕鱼为主要职业的居民在1991年已达约七万人。但推罗却已不能重建昔日的辉煌。

《圣经》关于以色列的预言也是非常奇特的。犹人人是神的选民，神要借着他们把神的道彰显出去。犹太人在抄写、保存、传扬《圣经》方面确实是立了大功的。神指派先知摩西将犹太人从为奴的埃及地领出来，迁往神应许的迦南美地。一路上神行了很多神迹帮助他们（如赐云柱、火柱，分红海、约旦河等）。然而，犹太人虽清楚地知道耶和华是他们的神，却不能专一地顺服、事奉他。稍遇困难，他们就怨声不迭，转而去拜别的假神，使耶和华常常震怒。摩西到晚年时已预感到犹太人可能遭遇的悲剧，曾痛心疾首地劝勉他们。但犹太人没有听从摩西的规劝，果然受到神的严厉惩罚。神通过先知耶利米说：“我必使他们交出来，在天下万国中抛来抛去，遭遇灾祸；在我赶逐他们到的各处，成为凌辱、笑谈、讥刺、咒诅”；

"我在怒气、忿怒和大恼恨中，将以色列人赶到各国。日后我必从那里将他们召聚出来，领他们回到此地，使他们安然居住。"（耶24:9，32:37）。历史准确无误地印证了这些预言。公元70年罗马军队攻陷耶路撒冷。公元135年罗马大帝哈德里安(Hadrian)将犹大地全部充公，并卖给外邦人，从此犹太人流离失所，被驱赶到世界各地，在万国中抛来抛去。他们没有国土、没有政府、没有军队，饱受杀戮、惨害。

然而，耶利米预言说将来犹太人还会回到自己的土地上，很多人都以为不可能。犹太人离开本土后，该地相继为波斯人、阿拉伯人所占据，长达千年以上，早已被视为他们的故乡。回教兴起后，犹太地区成为其势力范围。回教徒在耶路撒冷犹太圣殿原址建了两座清真寺，把耶城当作回教的圣地之一。回教徒与犹太人水火不容。另外，直到二十世纪30年代，犹太地区仍是一片荒芜，不宜居住。同时，第二次世界大战后，东欧各国建立社会主义制度，以苏联为首的社会主义阵营和以美、英为首的资本主义阵营的对垒之势更加尖锐。在联合国安理会中，苏、美总是对着干的。如果美、英支持以色列复国，苏联必加反对。任何一方投反对票，决议就无法通过。无论从哪方面看，犹太人回归自己本土的希望都是极其渺茫的。然而，事实是，犹太人不仅回归了，而且于1948年5月14日建立了以色列国，并顺利地加入联合国，成为其第五十九个成员国！至此，耶利米在两千多年前传达的神的预言，完全成为现实。

不仅以色列的复国震惊了全世界，而且以色列复国后能站住脚跟和不断发展，也如谜一般，令人百思不解。北非和中东的阿拉伯人不容以色列国存在。以色列宣布复国的第二天，就遭到阿拉伯各国的联合进攻，以期将以色列国扼杀在襁褓之中。当时二十几个阿拉伯国家有一亿五千万人口之众，装备精良；而以色列却只有六十五万人，武器简陋。这本是一场一边倒的战争。战争一爆发，阿联就宣布："这将是一场大屠杀和歼灭战！"然而战争结束时，以色列不仅未被歼灭，反而扩大了疆土。此后，又发生了三次大规模阿以战争。每一次，以色列都面临灭顶之灾。可战事总是一次又一次地、奇迹般地出现转机，使几遭全军覆没的以色列绝路逢生，转败为胜。几年前，以色列先后与巴勒斯坦解放组织和约旦王国签订了和约，进一步巩固了自己的地位。除军事和政治上的胜利外，以色列的农业、工业和科学技术在短短几十年内也取得了令世瞩目的杰出成就，被称为"最小的超级大国"。尽管局外人对这一切感到不可思议，但以色列人很清楚，这一切是神的作为，因为神应许他们"回到此地"，并"安然居住"。

经常有人问，神当初为什么要拣选如此弱小的以色列民族作他的选民？如果神拣选像中华民族这样的大族，传福音岂不更有利？神拣选谁作他的选民，完全是神的主权。但神拣选以色列，并不是以色列民族比别的民族更优秀。神拣选以色列人的原因，我们并不明白，只可揣摸一、二。犹太地区位于欧、亚、非三大洲的连结部位，十分有利于福音迅速传播。第二，以色列是个弱小民族，亡国近两千年不被外族同化，复国后能以弱制强、挺立于世界强国之林，使人明显可以看出这不是以色列人自己的功劳，乃是神的作为。人在软弱时，方能彰显神的荣耀，这是《圣经》中反复教导的真理。以色列民族的历史不仅完全验证了《圣经》的预言，还清楚地告诉人们，拣选以色列的神才是人类和宇宙万物的真正主宰。

现代一些自称为先知的人也会说一些可以被应验的预言。但这些预言都只是对个别人的短时间的预言，与《圣经》中关于整个国家、民族几百年、上千年的预言无法相提并论。这些现代先知的预言主要靠机遇、常识和含糊取胜。迪克森夫人(Jeanne Dixon)因预言美国总统肯尼迪遇刺而名声大震。其实，她说的几十个预言中只有几个应验，其准确性不到百分之十。应验的预言中有的模棱两可，有的纯是常识（如"美苏保持强权地位"等）。即使关于肯尼迪遇刺的预言也是如此。《展示》（*Parade*）杂志于1956年5月13日刊登她的预言说："迪克森夫人认为1960年的大选将会被劳工支配，一位民主党人将获胜，他将于任内遇刺或死亡，虽然不一定在第一期任内发生。"后来肯尼迪当选总统并遇刺，这是言中的部分。但其中也有错误之处。一是那年的大选并没有被劳工支配，二是这与她在1960年1月关于尼克森将赢得大选的预言相矛盾。贾斯罗和布普克（Geisler and Brooks）在《当代护教手册》中指出："本世纪的十位美国总统中有三位在任期中去世，另有两位在任期近尾声时重病。"[12] 综合考虑这些因素，现代先知说预言的本质就可见一斑了。

　　《圣经》的预言的种类之多、时间跨度之大、应验之准确，远非人的能力和智慧所及。除上面谈到的例子外，旧约中有关耶稣的三百多个预言都一无差错的完全应验在耶稣一人身上（第三、四章还要论及），是无法用机率解释的。《圣经》的预言对百分之九十九点九、错百分之零点一都不行，否则不是神默示的。因为神不会出错。"预言从来没有出于人意的，乃是人被圣灵感动说出神的话来"（彼后1:21）。

六、《圣经》的力量

　　《圣经》是世界上出版、发行总数最多的一本书，是最早被译成其它文字、译本最多的一本书，也是第一部被带到太空和月球的书。更奇特的是，几千年来，《圣经》从不改版，只字不改。这是任何其它书无法相比的。现在很多书两、三年就要再版，以便删去过时的部分，补充新资料，提出新论点。因为是人著的书，所阐述的真理是相对的，需要不断被修正。《圣经》是神默示的，所揭示的真理是绝对的，永远不变的。三千年来，沧海桑田，改朝换代，人类社会发生了巨大的变化，但《圣经》的内容丝毫不变。近二、三百年来，人类的生产力发展突飞猛进，科学技术日新月异，新事物层出不穷；《圣经》一版再版，仍只字不改。时间的推移，科学的发展，使《圣经》更为光彩夺目。有人以为，两千年前，人们较为愚昧、无知，故还较能接受《圣经》中关于"童女生子"、"死人复活"一类的说法；今天科学昌盛了，这些说法就再难以蒙蔽人了。但是，《圣经》不改初衷，现在仍说"童女生子"、"死人复活"。为什么呢？因为这是事实。说来难以置信，科学从来没有像今天这样发达，人类历史上也从来没有像今天这样有如此多的科学家、文学家、法学家、医学家、诺贝尔奖获得者心悦诚服地相信"童女生子"和"死人复活"。"天地要废去；我的话却不能废去。"（可30：31）《圣经》是神的话，永不更改。

许多世纪来，《圣经》饱受诽谤、责备、质疑和反对。然而，历史是无情的嘲笑者和公正的裁判者。罗马大帝戴克理仙（Diocletian）执政期间大肆摧残基督教，他于公元303年下旨焚烧所有的教堂和《圣经》，并监禁基督徒。为庆贺他的成功，他铸了一枚铁币，上面刻着："基督教已被消灭，诸神的崇拜再次恢复。"没想到，戴克理仙的继位者君士坦丁（Constantine）却反其道而行之。麦葛福（Alister McGrath）在《我思故我信》中写道："大约在公元311年，君士坦丁正预备和入侵法兰斯的蛮族决一死战。当时，他看见了一个异象：正午的烈日上浮现出一具十字架，其上镌刻着'凭此征服'的字样。在次年春天前，君士坦丁表明接受基督教信仰。公元312年10月，君士坦丁凯旋回到罗马预备登基时，他在广场上为自己树立了一尊雕像，手中握着一具十字架。"[13] 君士坦丁令希腊史学家优西比乌（Eusebius）用国库的钱制备了五十本《圣经》，基督教一跃成为罗马国教。

著名的法国人文主义者伏尔泰(Voltaire)曾夸口说：
"自现在起百十年后，这世界将再也听不到《圣经》的话
了。"然而，在他口吐狂言不久，英国博物馆就以五十万
美元的重金从俄国政府手中收购了一份希腊字新约手抄
本，而伏尔泰的首版作品，只卖八分钱一本。伏尔泰卒于
1778年。他死后五十年，瑞士日内瓦《圣经》公会开始在
伏氏生前的住处，用他的机器印刷《圣经》。[14] 这是何等
辛辣的讽刺。

兰姆(Bernard Ramm)指出："《圣经》的丧钟响过
千万次，送葬的行列聚集了，墓碑上的文字也雕刻好了，
葬礼词也宣读过了，可是，尸体从未长眠于此。""没有
任何一本书，像《圣经》这样被宰割、被刀杀、被考察、
被查缉、被诽谤。有什么哲学、宗教、心理学、古典或现
代的诗词书籍曾经经历这么多的集体攻击？如此刻毒地批
判过？如此彻底地摧毁过？人对其中的每一章、每一节、
每一行、每一个字都不肯轻易放过？然而，如今《圣经》
仍为数以百万计的人所爱、所读、所研究、所传扬，而乐
此不疲。"[15] 多少人和事已在历史的长河中被淘汰、被遗
忘，而《圣经》却巍然不动。"草必枯干，花必凋谢；惟
有主的道是永存的。"（彼前1:24-25）只有神的话，才
能永远站立。

《圣经》的力量更表现在《圣经》话语的巨大能力。
有人称《圣经》是"活神的活道"，十分贴切。主耶稣
说，"我对你们所说的话，就是灵，就是生命。"（约
6:63）《圣经》看起来和别的书没有什么不一样，但当人
领受之后，就会产生属灵的生命。使徒雅各把《圣经》比
作有生命的种子："存温柔的心领受那所栽种的道，就是
能救你们灵魂的道。"（雅1:21）为什么《圣经》的话会
有生命呢？因为《圣经》的话是神说的话。神的话本身就
带有能力和权柄。神就是用他的话造天、造地、造万物，
用他的话治病、赶鬼、叫死人复活。他的话一出，事情就

成了。《圣经》的作者们深知神的话语的威力。"神的道是活泼的,是有功效的,比一切两刃的剑更快,甚至魂与灵,骨节与骨髓,都能刺入剖开,连心中的思念和主意,都能辨明。"(来4:12)

耶稣复活升天后,门徒们被圣灵充满,放胆传扬福音。彼得在耶路撒冷讲道,"众人听见这话,觉得扎心",一天中带领三千人归主(参见〈使徒行传〉第2章)。美国著名布道家慕迪(D. L. Moody)没有受过高等教育,有些知识分子蔑视他,去听他的道原本是为了挑毛病、寻开心。一个医生也是如此,但当他听了慕迪讲道后,发现无懈可击。他坦白地说:"慕迪把《圣经》中的话一句一句地射向我,直到它们扎进我的心房,像手枪射出的子弹一样。慕迪的能力是由于他舌头上经常流露出《圣经》的话。"

神借着《圣经》向人说话,造就了一代又一代的信徒。奥古斯丁(Augustine)年青时聪慧过人,才华横溢,但生活放荡不羁。他母亲是虔诚的基督徒,却无法领其归主,只好终日为他流泪祷告。奥古斯丁渴望与过去一刀两断,但意志薄弱,力不从心。公元386年8月,他坐在米兰住宅的无花果树下,问神:他还要过多久这样空虚的生活,如何才能痛下决心,开始新的生活?此时,他突然听见有童声唱道:"拿起来读!拿起来读!"他认为这是神的启示,主动翻开《圣经》,首先映入他眼帘的是〈罗马书〉第13章13、14节的经文:"行事为人要端正,好像行在白昼;不可荒宴醉酒;不可好色邪荡;不可争竞嫉妒。总要披戴主耶稣基督,不要为肉体安排,去放纵私欲。"瞬间,疑云顿消,他决志信主。此后45年,奥古斯丁义无反顾,奋力为主作工,成为使徒时代之后最具影响力的基督教神学家之一。

我国著名布道家宋尚节也有类似的经历。宋尚节是福建莆田人,父亲是传道人,他从小就开始帮助父亲工作,有"小牧师"之称。后来他有机会赴美留学，在俄亥俄州立大学获化学博士学位后留校任教。后来他得到一个到德国深造的机会。与此同时，国内一所著名医科学院也来电促他回国任该学院有机化学教授。面临重大选择，他举棋不定。刘翼凌在《宋尚节传》中写道："这一来，他就感到踌躇彷徨了。去德国，可以满足他的名誉心和求知欲。到德国多得知识，多得几个博士头衔，再回中国时岂非首屈一指？但爱国心又促他在祖国需要人才之际回国服务。……在为名为利盘算不定的时候，忽然有一阵清晰、悠扬的声浪淹入他心里：'人若赚得全世界，赔上自己的生命，有什么益处呢！'（太16:26）闻声之下，他张目四顾，房中却寂无一人，他才知道这是上帝警告的声音。"[16]

次日清晨，一个牧师去探望他，见面的第一句话就是："你并不像一位科学家，倒像一位传道人！"这两件事情使他想起赴美前的决定：赴美深造后回国作传道人。于是他毅然抛开留德和回国任教的计划，成为一位全职事奉的传道人。[17] 一句经文，改变了宋尚节一生的道路。他回国后奋不顾身地工作，在中国和南洋教会产生了重要影响，成千上万的人因他而信靠了基督。他英年早逝，年仅四十三岁。他十五年的工作，成就斐然，被誉为"中国的卫斯理"。

神借着《圣经》哺育出一批批信徒，然后借着信徒再把《圣经》的话传扬出去，使更多的人回归。英国著名布道家司布真(Charles Spurgeon)颇受神重用，富于传奇色彩。在他牧会的城里，有一位准备自杀的妇女，到会堂来听她一生中的最后一次讲道。而当天司布真的讲题恰好是"你看见这女人吗？"（详情参见路7:36-50）这个信息抓住了她，改变了她的内心，立刻决志接受基督为救主。另一件趣事是，一位经常参加聚会的人的妻子始终不肯与丈夫一道前来。一次她受好奇心驱使，在她丈夫去教会后，她乔装打扮一番，也去了教堂，挤在人群中，以免被人认出来。不想，司布真那天宣读的经文正是，"耶罗波安的妻，进来吧！你为何装作别的妇人呢？"（王上14:6）妇女被点悟，终于放下架子，与丈夫一起参加聚会了。后来那位先生把这件事告诉了司布真，唯一的抱怨是，司布真不该把他比作耶罗波安。**18**

很多人都有类似的经历，深感《圣经》话语的能力。加州牧师海福德(Jack Hayford)一次主日以"生活中的怀孕与生养"为题讲道。其内容完全与生育无关，而是讲如何在患难中克服贫乏。他以"你这不怀孕不生养的要唱歌"（赛54:1）为内容，谈论神要我们敬拜赞美他。即使在我们的生活看来完全绝望的时候，仍要赞美他。他在证道中，突然被圣灵感动，中断了讲道。他对会众说："我必须打断一会儿。圣灵感动我，今天我们中间有一对夫妇，非常渴望能有一个孩子，但医生说他们不能生育。神对你们说：'使家中充满歌声，歌中赐予生命的力量，会制造出新的气氛，使你们的希望能够实现。'"他说完后，又继续讲道，几乎忘掉了这件事，直到一年后一对夫妇抱着孩子来见他。原来，这对夫妇婚后十一年没有孩子，医生说他们不能生育，他们一直在祷告，求主赐一个孩子。那天证道时，这对夫妇正在会众中。会后他们按海福德牧师传递的信息去做，携手走进家里的每间房间，用歌声敬拜赞美主。果然，神应许了他们，一年后妻子生下一个女儿！**19**

泰德·迪摩斯(Ted DeMoss)是一位杰出的商人，曾多年担任全美基督徒商人协会主席。他几年前著文叙述他年轻时一段经历如何戏剧性地改变了他的生命。当时他从事推销人寿保险的业务，去拜访一位客户。客户开门后，他觉得不必谈了。因对方是一位"满脸白胡子，如同缩水圣诞老人般的老先生！"其年龄早已不适合买任何保险了。但当时迪摩斯受到神的灵感动，要与这个完全陌生的人谈耶稣基督，虽然他从未做过此事。进屋坐下后，他提议给老人念《圣经》。可是他连《圣经》也没有带。征得同意后，他在老人房中找到一本满布灰尘的《圣经》（老人的眼已瞎了好几年了）。他没有受过任何训练，只好按朋友曾告诉他的，念〈约翰福音〉第3章。他慢慢地念，但越念越心慌，因为他不知下一步该怎么办。他一再放慢速度，一直念到第18节，"信他的人，不被定罪，不信的人，罪已经定了，因为他不信神独生子的名。"念完这一节后，他默默祈求主给他聪明、智慧，使他知道接下来怎么办。

祷告后，他抬起头来，惊异地看到，老先生的胡子已被泪水浸透！"先生，你愿不愿意现在就邀请耶稣基督进入你的生命，就在这里！"迪摩斯轻轻地问道，老先生慎重地点点头："可以，我要现在就接受，但不在这里。""你要在哪里？""我要在我母亲面前。"迪摩斯听后不知所措。因为老人说他已八十一岁了，还能有母亲吗？此时老人把手指向厨房。迪摩斯猜想，老人可能把母亲的照片挂在那里，以表怀念。但当他们一起走进厨房后，迪摩斯再次呆住了！他看到老人的母亲坐在一张帆布靠椅中。她已九十八岁了，虚弱不堪。老人对母亲说："妈妈，神派了一个人来我们家。他念《圣经》给我听，我现在要接受耶稣基督。"母亲听后一阵喊叫。当她恢复平静后，对迪摩斯说："先生，我不认识你，但我已为我的孩子祷告了八十年，从未间断……"首次传福音，就有人决志，使迪摩斯深受启示："圣灵为我预备好老人的心，并说服他接受耶稣。他只是让我坐在边线上，看着他动工。从此我没有停顿过！"[20]

也许你会觉得上面所举的例子过于奇特了。其实，《圣经》话语的巨大威力在我们生活中时时处处可见。多少人决志信主、读经后就从里到外彻底改变，成了一个全新的人。多少已无药可救、无计可施的吸毒者、酗酒者、小偷、惯犯，在决志后，一夜间将一切恶习全然抛掉，从不再染指。很多人想看神迹，看了神迹才信基督。殊不知在我们周遭经常发生的、《圣经》的话语、神的道改变人心、拯救人的灵魂的事情就是当代最大的神迹。我和很多朋友都有同样的感受，在读经时，有时经文会突然像活物一般从书中跳出来；在祷告时，脑子中常会浮现出一些自己并不太熟悉的经句；在听道时，平时早已读过很多遍、觉得平淡的经句会变得铿锵有力，深深地拨动自己的心弦。往往在这些时刻，神借着这些经文对我们说话，对我们的生活、信仰和事奉发生着重要的影响，使事情发生急剧转折，使我们更亲近神、爱神、事奉神。

诚然，《圣经》活泼的话语并不是常常能发挥显著的功效。但这是由于人的失败，没有真心地接纳它。《圣经》是神的话语，是人的理性、智慧难以企及的。只有怀着敬畏的心，祈求圣灵光照，才容易读懂。如果仅把它视为一本人写的书，当《圣经》的话语与自己的观点相左时，立时开始断论、批评、怀疑《圣经》。这种态度当然不可能从《圣经》得到启示。生命之种只有在适合的条件下才能生长、繁殖。条件不适合并不能代表种子没有生命。人不接纳《圣经》的话，并不能使《圣经》的话没有权柄和生命。这就是为什么许多人都不约而同地注意到，一个人对《圣经》的渴求、对经文的理解、《圣经》在其生活中所起的作用，在信主前与信主后大不相同的原因所在。

七、小结

在浩瀚的书海中，仅有三本书自称是神写的：《圣经》、《可兰经》和《摩门经》。依斯兰教的创始人穆罕默德说，天使长向他传达神的启示；他将其复诵、记录下来，遂成《可兰经》。摩门教的创始人史密斯则说他得到有神的启示的金叶子，便写成《摩门经》。不幸的是，对后两部书，没有任何客观的依据能为此作证。然而，《圣经》以它无与伦比的特点和充分的证据脱颖而出，被越来越多的人认识到这是世界上唯一由神写的书。

不相信《圣经》的人大概有两类。近代考古学权威沙伊斯(A. H. Sayce)说："今日若有人对《圣经》仍持有怀疑，此人若非愚妄无知，他必在学识上是一个'半桶水'。现在大多数知名科学家已恢复历代以来对《圣经》历史记载的信赖。"我在本章中曾提及的兰赛爵士原是一个极力反对《圣经》的学者。为了证明《圣经》的谬误，他亲自带领一支庞大的考察团，按〈使徒行传〉所写的次序，用了十五年的时间详细发掘和考证。最后他却不得不坦白地承认，路加所写的是完全准确的，并公开宣称〈使徒行传〉"是探究小亚细亚地形、古代民风以及社会的权威指南。"[21] 对《圣经》仍有怀疑的人，如果有兰赛爵士这样认真的研讨精神和公正的治学态度，他们或迟或早终会心悦诚服地接纳《圣经》的。最不可取和令人忧虑的是，对《圣经》凭空地提出各种质疑，却不愿意去找答案，或者虽找到了答案，因不合自己的心意而拒不接受。

耶鲁大学的鲍罗斯(Millar Burrows)指出："许多自由派学者之所以怀疑《圣经》，并非他们对现存的考古资料作过任何仔细的鉴定工作，而是因为他们心中有先入为主的偏见，根本就反对任何超自然的事迹。"[22] 这恐怕是相当多不信者的心态。他们认为《圣经》中的神迹奇事不符合科学，只是神话而非神的话，故怎么也不肯相信。甚至一些基督徒也主张把《圣经》中的神迹部分去掉，以合时尚。他们竭力想理性地把这些超然之事化为自然之事，以迎合人心。

比如，他们说，"童女生子"并非神迹，只是自然界中的特例而已。他们的根据是，雌兔在极度惊恐的状况下，其体内的卵不受精也可能发育成正常胚胎。当马利亚听天使说要她未婚生子时，也非常害怕惊惶，于是未与约瑟同房便怀了孕。又如，新约中记载门徒看见耶稣在加利利海上行走。他们的解释是，耶稣并未在海水上面走，只是在近海水的沙滩上走，门徒隔海远远望见，就如在海上行走一般。如此等等，不一而足。然而，这在逻辑上是自相矛盾的。如果神存在，当然会有神迹发生。一个人不可能既相信有神，却又不相信神迹奇事。如果神行的每一件事都不能超越自然律，那他还算什么神？！岂不和我们一样是伏在自然律之下的受造物么？耶稣一生中行了无数神迹。他行的一个最大神迹乃是从死里复活，以大能显明他是神的儿子，要拯救一切信他的人。耶稣的复活是有着充分证据、无法推倒的历史事实，是基督教信仰的客观基石，深深地改变了人类历史的进程，为我们打开了通往永生之门。

人有选择接受或拒绝《圣经》的自由；《圣经》却有审判拒绝接受的人的权柄。耶稣明确地告诫人们："弃绝我不领受我话的人，有审判他的；就是我所讲的道，在末日要审判他。"（约12:48）索斯（Robert Saucy）在《圣经可靠吗？》中严肃地指出："神的话会带来审判及死亡，因为它活泼的生命力使人作选择，到底要接纳还是拒绝它的信息。不断地拒绝，会使人心越发刚硬，至终带来死亡。我们可以把神的话比作太阳。在太阳的光线照射下，有些东西会变软融化，别的则会更加坚硬。神的话也一样，对有些人它带来责备及悔改，对别人则是硬心和最后的审判。"[23]

亲爱的同胞，你愿作何种选择呢？

注 释

1. Robert L. Saucy著，*Is the Bible Reliable?* 1990. 黄汉森译《圣经可靠吗？》香港：基道书楼，1990，页65。

2. Josh McDowell著，*Evidence That Demands a Verdict.* Campus Crusade for Christ, CA, USA, 1972. 韩伟等译，《铁证待判》，美国：更新传道会，1993，页32。

3. 同2，页96，引自Merrill F. Unger, *Archaeology and the New Testament,* Grand Rapids, Zondervan 1962, 页15。

4. 同2，页101，引自Sir William Ramsay, *The Bearing of Recent Discovery on the Trustworthiness of the New Testament,* Modder and Stoughton, London, 1915, p. 2.

5. 同2，页97，引自Millar Borrows, *What Mean These Stones?*, Meridian Books, New York, 1956, p. 1.

6. 同2，页95，引自Nelson, Glueck, *Rivers in the Desert, History of Negev.* Philadelphia: Jewish Publications Society of America, 1969, p. 31 .

7. 同2，页95，引自William F. Albright, *The Archaeology of Palestine.* Rev. Ed. Harmondsworth, Pelican Books, Middlesex, 1960, pp. 127-128.

8. 同2，页84；同时参见《现代考古学的发现》（载于《圣经》启导本，香港：海天书楼，1993，页1896

9. 同2，页105。

10. 陈宏博原著，《圣经预言图解》，圣经事奉协会翻译小组合译，（美国德州，1993），页21。

11. Peter W. Stoner著，*Science Speaks — An Evaluation of Certain Christian Evidences*, Chicago: The Moody Bible Institute, 1958; 周博罗译，《科学的见证》，香港：宣道书局，1960。

12. Norman L. Geisler and Ronald M. Brooks著，*When Skeptics Ask.* SP Publications, Inc., 1990. 杨长慧译《当代护教手册》，台北：校园书房，1994，页101。

13. Alister E. McGrath著，*A Cloud of Witnesses — Ten Great Christian Thinkers.* InterVarsity Press, 1990. 徐中绪译《我思故我信——十大基督徒思想巨擘》，台北：校园书房，1993，页15。

14. 同1，页32。

15. 同2，页29-30，引自Bernard Ramm, *Protestant Christian Evidences*, Chicago: Moody Press, 1957, pp. 232-233.

16. 刘翼凌著，《宋尚节传》，台北：福音证主协会，1991，页37-38。

17. 同上，页38。

18. W. Y. Fullerton著，*Spurgeon*. Moody Institute of Chicago, 1966. 何国强译，《司布真传》，台北以琳书房，1993，参见第十三章。

19. Bill Bright著，*The Greatest Lesson I've ever Learned*. Here's Life Publishers, Inc., CA. 姚彦懿译，《最大的功课》（弟兄版），台北：学园传道会，1992，页95-96。

20. 同上，页35-38。

21. 同2，页484，和11，页228。

22. 同2，页97, Vos Howard. *Can I Trust My Bible?*, Chicago: Moody Press, 1963 p.176.

23. 同1，页116。

第三章

谁是真神

借着神的普遍启示，不少人都相信冥冥之中有超然的力量存在，左右着世人的生命历程。如果我们相信神的存在，那么一个逻辑的问题是:谁是真神呢？各宗教所敬拜的神都是真神还是有真有假？到底有多少位真神？有人认为，各教敬拜的神都是真的，众神是兄弟姊妹，所以，条条道路通罗马，任何宗教都能殊途同归，达到人天合一。

但基督教的信仰是，真神只有一位，即耶和华这位独一真神。在〈出埃及记〉，神向以色列人订立的十条诫命中的第一条就阐明这一点。领以色列人出埃及的伟大先知摩西在他生命的最后几十天，谆谆劝诫即将进入迦南美地的以色列人时说，"今日你要知道，也要记在心上，天上地下唯有耶和华他是神，除他以外，再无别神。"（申4:39）土耶稣在传道时也反复强调这一点。有一个法利赛人问耶稣，十条诫命中哪一条是第一要紧的。耶稣回答说："第一要紧的，就是说：以色列啊！你要听；主我们神，是独一的主。你要尽心、尽性、尽意、尽力爱主你的神。"（可12:29-30）

很多人对基督教这一"唯我独真"、否定别的宗教的神的教义相当反感，认为基督教太偏狭，不够包容。我本人在信主以前也有类似看法。然而，耶和华乃独一真神、基督教的基本教义是千真万确的。在某种意义上说作基督徒比信其它宗教更加困难。只有不但承认有神、而且进而相信耶和华，是唯一的真神的人，才能成为基督徒。

如何知道只有耶和华是真神呢？方法很多。其中之一就是比较宗教学的研究。比较才有鉴别。为要明白基督教的这一教义，需要将《圣经》中的三一真神与其它宗教所敬拜的神作一番比较、研究。有人将孔教、道教、佛教、基督教和回教（伊斯兰教）称为世界五大宗教。孔子虽是敬畏神的人，但他认为自己无力明白天道，故退而求其人道。孔孟之道主要是关于修身、养性、齐家、治国、平天下的一贯大道，少有关于神的论述。道教虽有太上老君（即李耳，号老子或老聃）为共同教主，有三纲四辅道经，但道教以炼丹和求长生不老为主要目的，而且明朝以后式微。本章将首先简要地介绍佛教和回教，并与基督教相比较。

一、佛教

教主释迦牟尼

佛教创始人释迦牟尼于公元前560年左右生于北印度的迦毗罗城（今尼泊尔首都加德满都西南约二百公里处），其父是该城的城主，相当于中国古代的一个小诸侯。释迦(Sakya)为族名，意为"能仁"；牟尼(Mani)意为"贤人"或"寂默"。释迦牟尼即意为"释迦族贤人"。释迦自幼接受婆罗门教（改革前的印度教）教育，十五岁被立为继承人，十七岁结婚，一妻二妾。据说释迦出生时，有人预言，他将成为一个杰出的统治者；但若他见到疾病、老年、死亡和出家人这四件人、事，他就会放弃对尘世的统治而去追求拯救人类之途。释迦的父亲希望他继承王位，让释迦在一座与外界隔绝的宫殿中长大。

有一天，当释迦骑马经过王宫边缘的园地时，他看到了一个被疾病折磨的人、一个步履蹒跚的老人和一位行乞的出家人。那天晚上，那位出家人平安快乐的面容一直浮现在他脑海里。他开始思索人生中是否还有比宫中的奢华生活更有意义的事情。那天深夜，他对沉睡的娇妻和孩子投下最后一瞥，便永远离开了他的王宫，时年二十九岁。

他剃光头、披黄袍，云游四方，成为一个行乞的修行者。此后六年中，他用遁世、刻苦的方法寻求拯救。他极其刻苦、几乎饿死，但并没有获得属灵的光照和内心的平安。追随他的五个子弟也相继离开了他。最后他在一棵菩提树下打坐，发誓要坐在那里不动，直到找到他所寻求的东西。在四十昼夜中，他终于获得了一种称之为"开悟"的经验。这种临到他的内觉使他认定人类苦难的真正根源是"欲念"。人如果能摆脱一切欲念，即可获取属灵的平安，去涅盘之路于此开通。此后，释迦即被称为"佛陀"（Buddha），即"悟者"、"觉者"。

那次经验之后，释迦吸取婆罗门教些教义，创立了佛教，设立了僧侣制度。此后四十五年中他主要在印度恒河流域一带传道，在最初四、五年中，便有信徒一、两千人。佛陀八十岁高龄去世时，已有成千上万人接受了他的宗教理论。释迦病逝于公元前486年。遗体火化后被分成八份，由八个地区、国家分别建塔纪念。火化后骨头的剩余物，梵文叫saria（意即"死人的骨头"），中译为"舍利子"。[1]

佛教的教义十分复杂，但大体可分为原始佛教、小乘佛教和大乘佛教三大类。

原始佛教

原始佛教系指释迦牟尼本人所讲的根本教训，一直持续到他去世后的一百年为止。按龚天民牧师所著《佛教纲要》[2]，原始佛教主要包含下列几方面。

第一，四圣缔。圣缔即"真理"之意。四圣缔为苦缔、集缔、道缔和灭缔。苦缔说人有生苦、老苦、病苦、死苦、忧然烦苦、怨憎会苦、恩爱别离苦和所欲不得苦等八苦。人从生到死，一直在苦海中沉浮。

　　集缔是因缘论，认为一切事物并无实体，只不过是因缘的组合而已。释迦的"十二因缘"是说明人为什么会有痛苦。他认为一切皆起源于"无明"（Avija），"无明"是一切恶事的根源。如果通过修行，把"无明"除掉，就除掉一切痛苦，不会再生、再死，得以从生死轮回中超脱、释放。但"无明"从何而生？并无清楚答案。在佛教论著《大乘起信论》中较含糊地论道，"以不达一法界故，心不相应，忽然念起，名为无明。"

　　道缔主要讲人如何才能脱离因缘的束缚而超脱轮回之苦。释迦讲了修行的三十七道品，其中主要是八正道：正见（对佛教有正确的认识）、正思惟（化正见为求道的理想）、正话（不妄言）、正业（不杀、不偷、不奸淫）、正命（过有规律的佛教生活）、正精进（断恶念）、正念（立志修道）和正定（虔修禅定）。通过修行，可产生"六神通"：天眼通（能见生、死轮回）、天耳通（听远近一切声音）、他心通（知他人的心思意念）、宿命通（知过去、未来事）、神足通（自由分身往来于梵天界和世俗之间）和漏尽通（漏尽一切，使心灵解脱）。

　　四圣缔的最后一缔是灭缔。灭缔说人道修成功后，死了便可进入"涅"境界。涅盘（梵文Nirvana，意为"被吹去"）是佛教徒最后的理想去处，是一个没有再生再死的地方。佛祖的死被尊称为"大般涅盘"，一般佛教僧尼、信徒去世则称为"圆寂"、"涅盘"等。

　　第二，六道轮回说。释迦把婆罗门教的三道轮回扩充，成为六道轮回，人要按其前世的作为，分别在天道、阿修罗道、人间道、畜生道、饿鬼道、地狱道中轮回。

　　第三，业力说。业力（Karma，意为"行为"）分身业、口业和意业三种。人及牲畜都要根据其生前的业力的善恶好坏，死后轮回，重新投胎。业力说也源于婆罗门教。

　　第四，五蕴说。"蕴"（Shandhas）是"集合"之意，认为人由物质（色蕴）和精神部分（受蕴、想蕴、行蕴和识蕴）组成。

第五，须弥山说。释迦继承婆罗门教的信仰，认为宇宙间有一座须弥山（Semura），由七山和七海围绕，由风轮、火轮和金轮托住。须弥山住有四大天主，越过须弥山到空中，经欲界六天，色界十八天，最后到达无色界四天（空无边处天，识无边处天，无所有处天，非想非非想处天）。这二十八天，又称"三界"，即"欲界"、"色界"和"无色界"。一千个须弥山世界成为一个"小千世界"，一千个小千世界构成一个"中千世界"，一千个中千世界则成为一个"大千世界"。

第六，三法印。这是释迦牟尼制定的鉴定佛教教理的法则。一为"诸行无常"，一切现象都在变迁转化，无常不定。其二是"诸法无我"，"我"指"常　主宰"，万事皆由因缘所生，本无实体，是空的。第三是"涅盘静寂"，不再生、不再死的涅盘境界极其静寂。佛教主张若与其三法印相违，即为假冒之说；相反，不论是谁讲的教义与此三法印相符，即为真佛说。所以，佛教有"依法不依人"之说。

总的说来，释迦的根本教训的本质是无神论的心理学的自律。正像魏司道（Johannes G. Vos）在《基督教与世界宗教》一书中指出的那样，"佛陀并不像许多印度的思想家，对于思辨哲学的问题发生兴趣。他所注重的是今日所谓心理学，他所追求的是以心理学来解救人的困难。他相信人的根本困难不在思想，乃在感情，特别当他的欲念未受严格控制的时候。他并不相信任何真神，并主张祈祷是完全无用的。他声称印度的吠陀经（印度最古老的宗教经典，为赞美书，含诗歌一千多首，写于主前800年——笔者注）以及祭司制度是毫无价值的"。[3]

小乘佛教

佛祖去世以后，印度佛教教团即发生分裂，后逐渐形成两大主流： 小乘佛教 (Hinayana) 和大乘佛教 (Mahayana)。"乘"指交通工具。大乘佛教兴起后，自诩该派能很快到达涅盘彼岸，故称"大乘"，同时把别的派别贬为"小乘"。

小乘佛教形成于公元前四世纪，衰于公元后一世纪。其教义与原始佛教相近。该派认为只有绝对遵循佛陀之道者的少数幸运者才能够达到涅盘之境，强调借严格自律与修养得救。同时该派认为，佛祖只是一位教师（正如释迦自己宣称的一样），而且已进入涅盘，不再为人。现在，小乘佛教在东南亚的斯里兰卡、缅甸、泰国、柬埔寨、寮国等国仍居支配地位。

大乘佛教

大乘佛教公元一世纪在印度兴起，公元八、九世纪衰退，到十四世纪末叶，随着回教军再次入侵印度，佛教大受迫害而归于灭亡。1857年英国消灭了回教莫尔帝国，印度成为英国殖民地，后于1947年独立，此后佛教稍有发展。[4] 大乘佛教除在若干教义上与小乘佛教不同外，它与小乘佛教的一个重要区别是，把释迦牟尼奉为神，奉为全人类的拯救之神。至此，佛祖被神化为有三身（法身、报身、应身），三十二相（如"双手过膝相"、"手足网缦犹如鹅王相"、"广长舌左右舐耳相"、"马阴藏相"等）、八十随形好（如鼻高不现孔、脉深不现、舌色赤、毛右旋等），并被冠以十号（如"罗汉"、"如来"、"正偏知"、"明行足"、"天人师"、"佛世尊"等）。由于宣扬释迦为拯救之神，大乘佛教远比小乘佛教更获人心，在中国、日本、朝鲜和越南等国都颇有影响力。

大乘佛教有六大宗派，即"禅宗"、"天台宗"、"华严宗"、"法相宗"（又称"唯识宗"）、"净土宗"和"密宗"（又称"真言宗"）。禅、天、华、唯四大宗派的教义和修行方法虽各不相同，但都讲"心"和"空"，故被划归为同一系统。该系统的空观可以从大乘佛教的集大成者龙树的名偈中揭示，"因缘所生法，我说即是空，亦名为假名，亦名中道义"；"不生也不灭，不常亦不断，不一亦不异，不来亦不去。"万物皆由因缘所生，并无本体，都是空的。万物的名字也只是一个代号而已，因它们本无实体。大乘的名言"色即是空，空即是色，"也道出同样的信念。"色"（Rupa)指"物体"或"能看见之物"，"空"即"物本无体"。这句话就是说，一切能见之物，均无实体；凡无实体之物，即是能见之物。这种空观不仅常人难以明了，许多僧侣也无法说清楚。据说，一次清顺治皇帝问禅宗和尚通琇（玉林）："山河大地妄念而生，妄念而息，山河人地还有也无？"通琇只能含糊答道："如人睡梦中之事，是有是无。"5

如果一切都是空、无，如何解释世界的一切现象和活动呢？大乘把这一切归之于人心，即所谓"唯心观"，万物皆出于人心。《佛经》有不少这方面的论述。"三界虚妄，但是一心作，十二缘分皆依心"（《华严经》）；"今此三界，唯是心有，……我心作佛，我心是佛，……心有想念，则成生死，心无想念，即是涅盘"（《大集经》）；"心作天，心作人，心作鬼神，畜生地狱皆心所为"（《般泥洹经》）。人们常说的"四大皆空"一说，原是出于大乘的空观，认为地、水、火、风这构成宇宙的四大元素，也都空无实体。大乘的普世得救的思想也基于此，"芸芸众生，旨能成佛。"人心原本清净无秽，只因为"无明"所染，方生出各种妄念；只要潜心修行，去掉"无明"，即可复清心的本来面目（"佛心"或"佛性"）而成佛。

大乘这四大宗派的空观和唯心观，可以从龚天民牧师在《佛教纲要》中引用的一个故事反映出来。禅宗五祖弘忍向众弟子索偈以便选定六祖接班。弟子神秀出一偈："身是菩提树，心为明镜台，时时勤拂拭，勿使惹尘埃。"五祖认为神秀尚未修行到家。打杂工慧能也出一偈："菩提本无树，明镜亦非台，本来无一物，何处惹尘埃？"五祖遂立慧能为禅宗六祖。因怕神秀加害，慧能逃回广东隐名埋姓。十五年后他去广州法性寺，时值幡被风吹动，有僧说是风动，有僧则说是幡动，但慧能纠正道，"不是风动，不是幡动，仁者心动。"（《六祖坛经》）[6]这个典故深刻地刻划出万物皆空无、一切唯心造的大乘佛教的根本教义。

净土宗可称为大乘的第二系统。此宗主要是说，如果人相信阿弥陀佛，并不断口念"南无阿弥陀佛"，死后便能往生西方极乐世界。"阿弥陀"（梵文 Amitabha 或 Amitayus），意为"无限光明"或"无限生命"，"南无"（梵文 Namo）意为"皈依"。"南无阿弥陀佛"即"皈依阿弥陀佛"之意。大乘前几个宗派虽已把释迦牟尼奉为神明，但同时又强调个人必须经过苦苦修行才能得救。因此对净土宗的信仰大不以为然，视之为异端。禅宗六祖慧能曾辛辣地讽刺说："东方人造罪，念佛求生西方；西方人造罪，念佛求生何国？凡愚不了自性，不识心中净土，愿东顾西"（《六祖坛经》）。然而净土宗易信易行，不须刻苦修行，只要开口念诵"南无阿弥陀佛"，便能往生西方乐土，老少咸宜，何乐不为。此宗虽未能在印度独树一帜，但传到中国后却有了极大发展，"异端"渐成为"正统"。

大乘佛教第三系统是"密宗"（又称"真言宗"），公元七世纪在印度兴起。此宗乃吸收婆罗门教的咒术而成，注意念诵"唵嘛呢叭弥吽"六字真言（此六字意为"祈求在莲华藏中的佛"）。人持此六字大明咒，不仅能逢凶化吉，死后还能往生极乐世界。西藏和蒙古的喇嘛教即是印度密宗于八世纪初传入中国后形成的密教。后来，其它宗派也常在经文中附加咒语。如《般若心经》末尾的几句话，"Gate gate, Paragate, Parasamgate Bodhi Svaha！"（意为"度呀，度呀，度一切众生都到彼岸，使一切众生疾速成就无上悟道佛果！"），但中国佛教则译为，"揭谛，揭谛，波罗揭谛，波罗僧揭谛，菩提萨婆诃"，成了玄妙的咒语。[7]

龚天民在《佛教纲要》中指出，大乘佛教的第一系统中，"'天台'、'华严'和'法相'三宗被称为正统佛教，禅宗因不立文字，教外别传而被认为是一种异数和反动。但目前，除禅宗尚名存实亡（因禅僧也念"阿弥陀佛"了），其它'天华法'三宗已几近绝传了。再者，由于中国佛教各宗派融会混合的结果，已经很难找到纯宗派了。大家都也变成热心念佛向阿弥陀佛投降，沾上了净土宗的味道。""世界各地华人佛教徒间，念佛势力最强大。如称中国佛教现在主要只剩净土宗一宗，也不为过。连一向反对净土宗最烈的禅宗，也都在禅净兼修了。"[8]据统计，现在全世界的佛教徒为二亿五千二百万人。[9]佛教从最初的无神的心理学的自律、修行逐步发展、演化为对多神多灵的崇拜。

二、回教

回教原名伊斯兰教(Islam)。相传伊斯兰教从陆路传入中国时，是经过回纥地区（即今维吾尔地区）。元朝时，信奉伊斯兰教的回纥人随蒙古人到了中国，因此中国人逐渐以回纥的"回"字为名，称伊斯兰教为回教了。

回教创始人穆罕默德

穆罕默德于公元570年出生于阿拉伯的麦加城。他的家族虽然显赫并极受尊敬，但他是个遗腹子，幼小十分清苦，六岁成为孤儿，由亲戚哺养。回教的背景是古代阿拉伯的多神宗教，崇拜月、星、男神、女神和众神灵。随着年龄增长，他深为阿拉伯宗教中的争吵、拜偶像、不道德和放荡等恶性所困扰。

十二岁时他曾随叔父及骆驼商队到巴勒斯坦和叙利亚一带，听到许多《圣经》故事，使他眼界大开，智识急增，对宗教与人生有了初步理解，加深了对阿拉伯宗教的信仰和习惯的怀疑。二十五岁时他与麦加城的比他年长十五岁的富孀卡迪雅(Khadija)结婚。卡迪雅为他生下二男四女。穆氏先后娶十妻二妾，其中七人为寡妇，是在战争中掳来的俘虏。

相传在公元610年某夜，当穆罕默德在洞中静修时，天使加百列突然向他显现，要他去传扬造物的真主之名。后来加百列又向他显现多次。穆氏随即将天使的话向信徒复诵。阿拉伯字Al Qar-an，英文作Koran，意即复诵、诵读、传扬之意，中译为"可兰"或"古兰"。所以回教圣书《可兰经》被认为是穆罕默德所领受的启示的记录。这些启示使穆氏非常振奋。在妻子的鼓励下，他开始在麦加城中传扬他的宗教思想。

十年之中，麦加城中反对他的势力日增。当他的妻子卡迪雅和大恩人叔父阿布塔里布(Abu Talib)先后于公元620年去世后，麦加人即图谋杀害他。因此穆氏不得不逃往默地那城(Medina)。此次出奔在回教中被称为"赫吉拉"(Hijira)或"圣迁"，时为公元622年，被定为回教元年。默地那城成为穆氏立教、制体和发动军事进攻的根据地。穆罕默德不单是伊斯兰教的教祖，也是卓越的军事领袖。公元624年，穆氏与麦加人发生第一次战争，大获全胜。公元630年穆氏亲率万人雄师进军麦加。麦加自知无力抵抗，遂开城投降，麦加人也改信了伊斯兰教。穆氏进入麦加城后，摧毁了该城的主要神庙喀巴(Kaaba)庙中的一切偶像，只留下了庙中的一块黑色陨石。穆氏宣布喀巴为回教的至圣所。此后两年中，穆罕默德强化了自己作为主要先知和阿拉伯统治者的地位，他把阿拉伯各部落联合成一支庞大的军队，以征服全世界。他将感化、规劝与武力征服相结合，在政治与宗教上占优势，纵横阿拉伯。

公元632年，穆罕默德率领信徒十二万之众，再次赴麦加朝觐喀巴。在回默地那途中生病，与世长辞，享年六十三岁。穆罕默德去世后，伊斯兰教依军事实力继续扩展。魏思道(Johannes G. Vos)在《基督教与世界宗教》中简练地描述道:伊斯兰教军于"主后638年攻陷了耶路撒冷；三年后侵入埃及；637年进入伊拉克；649年进入波斯；于652年进入大部分中亚细业。后来回教完全用武力推行，达至印度。在穆罕默德死后不到·百年，全部北非及西班牙之一部已变为伊斯兰教。回教在欧洲的扩展止于主后732年，为马尔泰(Charles Martel)在法国土尔斯之役所阻。西班牙后回归基督教，但从摩洛哥至巴基斯坦以及荷兰，迄今仍归回教。伊斯兰教在今日北非及他处甚为扩展。在苏联及中国亦占优势。"[10] 据统计，目前全世界共有回教徒十一亿四千七百万人。[11]

回教的基本信仰

回教的基本信仰十分简要，包括信阿拉、信天使、信经典、信先知、信前定、信末日与死后复活等六大类。

（1）信阿拉(Allah)　回教是一神主义信仰，相信只有一位造物的真主，他的名字是"阿拉"。阿拉之外，别无他神。阿拉共有九十九个德性。据说回教徒所用的念珠是九十九粒即源于此。龚天民在《回教纲要》中指出，在阿拉伯的多神崇拜中，除了三位女神外，还有一位叫阿拉(Allah)的男神，较别的神更伟大，有人认为三女神便是此男神的妻子。回教兴起后，阿拉被尊为独一无二真主。[12] 所以阿拉神不是穆罕默德的发现，而是来于阿拉伯人原来所敬拜的神中的一位。

（2）信天使　回教相信天使由光所造，或在天、或在地。据说曾向穆罕默德显现的加百列即是主要天使之一。回教相信每位信徒都有四天使监护，白天、晚上各二人，住在人的牙齿间，以人舌为笔、唾液为墨，记下其一切善恶所为。同时，也相信幽鬼，于亚当前数千年，由火焰而生，有男女生殖、生老病死和正邪善恶。其恶魔的首领是Shaitan（与《圣经》中的撒旦Satan相似）。

（3）信经典　回教相信阿拉借天使赐下一零四卷经典：亚当十卷，塞特五十卷，以诺三十卷，亚伯拉罕十卷，摩西一卷（*Taurat*，《摩西五经》），大卫一卷（*Zahur*，《诗篇》），耶稣一卷（*Injil*，《福音书》），穆罕默德一卷（《可兰经》）。经卷之中，《可兰经》地位最高，最为重要。如前所述，《可兰经》是穆氏复诵天使加百列向他的启示而成的。全部用麦加方言，全用第一人称。《可兰经》共一百一四章。编撰方法不是按启示的先后或事件发生的早晚，而是把最长的章放在最前面，短的章放在后面。《可兰经》问世后，在细节的解释方面面临不少难题，于是初期回教教团开始把穆罕默德的生前言行编辑成书，叫做"圣谕"（阿拉伯文Hadith，中译为"哈底斯"），借以作为解释《可兰经》的补充材料。

（4）信先知　《可兰经》中列举了二十九位先知，其中六位先知最重要，他们是亚当、挪亚、亚伯拉罕、摩西、耶稣、和穆罕默德。除穆氏之外，其余五位都是《圣经》中的人物。回教也尊敬耶稣，相信他是童女所生。但回教不承认耶稣是神，只是一位传递神的话语的人——先知。而且《可兰经》上说，耶稣并没有死在十字架上；在耶稣被钉十字架前阿拉已把他带上天堂；真正死在十字架上的是化装成耶稣的犹大，等等。在这六位先知中，穆罕默德是接受最后启示的、最大的一位先知，其地位远远高于前五位先知。

（5）信前定　相信一切都由阿拉所控制、安排；但也承认人有自由意志，可以随己意行善恶，选择信与不信。

（6）信末日与死后复活 相信在末日死人要复活，阿拉要对人进行审判，然后分别被送上天堂或进入地狱。

伊斯兰教的《可兰经》引用了许多基督教的《圣经》经文。据统计，《可兰经》中，七十二次提及亚伯拉罕，九十七次提到摩西，十四次提到马利亚，五十一次提到耶稣，新旧约中的人物一共提到二十七位。《可兰经》第十二章中关于青年约瑟被卖到埃及的记述几乎与旧约〈创世记〉中的记载一模一样。有些经文，是全然来自《圣经》的。如，〈诗篇〉第37篇第29节（"义人必承受地土，永居其上。"）直接变成《可兰经》第21章第105节。但很多时候，引用《圣经》时，都有改动。如，说西乃山上的金牛犊能叫；所罗门懂鸟语；干犯安息日的人要变成猴子，等等。但这仍能看出《可兰经》受《圣经》的影响之深。[13] 陈润堂牧师说："我们读《古兰经》时，会发现里面所有有关旧约的人物，如摩西、大卫、所罗门、约瑟、约伯、约拿等等的事迹，都是突如其来无头无尾，忽然间没头没脑的半路杀出个程咬金来，令人大惑不解；不但上文不接下文，简直东拉西凑，令人难以捉摸。故此，一个没有研读过旧约，或说没有旧约《圣经》常识的人，简直看不懂，《古兰经》的注释家也解不来，也无从着手作注的。"[14]

然而，伊斯兰教和基督教的根本区别在于：基督教相信耶稣是神，而伊斯兰教却认为耶稣只是一个人。否认耶稣是神，就否认了基督教所信仰的三一真神。"凡不认子的就没有父；认子的连父也有了。"（约壹2:23）因为，圣父、圣子和圣灵三个位格是不可分割。这清楚表明，伊斯兰教所信的独一真神阿拉绝非基督教所信仰的真神耶和华。信仰的神不一样，使伊斯兰教与基督教只是形式上有相仿之处，而本质上则是毫不相通的。

除了相信上述教义外，回教徒还要履行五项义务。一是要不断念诵阿拉和穆罕默德之名："除了阿拉以外别无他神，穆罕默德是阿拉的先知"；二是回教徒必须面对麦加跪拜、祈祷；第三，捐钱、物给教会，周济孤、寡、不幸之人；第四，回历第九月为圣月，在此一月中，除病人、旅行者、孕妇、哺乳妇女、衰老者、战争中的士兵等外，所有的人每天必须禁水、禁食及禁止男女同房。但仅限于白日，日落之后，饮食方可开始。最后，是到麦加朝圣。一个回教徒一生中，至少要去麦加朝圣一次。若确无能力去，也可由他人代去。此外，回教对饮食也有不少禁忌和条例，其中一条就是不吃猪肉，不准饮酒。

三、基督教

　　基督教于公元一世纪三十年代耶稣受难、复活、升天之后由耶稣的门徒建立。基督教会虽不是由耶稣亲手所设，但由接受耶稣作个人救主和生命主宰的人群所组成，耶稣是教会的主。教会起初以耶路撒冷为中心，后向犹太全地、撒玛利亚传开。经过三十年左右，已传进亚、欧、非三洲。基督教会先后受到犹太教和当时统治欧、亚、非各洲的罗马政府的迫害。君士坦丁于公元323年统一罗马帝国，自尊为皇帝，并相信了基督教。基督教由受逼迫一跃成为国教。君士坦丁下旨劝勉国民做基督徒，并给教会很多特权，如教产可以免税，信徒可以免服兵役，主日成为假日，信徒可充任各种官职等。这一方面大大促进了教会的发展，同时也使投机分子、信仰不纯者大量涌入教会，使教会在各方面发生混乱。

　　君士坦丁于公元330年把罗马首都迁至君士坦丁堡。而后君士坦丁堡的主教起来与罗马主教争夺领导权，最后决裂。君士坦丁堡主教自称"主教长"，他所领导的教会即东正教会；罗马主教自称"教皇"，其所领导的教会称为天主教会。政教合一使教会组织政治化、行事世俗化，用人意代替《圣经》，将教皇神化，提倡教皇无误论，并不准一般信徒读《圣经》。到中世纪，教会已堕落在黑暗之中。十六世纪，在马丁路得、加尔文和慈运理等人的领导下，欧洲各国掀起改教运动，要使基督教回复初期教会的信仰，并从天主教中分裂出来。当今，基督教在全世界，尤其欧美各国，有举足轻重的影响，近年在中国大陆正迅速传开。据统计，目前全世界有天主教徒十亿四千万人，[15] 东正教徒两亿二千三百万人，[16] 更正教（基督教）徒六亿三千八百万人，[17] 等等，敬拜耶稣基督的共计十九亿三千万人。[17]

基督教的基本信仰

基督教的基本信仰，可以用第二世纪教会所制订的《使徒信经》体现出来："我信神，全能的父，创造天地的主。我信我主耶稣基督，神独生之子，因圣灵感孕，由童贞女马利亚所生，在本丢彼拉多手下受难，被钉于十字架上，死了、葬了、降在阴间，第三天从死里复活、升天，坐在全能父神的右边，将来必从那里降临，审判活人、死人。我信圣灵。我信圣而公之教会。我信圣徒相通。我信罪得赦免。我信身体复活。我信永生。"基督教相信，圣父、圣子、圣灵三位一体的独一真神是宇宙的创造者和维护者，是万物的主宰。人是神按自己的形象造的。由于人类始祖亚当、夏娃对神的悖逆，被逐出伊甸园，使人与神的交往中断，从此人活在罪中不能自拔。公义的、绝不以有罪为无罪的神，为拯救人类，差他的独生子道成肉身来到世上，用人所能理解的话语向人们宣讲天国的道理。耶稣无罪受难，将世人的罪集中在自己身上，接受神的审判，替万人作了赎罪祭。完成了神的救赎计划后，耶稣从死里复活，升天了。一切相信他的人，其罪就被耶稣在十字架上流的血洗净，成为神国的儿女，进入永生。了解耶稣的救恩而不信者，将仍活在罪中，只能与公义、圣洁的神永远隔绝，进入永远的黑暗和死亡之中。现正处于世界的末日，耶稣很快将再次降临世间，审判活人、死人。信耶稣者将升入天堂，不信的人将下到地狱。基督教还相信，六十六卷旧约和新约《圣经》都是神所默示的，是信徒生活和信仰的唯一准则。

奇妙的耶稣

英国著名的布道家司布真精辟地指出："基督是人类历史上最伟大的中心事实。在他之前的一切都前瞻着他，在他之后的一切则都回顾着他。历史的所有发展都汇集于他一身。"[18] 英国大百科全书用了两万多个字来写耶稣，其篇幅远远超过对柏拉图、亚里斯多德、凯撒、亚力山大、释迦牟尼和穆罕默德的记述。现今全世界都以耶稣的降生年作为公元元年，都把他复活的周日作为公休日。这是古今中外任何人无法企及的。

拿破仑曾经说过："基督存在的本质是奥秘的，我并不明白。但我明白一件事，他能满足人心。拒绝他，世界就成了一个费解的谜；相信他，人类的历史就可以找到圆满的答案。"[19] "我知道人，但耶稣不单是人，世人与他是无法相比的。亚历山大、凯撒、查理曼大帝与我都建立过大帝国，但我们建国靠的是什么呢？靠武力。但耶稣以爱建立他的国度，光是在这一时刻，世间就有成千成万的人愿为他抛头颅、洒热血。"[20]

有人问著名的历史学家威尔士(H. G. Wells)，谁是影响人类历史最甚之人时，他回答说，"若按历史的标准来决定，此人非耶稣莫属。"[21] 连哥德这样一位对基督教持有偏见的天才，当他晚年回顾辽阔的历史领域时，也不得不承认："如果神真要来到世间，他必然是出现在耶稣这人身上。"[22]

那么，耶稣究竟是怎样的一位神人呢？麦道卫在《铁证待判》一书中曾引用过一张题为〈无可比拟的耶稣〉的福音单张中对耶稣的描述："在一千九百年以前，一个违反出生律的婴孩诞生了。他生于贫穷，长于卑微，他从未

有机会旅行，一生中唯——次出国的机会，乃是童年时代
的一次逃亡。他既缺钱财，又乏影响力。他没有显赫的亲
戚，也没有受过正式的教育。但在他尚无知的时候，就有
君王因他惊惶。及至孩童的时代，他的话使学问高深的人
希奇。到他成年的时代，他操纵自然界，能在巨浪中行
走，又能使海平静。他不用药治好无数的病人，而且分文
不取。他没有写过一本书，但世界的图书馆中却容纳不下
一切有关他的书籍。他从未写过一首歌，但歌颂他的诗歌
却多得不可胜数。他从未创立过大学，但世间一切大学生
的总和尚不及追随他的人数众多。他从未带领过一支军
队，也从未征过一名士兵；他未动过一枪一箭，然而世间
没有一位领袖能像他这样拥有无数的志愿军，接受他的命
令，不发一枪一炮，就使敌人无条件的投降。他不是心理
医生，但他却医治无数心灵痛苦的人。每周的第一天，市
面上商业停顿，人们到教堂去崇拜他。希腊、罗马的伟大
政治家们的盛名早已消逝，闻名的科学家、哲学家与神学
家的名字也从历史上消失，但这个人，知道他名字的人却
愈来愈多。虽然经过十九个世纪，他仍然活着。希律王用
十字架摧毁不了他，坟墓的门也不能封住他。如今他站在
天堂的荣耀当中，被称为神。天使敬拜他，信徒仰慕他，
魔鬼惧怕他。这个人是谁呢？他是活着的耶稣基督，我们
个人的主与救主。" 23

　　耶稣既无释迦牟尼那种显赫身世，又没有穆罕默德创
教时所拥有的财力和武力。耶稣也不像这两位教主在世时
已有成千上万的追随者，他在世时只有十二个门徒，其中
一个还出卖了他。当他无辜被钉十字架时，他的门徒大都
逃散了。基督教创立近两千年来，教会并非无辜，教会领
袖的失败和犯罪，曾使教会深蒙耻辱。但是，基督教却依
旧保有创教者的特性和榜样，基督教仍在不断发展、壮
大。因为耶稣基督是教会的元首和源头。一个出身如此卑
微、身世如此平凡的人，能这样深刻地影响着人类历史的

进程，是因为耶稣是神的儿子，是由神降世、道成肉身的
人。

耶稣的历史性

耶稣在人类历史上占有如此重要的地位，是任何人无
法否认的。但耶稣是真有其人呢，还是基督教的理想主义
者为拯救人类道德而虚构出的一个人物呢？回答是肯定
的，耶稣曾经生活在地球上。正如戴马雷斯在《耶稣是
谁》一书中指出的那样，"基督教若没有真实、历史性的
耶稣，就象维多利亚时代没有维多利亚女王一样荒谬无
稽。"[24]

耶稣降生于耶路撒冷附近的一座小城伯利恒，在犹太
的北部省分加利利的拿撒勒城长大。他的肉身母亲玛利亚
的丈夫约瑟是一个木匠。耶稣作为木匠的儿子，在贫困、
劳苦之中默默无闻地度过了三十个春秋。年满三十岁后，
他开始传道。传道生活相当清苦，耶稣自己就如此形容
过："狐狸有洞，天空的飞鸟有窝，人子却没有枕头的地
方。"（太8:20）这里所说的"人子"，是耶稣对自己的
称呼。在这样艰苦、动荡的传道生活中，他的门徒恐怕没
有为耶稣庆祝生日的能力。因此，门徒们不清楚耶稣的出
生日期是很自然的。耶稣只传了三年道，足迹仅限于巴勒
斯坦境内二百哩方圆的范围之内。耶稣被钉死，被人看作
是罗马帝国的边陲省分巴勒斯坦的一个平凡的木匠之死，
与耶稣同时代的、巴勒斯坦之外的历史学家根本不会注意
到他。直到数百年之后，当基督教的势力扩张，信徒风起
云涌之时，历史学家们才猛然惊醒，要去研究、了解耶
稣，却已为时过晚。

耶稣的出生日期就是一个很好的例证。现在全世界是
以耶稣的降生划分公元前和公元后。目前世界通用的公元
元年是按公元525年罗马修道院长丢尼修所计算的耶稣出
生年日确定的。但到十七世纪以后，经过学者更详细地考
证和计算，发现丢尼修的计算是不准确的。虽然现在的看

法仍不一致，但比较普遍的意见认为耶稣的降生是在公元前2到6年。出生的年代不很确定，耶稣诞生的日、月更难于考察。每年的12月25日被定为圣诞节，隆重庆祝耶稣的诞生。其实，12月25日本是由别的宗教节日逐渐演化为圣诞节的，并非真是耶稣的诞辰。

基于这样一个特定的历史条件，新约《圣经》中的四卷福音书成为耶稣的生平和教训的主要资料来源，就比较容易理解了。因为这四卷福音书是由在三年传道生涯中与耶稣朝夕相处的门徒或与门徒关系十分亲密的人写成的。以四福音书作为耶稣生平的主要来源是否会落入自己证明自己的危险中去呢？不会的。福音书的作者都是耶稣的信徒，他们没有编造瞎话，而是将自己亲身经历和所见所闻的耶稣的事迹忠实地记录下来，其真实性、准确性已经受了严格考验而倍受史学家们的赞扬和推崇（参见第二章和第四章）。

除福音书外，耶稣的史料也经早期教会领袖的著作而流传下来。其中著名的有如下几位。坡旅甲（Polycarp），其生时不可考，早年生活亦不详，是使徒约翰的学生，后为示每拿主教。约于公元155年在示每拿殉道，时年八十六岁。当地方总督以让他咒骂基督作为释放他的条件时，他回答说："我事奉他已八十六年了，他对我的作为毫无错误，我怎能亵渎拯救我的主呢？"结果被罗马官府用火烧死。他的著名遗作为《致菲立比人书》。爱任纽（Irenaeus），教父和里昂主教，是坡旅甲的学生，后为主殉道。他是使徒后期第一位神学家，著有《反异教》及《使徒教义的证实》，颇负盛名。俄利根（Origen）生于埃及，十八岁任神学校校长，为亚历山大城著名基督教师。主后230年被逐出并殉道于巴勒斯坦。著作甚丰，与奥古士丁在哲学上享有同等地位。优西比乌（Eusebius），主后314年受封为该撒利亚主教，被人称为"教会历史之父"，对君士坦丁相信基督教有很大影响。著作很多，极见称于基督教头三百年的教会领袖之中。

另一著名人物是哲人、护教者犹斯丁（Justin Martyr），撒玛利亚人，受过良好教育，热心追求真理，曾先后深入研究过亚里斯多德哲学、毕达马拉斯学派及柏拉图主义。他对犹太宗教毫无兴趣，独钟柏拉图主义，自以为已快寻见哲学的最高目标、认清神的异象了。一次在海边偶与一年老基督徒相遇，老翁开启了他的心，使他成为基督的信徒。

主后150年左右，犹斯丁上书罗马皇帝安东尼庇额士（Antoninus Pius），为基督教辩护。他在上书中引用了来自罗马皇家档案的彼拉多的报告。他说："'他们刺穿了我的手、我的脚'这句话是描写钉子如何把耶稣的手、脚钉在十字架上；在他被钉十字架后，钉他的人掷骰子分了他的衣服。这些都是事实，可以从彼拉多下命所记的《行传》中找到。"犹斯丁还说："凡是基督所行的神迹，都可在彼拉多的《行传》中找到。"[25] 犹斯丁于主后165年殉道于罗马。

除此之外，耶稣的史迹也被记录在相关的一些非基督徒史学家的著作中。

新约《圣经》所记载的事迹，涵盖了整个第一世纪（从公元前4年希律王逝世前起，到公元95年左右〈启示录〉写成为止）。约瑟夫（Flavius Josephus）是这个时期最重要的史学家。约瑟夫于公元37年或38年生于耶路撒冷一个非常富有的祭司家庭，受过极高深的教育。他十四岁时就常有学者登门向他请教有关诠释犹太律法的问题。约瑟夫十九岁加入犹太教的法利赛派。公元66年他被推为加利利的犹太军的领袖之一，率军反抗罗马人。不幸战败被掳，并归顺罗马政府，在罗马度过晚年。这期间他写了大量作品，详细地记载了许多史实。其中，最著名的两部历史巨著是《犹太战史》（Wars of the Jews）和《犹太古史》（The Antiquities of Jews）。

《犹太古史》记述了犹太人的历史，从远古开始，到公元66年犹太与罗马爆发战争为止。在这部史书中，约瑟夫对耶稣有这样的记述："这时犹大地出现一名叫耶稣的智者（如果我们能这样称呼他的话），他能行奇迹与奇事，又是许多喜欢追求真理之人的导师。跟随他的人除了犹太人外，也有不少是希腊人。这人就是基督，但罗马巡抚在我们民间领袖的怂恿下，判钉他十字架。起初就爱他的那群人一直没有离弃他，因为他在死后第三天又复活了。众先知曾预言他的复活及许许多多有关他的神迹奇事。基督徒就是从基督得名的，直到今天仍未完全绝迹。"（*Antiquities*, XVIII《犹太古史》18卷33章）[26]

《犹太法典》（*The Jewish Talmud*, 又音译为《犹太他勒目》）是关于古代律法及其遗传的犹太法典，始于公元100年，成书于公元四世纪。在该法典的〈智者之书〉中写道："逾越节的前夕，他们把拿撒勒的耶稣（Jeshua）挂在木头上。在此之前四十天，传令官就布令，传出拿撒勒人耶稣将被乱石打死的消息，因他广传巫术，以欺骗手腕引诱以色列人误入歧途。凡知任何有关此人之事的学者均可前来为他辩护，但是他们当时找不到任何人能为他辩护；于是在逾越节的前夕就把他钉在十字架上了。"[27] 在犹太人以外最早记载耶稣的是撒玛利亚的史学家他勒（Thallus），其作品大都成于公元50年左右，可惜已经失传。但在略知的一些片断中，他勒如实地记录了耶稣受难时遍地变黑的情景（见第四章〈耶稣基督复活的证据〉）。

此外，一世纪的罗马史学家们在记录罗马的历史时，也提到了耶稣和基督徒。其中一位叫绥托纽阿（Suetonius），是罗马皇帝哈德理安（Hadrian）的宫中大臣，专门负责编写皇家史料。他的著作中多次提到基督徒，并称他们为"一批迷信而可恶的群众。"[28]

另一位叫塔西图（Cornelius Tacitus），生于一世纪中叶，是罗马大将阿古可拉（Julius Agricola）的女婿，他本人先后出任过英国省长和亚洲省省长。塔氏对罗马帝国不怀好感，在著作中对罗马人的错误有夸大之处。但他具有历史眼光，记载了不少有历史价值的资料。他在记述由提庇留至尼禄的该撒诸王朝的历史的《编年史》（*Annals*）中，提到了耶稣的死和基督徒在罗马的情形："所有来自人的安慰、太子的礼物、供给众鬼神的香烛都无法赎清尼罗王焚烧罗马城的罪名。当时基督徒人数愈来愈多，招致罗马人的厌恶，为了压制自己焚烧罗马城的谣言，尼罗王假加焚城之罪于基督徒身上，并对他们严施酷刑。基督教的创始人基督，在罗马皇帝提庇留（Tiberius）在位期间（公元14-37年），被统管犹大地的罗马巡抚本丢彼拉多（Pontius Pilate）处死。这种迷信虽曾一度被压制下来，但后来又死灰复燃，不但在犹大地，而且一直蔓延到罗马城。"（*Annals* XV.44）[29]

综上所述，耶稣的生平、事迹是有充分史料依据的，耶稣是一个真实的历史人物。然而，如果耶稣仅仅是一个人，他已死了近二千年，和我们就没有多大关系了。问题的核心在于，耶稣不仅是人，同时也是神，是取了人形的神。耶稣是三一真神中的圣子的化身，为完成对人类的救赎计划，曾降世为人。从血肉之躯看，他是以色列人的后裔；但从神性看，他早在创世、降世之先，从亘古就存在，是昔在、今在、永在的神。"耶稣基督昨日今日，一直到永远，是一样的。"（来13:8）。所以，耶稣基督和现代的每一个人都是息息相关的。

四、耶稣是神

前文已谈到，释迦牟尼创立的佛教在本质上是无神论，因而释迦本人从未说自己是神，他是数百年后被人神化的。伊斯兰教教主穆罕默德也坚称自己是一位先知。先

知者，乃传递神的话语的人也。只有耶稣基督公开多次宣
告自己是神，是神的儿子。耶稣果真是神吗？让我们从几
方面探讨一下。

耶稣自己的宣告

耶稣多次从多方面宣告自己是神，是神的儿子。现举
几个例子。一次耶稣对犹太人说："你们的祖宗亚伯拉罕
欢欢喜喜仰望我的日子；既看见了，就快乐。"犹太人听
了大惑不解。亚伯拉罕是犹太人的祖先，是公元前二千多
年前的人物，他怎么会仰望耶稣呢？于是他们问道："你
还没有五十岁，岂见过亚伯拉罕呢？"不想这一问，使耶
稣发出了惊天动地的宣告："我实实在在地告诉你们，还
没有亚伯拉罕，就有了我！"这句话若看英文版的时态，
就更清楚了："I tell you the truth," Jesus answered,
"before Abraham was born, I am！"（约8:56-59）耶
稣说到亚伯拉罕出生时用的是过去式"was"，而他说他
在亚伯拉罕出生前就有了他时，却用的是现在式
"am"。了解犹太传统的人，都知道这个现在式的极端
重要性。

在旧约〈出埃及记〉第3章，当神在焚烧的荆棘中向
摩西显现，并差遣摩西领以色列人出埃及时，摩西请问神
的尊名，神回答说："I am who I am."中译为"我是自
有永有的"，是永在的神。神的名字耶和华（Jehovah的
译音）即源于"自有永有"的希伯来文的"YHWH"。因
此，对犹太人来说，谁宣告"I am"，就等于谁宣告自己
是神。当耶稣说这句话时，无异称自己是神。犹太人听了
大为惊骇，于是拿石头要打耶稣。他们认为耶稣说了僭妄
的话，按犹太律法，犯僭妄罪的人是要用乱石打死的。

耶稣也多次宣布自己与父神同等（约8:30-33），有赦
罪的权柄，要人们相信、尊敬父神那样相信、尊敬他（约
8:23-24, 14:1）。当耶稣问门徒"你们说我是谁？"彼得
回答"你是基督，是永生神的儿子"时，耶稣丝毫没有谦

让，而且表扬彼得说，"西门巴约拿，你是有福的！"（太16:13-19）

当犹太人审讯耶稣时，耶稣保持高度沉默。但有关他的身分时，他毫不含糊地宣称他是神。"大祭司起来，站在中间，问耶稣说：'你什么都不回答么？这些人作见证告你的是什么呢？'耶稣却不言语，一句也不回答。大祭司又问他说：'你是那当称颂者的儿子基督不是？'耶稣说：'我是。你们必看见人子，坐在那权能者的右边，驾着天上的云降临。'大祭司就撕开衣服，说：'我们何必再用见证人呢？你们已经听见他这僭妄的话了。你们的意见如何？'他们都定他该死的罪"（可14:60-64）。犹太人处死耶稣的唯一理由是因为他自称为神，犯了僭妄罪。

自称为神并不难，人人都可以自称为神。但你、我如自称为神，不是欺骗就是癫狂。因为我们是人而不是神。而耶稣是举世公认的人类历史上最圣洁尊贵、最表里如一、最睿智善良，超越一切人类之美德的完全人。他称自己是神不可能是欺骗或僭妄，而是真的。自称为神并不难，难的是别人能相信他是神。人类历史上，曾掀起过多少次造神运动，曾伴随着多少血腥！曾几何时，十年八年，三十年五十年，这些假神便被历史无情地荡涤了。唯有耶稣，一个既无财力又无武力的木匠之子，却被越来越多的人所认识，接受他为人类的救主和宇宙的主宰。因为不仅耶稣自己宣称是神，更有充分的事实显明他是神。

耶稣的超然能力

耶稣在短短的三年传道过程中，除了向人们宣讲天国的道理，呼召人们悔改以外，还行了很多神迹奇事。他医治了无数人的疾病，使瞎眼的重见光明，使瘫痪了三十八年的瘫子站起来行走。他洁净了长大麻风的，让拿因城寡妇的儿子和伯大尼马大的弟弟拉撒路等死而复活。他赶出附在人身上的污鬼，用五张饼、两条鱼使五千人吃饱，还有剩余。他能在海上行走，能平息风和海。耶稣行这些神迹奇事，并不主要是向人们显示他的神性，乃是出自对人的爱和怜悯。但通过他所作的事，确实令不少人认识到他是神的儿子而真心地跟随了他。

有人说，今天的气功师也有发功、治病、意念移物等奇异功能，耶稣是不是仅为一个高级气功师而已？现在大陆正兴起气功热，气功有假的，也确有真的。从表面上看，耶稣所行的神迹和今天的气功师所为有某些相似之处。但仔细分析，就会发现重要区别。在治病方面，耶稣不仅医治各种疑难病症，而且可以使人死而复活。伯大尼的拉撒路已死了四天，耶稣一句话，他就从坟墓里走出来了！有的气功师虽可发功治病，但没有起死回生之力。一些著名的气功师本人也死于各种疾病而回春无术。耶稣不仅医治人肉体的疾病，还能拯救人的灵魂；耶稣不仅能医治人，而且有驾驭大自然的能力。这些都是气功师望尘莫及的。与耶稣相比，气功师的作为不过是雕虫小技而已。

我们说耶稣是神，不只是看他所行的神迹奇事，而且从预言的验证、耶稣的复活、亲人的认同等多个方面可以显明。只有把各方面的证据综合在一起，从一个大图画中才能比较准确地认识耶稣的神性。只论一点，不及其余，容易出现偏差或钻进死胡同。

亲友的认同

我们在与他人相处、待人接物时，或多或少、自觉不自觉地都会戴着面具，只有回到家里，真实的自我才会暴露无遗。真正知道一个人本象的往往是与之朝夕相处的家人或亲密无间的朋友。耶稣是不是神，他的家人和门徒最清楚。

耶稣由童女所生，他的肉身母亲是马利亚。当天使告诉马利亚，她将从圣灵怀孕生下耶稣时，马利亚开始非常惊慌，她说，她虽然已与约瑟订婚，但还没有过门，怎么能生孩子呢？她知道，童女不会生子。天使告诉她这是神的意思时，她就顺服了。当约瑟发现马利亚有身孕后，以为她犯了淫乱。按犹太人律法，犯淫乱的妇人是要用石头打死的。但约瑟只想暗暗把她休了。当天使告诉约瑟，马利亚所怀的孕是从圣灵来的、要他把马利亚娶过来时，约瑟照办了，他娶了马利亚，但没有和她同房，直到马利亚生下耶稣以后。

即使在耶稣时代，人们也不相信童女可以生子。所以，当时有很多流言，说耶稣是马利亚与一个罗马士兵行淫所生的私生子。马利亚被视为淫妇，而约瑟则戴着"绿帽子"。因为马利亚和约瑟知道身孕是从神而来的，才能忍受这些流言蜚语所带来的奇耻大辱。

耶稣行的第一个神迹是以水变酒。从这个神迹中，可以充分看出马利亚对耶稣的认知。当时，他们都被邀请参加加利利的迦拿的一个娶亲筵席。在筵席上，酒是绝对不能少的。不巧在那次婚筵上，酒却用尽了。怎么办呢？马利亚径直走到耶稣跟前，简洁地说："他们没有酒了。"短短的六个字，充分表达了马利亚的心态：他们没有酒了，但你有能力帮助他们。虽然耶稣回答说："我的时间还没有到，"马利亚仍深信耶稣不仅有能力帮助，而且一定会帮助，她对佣人的吩咐仍是那样简单、明确："他告诉你们什么，你们就作什么。"结果，耶稣将六口石缸的水变成了上等好酒（参见约2:1-12）。

前文提到，犹太人找不出耶稣有任何过错，他们决定处死耶稣的唯一理由是耶稣自称为神，犯了僭妄罪。哪个母亲不爱自己的儿子？有的甚至为儿舍命。如果耶稣不是从圣灵所生，不是神的儿子，马利亚完全可以站出来说明真象，求犹太人赦免，也许可以保全耶稣不死。然而，马利亚知道耶稣确实是从圣灵而生的神的儿子，所以她默默地站在十字架的旁边，看着心爱的儿子遭受酷刑而死。对神的旨意的绝对顺服、对耶稣的神子身分的完全认同和即将失去亲生骨肉的深切痛楚完全包含在马利亚的沉默之中。真可谓，于无声处听惊雷，此时无声胜有声。马利亚的沉默为耶稣是神的儿子作了血泪的见证。

在耶稣时代，神兴起了一位先知叫施洗约翰。按肉身说，他是耶稣生母马利亚的亲戚以利沙伯的儿子。他的任务是传讲"天国近了，你们应当悔改"的道，为耶稣的传道铺垫道路。那时，耶路撒冷和犹太全地，并约旦河一带的人都到施洗约翰那里，承认他们的罪，在约旦河里受他的洗。以致犹太人都以为他是旧约里预言要来的那位救世主。然而这位伟大的先知却说，他就是给耶稣解鞋带也不配。甚至当他的门徒去跟随了耶稣，他不但不气恼，反而发出了"他（指耶稣）必兴旺，我必衰微"的铿锵的呼喊。因为他知道耶稣是谁，施洗约翰曾为耶稣作见证说："我曾看见圣灵，仿佛鸽子从天降下，住在他身上。我先前不认识他；只是那差我来用水施洗的，对我说，'你看见圣灵降下来，住在谁身上，谁就是用圣灵施洗的。'我看见了，就证明这是神的儿子。"（约1:32-34）

耶稣是马利亚的长子，他还有几个弟弟。耶稣传道时，他的弟弟们是不信的。但耶稣复活后，他们成了教会的核心，耶稣的弟弟雅各还成为耶路撒冷教会的领袖。新约〈雅各书〉的作者一般都认为是耶稣的弟弟雅各。雅各在这卷书中称自己为"作神和主耶稣基督仆人的雅各"。他将耶稣与神同等并列，称耶稣为主。只有他确认了耶稣的神子身分，才会这样说。

朝夕追随耶稣的门徒们也纷纷为耶稣作见证。使徒保罗说："所以神将他升为至高，又赐他那超乎万名之上的名，叫一切在天上的、地上的，和地底下的，因耶稣的名，无不屈膝，无不口称耶稣基督为主，使荣耀归于父神！"（腓2:9-11）彼得在〈使徒行传〉中重申自己的信仰说："故此，以色列人全家当确实的知道，你们钉在十字架上的这位耶稣，神已经立他为主为基督了。"（徒2:36）第一个为教会殉道的基督徒司提反在被犹太人用石头打死前呼吁主说："求主耶稣接受我的灵魂。"（徒

7:59）使徒约翰是耶稣生前最喜爱的门徒，他写了〈约翰福音〉，以生动的事实证明耶稣是神的儿子。在这卷书的末尾，约翰点明了他写书的目的："耶稣在门徒面前，另外行了许多神迹，没有记在这书上。但记这些事，要叫你们信耶稣是基督，是神的儿子；并且叫你们信了他，就可以因他的名得生命。"（约20:30-31）

耶稣的复活和《圣经》预言的应验

旧约中几百个关于弥赛亚的预言，全然准确地应验在耶稣身上。比如说，耶稣将出于犹大支派，是大卫的子孙，必由童女怀孕生子，必生在犹大地的小城伯利恒。旧约预言了耶稣的传道生涯和将行的神迹奇事，更详尽地预言了耶稣的受难及第三天复活。这些我们将在下一章〈耶稣基督复活的证据〉中进一步讨论。预言的无误验证表明耶稣就是人们盼望已久的救主弥赛亚。耶稣的复活、升天，以大能显示他是神的儿子。

所有这些证据综合一起，绘制了一幅恢弘的画面，使我们得以窥视耶稣作为神的独生子的荣光。若只着眼于一小部分证据，极容易陷入瞎子摸象的迷宫。这是我在认识主耶稣基督的神性的挣扎过程中的一个深切体验。

五、基督教和其它宗教

说到底，基督教和别的宗教的根本区别在于：别的宗教是人寻找神，人想像神，而基督教则是神寻找人，神启示人。

别的宗教创始人为要解脱世人的苦难，用自己的理智去寻找神、去寻找通向神的路，其动机是好的。但因神太高大，人凭自己有限的智慧所找到的神，绝不能是真神的本体，只能是人自身的理念的投射。有人考察过，佛教刚传入中国所建的寺庙里，菩萨的长相是印度人模样；随着寺庙内迁中原，菩萨像也逐渐变成中国人的面目。而且，菩萨所穿戴的，多为唐代的衣衫，因唐代是佛教鼎盛时期。很明显，这些菩萨是人的文化、理念的化身。

基督教所信的这位神，不是人主观的想象，而是神亲自向人启示出来的，是真神的本体。神的启示的集中体现是《圣经》和取了人形的神——耶稣。《圣经》的权威和耶稣的复活是基督教与别的宗教的分水岭。基督教信仰是植根于耶稣复活和《圣经》是神的话语这两个历史事实的客观真理，而非来自创教人的主观的心思意念。基督徒所信奉的《圣经》，有众多的特点和考古学的证据说明它的记载完全符合历史的真实，而且是出自神的默示，是神要对人类说的话。

其它宗教的经典，如《佛经》、《可兰经》、道教的"三纲四辅"等，都无法证明其历史性，更无法证明是神的话语。一次，一个佛教徒问我："你认为释迦牟尼是人还是神？"我答到："根据释迦牟尼自己的宣称，他只是'佛'是人。"他说："不对！释迦牟尼是神。因为当他出世时，遍地的莲花都开了，颂扬这位神明的诞生。"我问："这故事是从哪里来的呢？"他说是××书上记载的。我再问："你怎么知道这本书上写的事情是真的呢？"他无言以对。佛教没有称《佛经》是神的启示。《佛经》博大精深，但皆是人的智慧，不具有《圣经》的权威。伊斯兰教的创始人穆罕默德称《古兰经》是他在山洞修练时真神阿拉赐给他的启示。只是，除他本人外，没有任何人可作旁证；《古兰经》自身也未显示任何特点能使他人相信它是神的启示。相反，借于别的经典（尤其是《圣经》）的他山之石在《古兰经》中俯拾即是。

别的宗教的经典闪烁着人的智慧；《圣经》却充满了属天的启示。《圣经》中启示的神的"三位一体"的特征，人无法完全明白。《圣经》不迎合人们想靠自己的善行而得救的心理，严厉谴责人的罪性，指明人无法自救；只有接受神的救恩才是永生之道。耶稣说话，从不修改、补充，除非门徒要求，也从不解释。而且，他常常"答非所问"，叫人摸不着头脑。法利赛人也说，他说话带着权柄。别的宗教领袖说他们能帮助信徒找到一条通向真理、生命的道路，而耶稣则宣称，他本身就是道路、真理、生命。别的宗教教导人行善以修来生，但信徒能否真正行出善来却是另外一回事。基督教不仅教导基督徒行善，而且借着住在基督徒心中的神的灵（圣灵）的引导，赋予基督徒行善的能力。基督徒的一切行动不是自己"做"出来的，而是"活"出来的，是在自己身体中神所赐予的生命的自然流露。这一切都表明《圣经》是神的话语，表明其权威性、超越性和真实性。耶稣的复活将在第四章详细讨论。

六、辨别诸灵

关于鬼魂附身、亡灵显现等，古今中外都时有发生。《圣经》中也有此类记载，别的宗教里也常有超然的现象，如显灵等出现。常有人问道："这是否意味着，除了基督教以外，还存在着其它的神？如果是这样，怎么能说《圣经》中启示的神——耶和华是独一无二的真神呢？"这是一个非常好的问题。在我接触到的一些慕道朋友中，有一部分人品好，对基督教信仰颇有好感，也常参加各种聚会。但就是不决志相信耶稣。我开始时不明缘由。后来发现，这一类朋友自己或家人往往有其它宗教的背景，曾经历过或听过一些超然的事，认为别的神也灵，就难于接受耶和华是独一真神的信仰。

其实，这是一种误解。灵性世界有神和灵界的受造物，即天使。按《圣经》记载，一部分天使因犯罪而堕落，成为邪灵和鬼魔。天使和邪灵都是受造的，神对他们有绝对主权，他们只能在神允许的范围内活动。他们有一些超然的能力。现在，东西方都有人交鬼，把邪灵请上身，为别人算命、治病，以为生计。邪灵在庙宇中借神像显现，则可帮助赚取香火。对此，耶稣早就警告说，当他再来的时候，"那时，若有人对你们说：'基督在这里'，或说'基督在那里'，你们不要信。因为假基督、假先知，将要起来，显大神迹、大奇事；倘若能行，连选民也就迷惑了。"（太24:23-24）

虽然邪灵的能量比人大，但毕竟是受造之物，要伏在神的大能下。耶稣多次亲自把各种邪灵从人身上赶出去，他的门徒也能赶鬼。直到今日，基督徒奉耶稣的名赶鬼的事仍不绝于耳。邪灵的作为并非立即表现邪恶。"也装作光明的天使"（林后11:14）。否则人们很容易辨认它们、免上其当。如何分辨神的灵和邪灵呢？使徒约翰一针见血地指出："亲爱的弟兄啊！一切的灵，你们不可都信；总要试验那些灵是出于神的不是；因为世上有许多假先知已经出来了。凡灵认耶稣基督是成了肉身来的，就是出于神的；从此你们可以认出神的灵来。凡灵不认耶稣，就不是出于神；这是那敌基督者的灵；你们从前听见他要来，现在已经在世上了。"（约壹4:1-3）不论表面上它让人们作什么，甚至作善事，只要是使人们不认耶稣的，就是邪灵的工作。

一位牧师曾对我讲述了一件事。一次他上街，见一处一大群人在围观什么。他挤进去一看，原来有人在跳大神。几个人赤脚在铺满的红火炭上走，如履平地。没想到，当他刚挤到前面，那几个人被烫得哇哇乱叫，从火炭上跑开。此时，一个人就大声问："在场的有基督徒吗？请离开。"牧师闻言，恍然大悟，随即离开了那地方。后来，很多人先后向我讲述了他们自己的与之类似的经历：只要有基督徒在场，交鬼活动就无法进行。为什么？因为每一位重生得救的基督徒都有圣灵的进住。在神的灵面前，邪灵就无计可施。真可谓"邪不压正"。我目睹一些其它宗教的信徒转信耶稣时，遭到邪灵的搅扰或恐吓。但只要他（她）们坚定依靠耶稣，并彻底清除一切与过去拜偶像有关的物品，邪灵就毫无办法，只能乖乖地离开了。正如使徒约翰对信徒说的那样"小子们哪！你们是属神的，并且胜了他们；因为那在你们里面的，比那在世界上的更大。"（约壹4:4）

所以，邪灵的工作，其根本目的是阻止人跟随耶稣；人离开神，邪灵才有办法残害他们。总之，各种灵界现象与独一真神的信仰并不冲突；只有相信耶和华真神，专一的依靠他，才能免受邪灵攻击。

七、真神挑战假神

比较宗教学的研究对人们识别真神、假神是极有帮助的。但比较宗教学对一般人也有困难之处。一是，了解不同的宗教是要花很多工夫的；二是，新的宗教层出不穷。因此，我们还可以采用其它方法识别真神、假神。为了打击制造假钞的犯罪活动，政府有关部门着力提高辑私人员识别假钞的能力。大家发现一个人识别假钞的能力极强，任何假钞经他一看、一摸，都逃脱不过。人们问他："你看过、摸过多少种假钞？"他回答说："我平常从来不看、不摸假钞；我每天看真钞、摸真钞。我熟悉了真钞；只要和真钞不一样的，统统是假钞！"

同理，只要我们认识了真神，和真神不一样的，就是假神。前面已谈到，神是借着《圣经》向人启示他自己的，《圣经》是神的无误的启示。据此，神在〈以赛亚书〉中，对假神提出了挑战："耶和华对假神说：'你们要呈上你们的案件，'雅各的君说：'你们要声明你们确实的理由。'可以声明，指示我们将来必遇的事，说明先前是甚么事，好叫我们思索、得知事的结局，或者把将来的事指示我们。要说明后来的事，好叫我们知道你们是神。你们或降福、或降祸，使我们惊奇，一同观看。"

"谁起初指明这事，使我们知道呢?谁从先前说明，使我们说他不错呢?谁也没有指明，谁也没有说明。谁也没有听见你们的话"（赛41:21-23,26）。是神，就能指明先前已发生和将来必发生的事。但除了耶和华以外，没有任何宗教的神能做到这一点。

先前发生的事中，最重要的是：宇宙是怎样产生的?人从何而来?在所有的宗教经典中，只有《圣经》清楚、正确地阐明了这些事。"起初神创造天地。"（创1:1）宇宙及万物皆由神创造。这一伟大的宣告曾受到无神论者的辛辣嘲笑，他们认为宇宙是永恒的，无需被造。然而，随着科学的发展，尤其是"大爆炸理论"的确立，人们相信宇宙不是永恒的;宇宙不仅有开始，而且有一个超然的开始。越来越多的天文物理学家转而相信《圣经》中关于创世的启示。《圣经》也明确记载，人是神所造的。"神说：'我们要照着我们的形像，按着我们的样式造人'"，"神就照着自己的形像造人，乃是照着他的形像造男造女。"（创1:26,27）"耶和华神用地上的尘土造人，将生气吹在他鼻孔里，他就成了有灵的活人，名叫亚当。"（创2:7）所以，人是有神的形像、样式和有神的灵的受造物，与别的动物完全不同。进化论者竭力反对《圣经》的这一启示，声称人是由猿猴进化来的。然而，从达尔文发表《物种起源》至今，不过一百多年，进化论已陷入深深的困境。越来越多的人开始懂得《圣经》启示的真确。这些，在第六章中我们将进一步讨论。

《圣经》启示的将来必发生的事中，不少事，如耶稣的降世、受难、复活、升天，以色列人的历史等，早已应验。神所应许的信耶稣的人会有圣灵进入心里的真理，也为越来越多的人所信服。一个人信耶稣后生命发生的变化是任何人都能看到的最普遍的神迹。耶稣再来审判世界、新天新地的建立等《圣经》的启示必将实现。这充分显明，只有《圣经》中启示的、耶稣所显明的三一真神是唯一的真神。

《圣经》宣称耶和华是唯一的真神，并非武断，因为事实乃是如此；也不是基督教太狭隘，因为真理具有排他性。有人不愿意下功夫去分辨真伪，见神就拜，逢庙烧香。他们想，什么神都求，总会碰上一个真的吧。这种实用主义的态度,是无法找到真神的。拜假神固然无济于事，倘若有一天真的拜到了真神，真神也不会理睬他们的。

神与以色列人在西乃山立约所颁布的十条诫命中的第一、二条诫命就断然写着："我是耶和华你的神，曾将你从埃及地为奴之家领出来。除了我以外，你不可有别的神。不可为自己雕刻偶像，也不可作什么形象，仿佛上天，下地，和地底下，水中的百物，不可跪拜那些像，也不可事奉它，因为我耶和华你的神是忌邪的神。"（出20:2-5）"神是个灵，所以拜他的，必须用心灵和诚实拜他。"（约4:24）没有虔诚、执着的态度，是不可能寻见真神的。

总之，识别真神有一条根本原则：神亲自启示的他自己，就是真神。神的启示不仅是主观宣称，神同时赐下各种客观的凭据，使人们能够相信它是神的启示。所以，集中精力去认识为什么《圣经》是神的启示，了解耶稣复活的伟大史实，就能确认耶和华是真神；就能以信心相信《圣经》的启示。许多问题便能举一反三，迎刃而解，恰如郑玄所云："举一纲而万目张。"

八、基督徒和其它宗教信徒

追寻真理时，过分地强调包容，不利于明辨是非、去伪存真、踏入真理的殿堂。坚持真理时，唯我独尊则是大忌，难以引导他人进入真理。我们认为，只有基督教所敬拜的才是真神，别的宗教所拜的都不是真神，这是有充分证据的客观事实。但这并不是说基督徒不应该尊重别的宗教。当然，尊重并不是要赞同，而是要认真地去了解别的宗教的信仰，以平等的态度对待别的宗教的信徒。

由基督徒所写的有关比较宗教学的著作本来就不多，不幸的是，态度持平的更少。有些书的内容不错，但著者在论及别的宗教时，常出现轻慢言词，使其可读性骤然大跌。开始我想，如果作者把这些话删掉多好！可仔细读后，发现作者对其他宗教的轻蔑、挪揄和嘲讽流于字里行间，不是删几个字就可以解决问题的。坚持真理需要立场坚定、旗帜鲜明，但无须谩骂。"辱骂和恐吓决不是战斗。"

《圣经》清楚地告诫我们："有人问你们心中盼望的缘由，就要常作准备，以温柔敬畏的心回答各人。"（彼前3:15）温柔不是软弱、暧昧，温柔是谦和、讲理。这种态度是来自神的爱，也是真理在手的自信的表现。我们基督徒知道自己所信的是谁，也知道为何要信，当然可以使我们的信仰犹若清澈的溪水频频流出去滋润他人。我信主前读那些傲视其它宗教的基督教书籍感到相当别扭，信主后再读则更感不安。我是如此，广大寻道者会如何？众多的其它宗教的信徒怎么可能认真读这类的书？书的作者又如何能把真理传扬开去呢！

一次经历使我受益匪浅。1995年5月我去圣地亚哥参加全美小儿学科年会。归途中，我的邻座是一位伊斯兰教徒。我一反在飞机上闭目养神、遐想的习惯，热情地和他聊起来。我以为这正是了解伊斯兰教信仰的好机会。伊斯兰教徒每年都有一个禁食月，但不少人认为这是假虔诚。因为虽然白天不能进食，但一到太阳落山，他们就可以大吃大喝了。在我们谈论了一些一般性话题后，我便单刀直入地问道："听说你们每年都要禁食一个月，是真的吗？"他回答说："是真的。到了那一个月，白天不能吃东西，可仍照常去上班，非常难熬。"我马上问："你们晚上不就可以吃饭了吗？"他说："按规定，太阳下山后就可以吃东西了。但饿了一天之后，想吃也吃不进去了，只能稍稍垫补一点。"我完全相信他说的是真话。因为我就有饿过头的经验。长时间饥饿后，胃的蠕动减慢，吃一点就觉得"饱"了。他打破我的沉思继续说："每年刚开始禁食的几天，真是苦不堪言，后来会习惯一点。每年禁食后，我的体重都会减少十磅左右，这使我很高兴。"果然，他身材修长、匀称，毫无"中厚"的迹象。我恍然大悟："难怪在回教徒中很少见到胖人呢！"他听后开怀大笑。

　　人们批评伊斯兰教徒的另一点是说他们淫乱，因为按其教规，一个伊斯兰教男信徒可以同时娶四个太太。我很想问个究竟。但这是一个相当敏感的话题，不易启齿。但机不可失，时不再来。我为我们交谈的坦诚、热烈气氛所鼓动，迂回前进："您家有几口人？"他说："四口，我太太、两个孩子和我。"我听后有些意外。我以有点夸大的惊讶顺水推舟："我听说你们一个人同时可以有几个太太呢！"我担心火山爆发。但他却出奇地平静："是的，按教义，我可以同时有四个太太。"我放心地追问一句："那你为何不多娶一个太太呢？"他回答说："一般人对此是知其一而不知其二。只知道伊斯兰教徒可有几个太太，但不知其前提条件。""此话怎讲？"我认真地问道。他说："按我们的信仰，一个男人可以同时有几个太太；但同时规定，男人对这几个太太的爱要绝对地相同。这个'相同'不只是说我若给其中一人买一件衣服，也同时给其余的买同样花色、款式的衣服，这还容易做到。这里说的爱要相同，更是指我对每个人的感情、喜好程度都要完全相同！每个人的性情、特长各不相同，天长日久，我对她们的感情必然有差别。如果不能同时地爱她们，就不能同时娶她们。由于同等的爱是无法做到的，所以我所认识的伊斯兰教徒仍是一夫一妻。"他一席话使我明白了很难从书本上学到的东西。

　　知道我是基督徒后，他强调伊斯兰教和基督教的同一性，都信一位独一真神，都相信耶稣是童女所生的伟大先知。但我则明确地告诉他，只相信耶稣是先知是不够的，耶稣是神；只相信独一真神是不够的，若不借着耶稣，没有人可以到神那里去。我缓缓地说着，他听得认真，若有所思地点着头。四个小时的航程转眼就结束了。我们紧紧握手，互道珍重。他使我对伊斯兰教徒的生活、信仰有了更深入的了解；我的话也许会促使他的信仰反思呢。

　　很多别的宗教的信徒都是生活廉洁、热心公益、心地善良、追求真理的人。虽然他们的信仰不能企及真神，但他们的作为对社会、对家庭和个人也有不少有益的作用。他们中不少人是真心寻求神的，只可惜没有找到真神。我们不仅要向无神论者、无信仰者传福音，也要向其它宗教的信徒传福音。为此，我们应该更多地去了解别的宗教、真心地尊重他们的教友，以诚恳、温柔的态度，摆事实、讲道理的方法，与他们分享我们的信仰。基督教信仰既然是客观真理，真理只能越思越明。几年来，我亲眼见到、亲耳听到不断有佛教、伊斯兰教等其它宗教的信徒归向耶稣，真打心里高兴。这也一定可以讨神的喜悦。因为神爱世上的每一个人，"不愿有一人沉沦，乃愿人人都悔改。"（彼后3:9）

注 释

1. 吴恩溥等著，《世界五大宗教》，香港：圣文社，1989，页
   141-142。

2. 同1，页140-179。

3. Johannes G. Vos 著，*A Christian Introduction to Religions of the World.* 赵中辉译《基督教与世界宗教》，台北：基督教改革宗翻译社，1981，页32。

4. 同1，页157-158。

5. 同1，页163。

6. 同1，页165。

7. 同1，页171。

8. 同1，页169-170。

9. Robert Famighetti, ed., *The World Almanac and Book of Facts*, New Jersey, 1999, p.687.

10. 同3，页54。

11. 同9。

12. 同1，页229。

13. 陈润堂著，《回教与基督教的研究》，香港：天 道书楼，1992，页46。

14. 同13，页47。

15. 同9。

16. 《大使命》季刊，第二十二期，美国：大使命中 心，1999年2月，页42。

17. 同9。

18. Bruce A. Demarest著，*Who is Jesus?* Scripture Press Publications, Inc., CA, USA, 1986. 严彩琇译，《耶稣是谁?》，美国：活泉出版社，1990，页2。

19. Josh McDowell著，*Evidence That Demands a Verdict.* Campus Crusade for Christ, CA, USA, 1972. 韩伟等译《铁证待判》，美国：更新传道会，1993，页185。

20. 同19，页177，引自 Joseph Klausner, *Jesus of Nazareth,* New York: The Macmillan Co., 1946, p.56.

21. 同19，页178，引自 John Warwick Montgomery, *History*

and Christianity, Illinois: InterVarsity, 1971, p. 163.

22. 同19，页178，引自 C. Sanders, *Introduction in Research in English Literary History*, New York: Macmillan Co., 1952, p. 110.

23. 同19，引自John H. Skilton, "The Transmission of the Scriptures," *The Infallible Word* (a symposium). Philadelphia: Presbyterian and Reformed Publishing Co., 1946.

24. 同18，页4。

25. 同19，页115。

26. 同19，页112。

27. 同19，页116。

28. 同19，页113。

29. 同19，页111。

第四章

耶稣基督复活的证据

　　谈到信念，人们（尤其是知识分子）通常认为，科学家的认知立足于观察和资料，是客观、真实的，而基督教和其它宗教的信仰，则源于人的主观意念，因而是不可靠的。我过去也这样认为，所以对基督教不屑一顾。其实，这是一种误解。基督教信仰有别于其它宗教的根本点，在于基督徒的信仰是建立在客观事实上的真实信仰。这一客观事实就是耶稣照《圣经》所预言的那样从死里复活。

　　耶稣基督的复活是一个历史事实，是基督教信仰的基石。"若基督没有复活，我们所传的便是枉然，你们所信的也是枉然"；"我们若靠基督，只在今生有指望，就算比众人更可怜"（林前15:14, 19）。耶稣基督从死里复活，以大能显明他是神的儿子，要拯救一切相信他的人。如果基督死后乃不能复活，那么信他的人哪里还有永生的盼望呢？可见，耶稣基督的复活确为基督徒信仰的根基和核心。对这样一件在两千年前发生的重大事情，我们怎样鉴别其真伪？

　　对一般人而言，"历史性"意即在历史上真实发生过的事，即使是一件空前绝后、令人费解的事。但许多历史学家则认为，只有在我们的时空及因果关系中发生的事，才能称之为"历史性事件"，因而把死里复活这类事件排除于"历史"的范畴之外。有趣的是，新约《圣经》中关于耶稣复活的记载，完全符合这些史学家的要求。福音书完全没有描述耶稣从死里复活的实际过程，更未尝试去探讨其中所包含的生理或其它因素，他们所记载的全是一些实实在在的事（即符合我们时空观和因果关系的事），就是耶稣被安葬后的第三日，尸体不见了，以及那些看见耶稣显现的人的种种经历。我很赞同一些学者的看法，即，耶稣复活的过程及意义是神学的范畴，而耶稣复活这一件事本身却属于历史的范畴，可以用考察一般历史史事的方法加以考察。

比如，我们虽未目睹辛亥革命，但推翻帝制、建立民国的事实，及许多当事人的回忆录及史学家的考证，我们确信1911年中国发生了这场伟大革命。现在，让我们用同样的方法，即事实本身的证据、历史的考证、《圣经》的预言、事件对后世的影响等几个方面来考察耶稣复活的证据。

一、事件本身的证据

事件本身的证据包括尸体不见了、耶稣复活后的多次显现和门徒的改变三个方面，现在逐一加以讨论。

尸体不见了

耶稣在星期五被钉十字架气绝后，他的门徒向罗马巡抚彼拉多求情，取下耶稣的遗体裹好后，安葬在耶稣的门徒约瑟新凿好的一个石墓里。墓用可滚动的巨石封好后，由一队兵士看守。第三日（即周日）几个妇女来到耶稣墓地时，发现封墓的石头已被挪开，裹尸布完好地留在原处，但耶稣的尸体却不见了，仅是一座空墓。对耶稣的尸体不见了这一事实，耶稣的门徒与反对耶稣的人没有分歧。但尸体到哪里去了呢？近两千年来众说纷纭。但归纳起来，不外这几种看法：耶稣的门徒偷走了尸体；犹太人或罗马人偷走了尸体；妇女们看错了坟墓；耶稣在十字架上没有死、安葬后醒过来逃走了；耶稣从死里复活了。

　　根据〈马太福音〉的记载，当几位目睹耶稣复活的守墓士兵进城、把经过告诉犹太祭司长后，"祭司长和长老聚集商议，就拿许多银钱给兵丁说：'你们要这样说：'夜间我们睡觉的时候，他的门徒来把他偷去了。倘若这话被巡抚听见，有我们劝他，保你们无事。'兵士受了银钱，就照所嘱咐他们的去行；这话就传说在犹太人中间，直到今日。"（太28:11-15）门徒偷走尸体、制造耶稣复活的神话这一说法最具蛊惑力。但只要冷静分析，此说是站不住脚的。第一，此说的逻辑是自相矛盾的。守墓的兵丁若醒着，绝不会让门徒把尸体偷走；若兵丁们都睡了，他们怎么知道是门徒把尸体偷走了呢？第二，门徒不具备勇气和能力。耶稣的门徒虽追随耶稣三年之久，耶稣也一再告诉他们他死后第三日要复活，但门徒们似乎仍不明白。所以当耶稣被抓后，门徒即四处逃散。耶稣钉十字架时，门徒中仅约翰在场。耶稣被安葬后，门徒们失去了依靠，悲痛、胆颤、闭门不敢出屋，各人准备重操旧业，赖以为生。在这种状况下，门徒没有勇气冒着与全副武装的士兵正面冲突的危险去偷尸体；即使他们有这样的勇气，并巧妙地避开了兵士的视线，进入了坟墓，他们也绝无那种从容、细心地把裹尸布层层解开、放好，然后只把尸体偷走。第三，门徒没有偷尸体的动机。若真是门徒偷走尸体、捏造复活的谎言，这恐怕是人类历史上最大的欺骗了。门徒们也当是千古罪人。但耶稣的门徒（卖主的犹大除外）都是正直、诚实、品德高尚的人，绝致出此下策。许多正统的犹太教徒，他们虽不赞同基督徒的信仰，但均不同意门徒盗尸的说法。他们认为耶稣门徒的品格清高，不可能作出这种卑鄙的事来。另一方面，如果真是门徒偷了尸体，造了谎言，他们的动机又何在呢？谎言背后总隐藏着一己或集团的私利，或名、或利。但门徒盗尸无任何私利可图。相反地，他们宣扬主耶稣的复活，所得到的只是讥笑、谩骂、殴打、入狱和死刑。耶稣的门徒中，除约翰外，全部为主殉了道。历史上，为了自己的信仰赴汤蹈火、笑对屠刀的可歌可泣的事例不胜枚举。但为自己捏造的谎言、明白无误的虚假信仰去受苦、受死，恐怕是前无古人、后无来者。所以，门徒偷走尸体一说，既不符合门徒的主、客观条件，又与情、理相悖。

怀疑罗马人偷走了尸体是缺乏理由的。当时巴勒斯坦在罗马人统治之下。犹太人一直盼望旧约《圣经》中预言的弥赛亚（救主）早日来到，以便领导他们反抗罗马政府，重新独立。如果耶稣从死里复活，证明他就是弥赛亚，这将加速该地区的动荡，这是罗马政府所顾虑的。因此，罗马人为维护自己的统治，决不会假造耶稣复活的骗局。至于说是犹太人偷了尸体，则更不合理了。当时担任祭司职务的撒都该人和充当文士的法利赛人虽熟读旧约《圣经》，但他们拒绝承认耶稣就是旧约中预言的那位弥赛亚，进而以亵渎神的罪名迫使罗马巡抚彼拉多将耶稣钉死在十字架上。他们不相信耶稣是弥赛亚，也深恐耶稣是弥赛亚，因为他们无法担当钉死耶稣的重罪。所以，在耶稣被钉死的第二天，祭司长和法利赛人聚集，来见彼拉多，说："大人！我们记得那诱惑人的，还活着的时候，曾说：'三日后我要复活。'因此，请吩咐人将坟墓把守妥当，直到第三日；恐怕他的门徒来把他偷了去，就告诉百姓说：'他从死里复活了。'这样，那后来的迷惑，比先前的更利害了。"彼拉多说："你们有看守的兵，去吧！尽你们所能的，把守妥当。"（太27:62-65）可见，反对耶稣的犹太人唯恐他的门徒把尸体偷走，而绝无自己把尸体藏起来、助长耶稣复活的神话之理。即使他们一时打错了主意，将耶稣的尸体收藏起来了；当门徒四处宣传耶稣从死里复活时，他们可以立即把尸体拿出来，一举打垮门徒的宣称。但事实是，当门徒宣称耶稣复活时，他们除了满心愤怒、恐惧、对门徒们诉诸武力外，一筹莫展。当权者的沉默成了复活的见证，与门徒的见证一样有力。

有人猜想，妇女们发现空墓时，是否是她们找错了坟地？尽管第三日早上妇女去看耶稣的墓时，可能是黎明时分（约20:1,太28:1,路24:1），但找错坟地的可能性很小。因为，至少有两名妇女亲眼看见约瑟和尼哥底母安放耶稣身体的情形（可15:47,路23:55），她们甚至"对着坟墓坐着"（太27:61），看见安葬的全部过程，所以不易错认坟墓。即使妇女认错了，不可能门徒和法利赛人全都找不到葬耶稣的墓。更重要的是，耶稣并非被葬在公墓中，而是在约瑟的私人墓地，约瑟当然不可能认错（太27:57-60）。

再一种企图解释空墓的原因的是所谓"耶稣昏厥论"，即认为耶稣在十字架上只是昏厥过去，但被误认为死了，于是在空墓中得以喘息而醒过来逃走了。这种理论现已基本为人所废。因为一切早期的资料都强调耶稣已死。直到十八世纪法国的理性主义者范德瑞尼(Venturini)才提出这个理论，要用理性可以接受的方法，化解耶稣复活的伟大神迹。但此理论经不起调查和推敲。持此种观点的人，对十字架酷刑的极其残忍性缺乏了解。即使在最乐观的情况下，被钉的人也难还生，何况耶稣的死是由罗马士兵、百夫长、约瑟等检查后所公认的。一个罗马士兵在耶稣肋旁扎了一刀后，就有血和水流出来。最怕耶稣复活的精明犹太人，也对耶稣的死笃定无疑，只是担心他的门徒盗尸而已。再说，假若耶稣被从十架放下来后没有死，只是昏厥过去，怎么可能想象他不吃不喝，在冰冷的石墓中躺一天两夜（身上紧紧地被布裹住，还有百十斤香料）后，竟可能奇迹般地醒过来，推开封墓的巨石、躲过兵士的严密防守而逃脱了？退一步讲，如果这一切真的都发生了，耶稣也只是在死亡线上残喘而已。按理他也应远走他乡暂时隐蔽才是，为何反而多次显现（下面要谈到）、并让门徒四处宣扬他的复活呢？他这样做不仅有悖常理，而且与他无瑕疵的品格（见第三章）是格格不入的。耶稣是世上唯一一位无罪的人，他绝不会撒谎、欺骗。再说，这样一位从昏厥中醒过来、衰弱不堪的人怎能给门徒那样大的激励以至为宣告主的复活而不惜殉道呢？这种解释这么不合情理，以至不相信耶稣复活的怀疑论者史特劳斯（David Friedrich Strauss）也不敢苟同："一个从坟墓里偷溜出来的半死之人，又弱又病，需要药物的治疗，需要包扎伤口，需要力量与休息，却还能让他的门徒觉得他已经胜过死亡与坟墓，使他们觉得他是赐生命的主，使他的门徒凭着这样的印象进入世界，达成他所托付他们的任务，这是不可能的事。在这种情况下苏醒过来的耶稣，只会削弱他们对他的印象，最多只能为他自己带来一片哀悼声，但绝不可能将他们的悲伤转变为狂热，将他们对他的尊敬提升到敬拜的地步。"[1] 很多人都难以相信十八世纪的理性主义者，竟会用昏厥这种理论来解释耶稣的复活。

上述人们所提出的各种对耶稣尸体不见了的解释都站不住脚，唯一的解释只能是：耶稣确实战胜了死亡，从死里复活了。有人会想，用这种排除法，从尸体不见了，推论耶稣的复活不十分准确、可靠。这种考虑有一定道理，因为人们也许不能列举出尸体不见了的所有可能性。但我们也不应该忽视，以上列举出的关于尸体不见了的各种可能性，是人们两千年来所能推测出的、较能成立的几种可能性。所以，用这种排除法论证耶稣的复活，仍有很重的分量。另外还须指出，尸体不见了，只是耶稣复活的证据之一；耶稣复活还有一系列的证据。综合考虑这些证据，才不会落入"攻其一点，不及其余"的试探之中。

耶稣复活后的显现

福音书记载耶稣在复活后的四十天内显现了十次，后来又在大光中向扫罗（即保罗）显现一次，一共十一次。有时是向个人显现（如向抹大拉的马利亚、彼得、雅各），有时向一小群人显现（如向以马忤斯路上的二人，十一位使徒等），最多一次是同时向五百多人显现。耶稣的显现有两个特点。一是耶稣可以随时随地地显现，出现和消失都相当突然和神秘，已不再受时、空的限制。二是，复活的耶稣绝对不是一个灵魂而已，他常在光天化日下显示自己，并参与日常生活（如旅行、用餐、捕鱼等）。他能同门徒们一起吃东西，又可邀请心中疑狐的多马，伸手去摸他手上及肋旁的伤痕。这些表明复活后的耶稣，不再是一般人的血肉之体，乃是一个再不会朽坏的灵体；这个灵体不仅是个灵或魂而已，而是有灵、有体的实体。虽然人有限的头脑无法了解耶稣复活的实际过程，也不能测透复活后的耶稣其身体的特质，但耶稣殉难后的多次显现，是耶稣复活的直接证据。

有人曾试图用幻觉来解释耶稣的显现，认为人们看到的耶稣只是一个非真实存在的幻影而已。这种解释是缺乏生理学和心理学的依据的。首先，人产生幻觉是变态心理所致，需要一定的主、客观条件。比如，一位在战争中失去独子的母亲，常常思念自己的儿子，伤心落泪。当她坐在儿子的卧室里，或昔日与他共餐的厨房里，触景生情，思虑过度，有可能产生看见儿子的幻觉。但耶稣的门徒的情况则完全不同。虽然他们跟随耶稣三年，但对主耶稣的认识、了解，却仍相当不够和肤浅。虽然主耶稣曾一再告诉他们，他受难后第三日必将复活，但他们仍无法理解和相信。在耶稣被抓后，门徒即四处逃散。耶稣受难后，门徒个个惊恐、害怕，情绪低沉，有的甚至重操旧业，下海捕鱼。不用说他们没有切切盼望耶稣从死里复活的心态，即使当妇女们告诉他们耶稣复活后，他们却是不信，以为是胡言。当主亲自在他们中间显现时，他们仍惊慌害怕，以为所见的是魂，以至主耶稣责备他们不信，心里刚硬。门徒们的这种心态，很难产生看见耶稣的幻觉。从客观环境看，耶稣不仅在门徒藏身的那间小楼上显现，而且在各种时间、场合向不同人显现：有时在屋里，有时在路上、湖边、山上；有时在清晨，有时在上午、在下午。此等显现的各种环境不能用幻觉来解释。其次，幻觉往往是个人和主观的，但看见耶稣显现的不仅是一、两个人，有时是一群人，最多一次是五百多人。虽然也曾有多人同时经历相同幻觉的事例（如我从前看过一篇关于一群在野外露营的人，在夜里同时发生梦游的报导），这些人往往在精神生活及肉体状况上，同时经历一种变态的亢奋状态，如过度紧张、恐惧的情绪等。但同时看见耶稣显现的人，其身体状况、情绪、性格都不相同，多数人并无变态心理，他们同时看见复活的耶稣，无法用幻觉来解释。再则，与幻觉完全不同的是，复活的耶稣的显现均非惊鸿一瞥就消失了；门徒们不但看见耶稣，而且在不同场合中与他有过长时间的交谈；复活的耶稣还曾在加利利海边为门徒预备早餐。最后，耶稣复活后，在四十天以内频频向人们显现，但四十天以后，耶稣的显现突然停止了（只有一次在大马色的路上再次显现给扫罗看），这也很难用幻觉来解释。因此，人们看见的不是幻影，而是复活耶稣的实体。

门徒改变了

读新约《圣经》时，人们都可以清楚地看到，在四福音书中灵性迟钝的门徒们，因耶稣的受难而陷入绝望；但一翻开〈使徒行传〉，门徒们一扫怯懦、颓废之气，充满了信心、勇气和爱心，拼死为耶稣基督做见证。门徒突然地焕然一新，原因是五旬节圣灵的降临和浇灌。但圣灵的降临正是耶稣复活、升天的结果。耶稣的复活释放出伟大的道德和属灵的力量。门徒的改变可视为耶稣复活最伟大的见证。

在十二门徒中为首的西门彼得性格十分鲜明。他心直口快、热情冲动，但又常常显出其个性上的软弱、愚顽。他深爱耶稣并对耶稣有超然的认识，然而当主耶稣告诉门徒他将要受害时，彼得马上出面阻拦，完全体贴肉体，不明白基督降世的目的。耶稣快被捉时，彼得在客西马尼园和其它门徒一样沉睡，让主耶稣独自祷告；当犹太人来捉耶稣时，他又冒失地拔刀削掉一来者的耳朵，并不体会主的旨意。耶稣被捉前，特别警告他要坚固信心，但彼得自恃刚强，以为即便众人都跌倒，他却永不跌倒。耶稣被捉后，多数门徒们都跑散了，彼得却远远尾随，想看个究竟。不想被人认出门徒身分。为了保全自己，在慌乱之中，他三次当众矢口否认是耶稣的门徒。当他第三次否认主后，鸡就叫了；他立即想起主耶稣事前对他说的话："我实在告诉你，今夜鸡叫以先，你要三次不认我。"（太26:34）于是痛哭悔改。这样一介莽夫，在主耶稣复活显现后，成为耶路撒冷教会的领袖。五旬节后在耶路撒冷放胆证道，一次使三千人悔改、信主。他满有属灵的力量和智慧，奉主的名能叫死人复活、跛子行走，能识破虚假，审判罪人。最后彼得为主殉道。相传他在罗马被倒钉十架，因为他觉得自己不配与主同钉十字架。

耶稣另外一个门徒叫多马。《圣经》中记录了他的三次发言，都显出疑惑、不信。第一次是马大、马利亚的弟弟拉撒路死后，耶稣要让拉撒路复活，叫门徒一起到耶路撒冷附近的拉撒路所在的村子里去。当时，耶路撒冷的犹太人正准备杀害耶稣，门徒们有些顾虑；但多马则问道："我们也去和他同死吧。"（参见约11:1-16）第二次是在最后的晚餐上，主耶稣对门徒说，我去为你们预备了地方，必再来接你们到我那儿去。多马则问道："我们不知道你往那里去，怎么知道那条路呢？"（约14:5）第三次是，耶稣复活的当天晚上，在门徒所住的地方向门徒显现，当时多马不在场。事后十位门徒同作见证，多马仍不相信耶稣的复活，并说："我非看见他手上的钉痕，用指头探入那钉痕，又用手探入他的肋旁，我总不信。"（约20:25）多马的多疑心态可见一斑。过了八日，耶稣再次向门徒显现，当时多马也在场。主耶稣对多马说："伸过你的指头来，摸我的手；伸出你的手来，探入我的肋旁；不要疑惑，总要信。"（约20:27）多马在看透他心思意念的复活的耶稣面前，彻底地降服了。他虔诚地呼叫说：

"我的主！我的神。"（约20:28）从此以后，多马再没有疑惑过，勇敢、坚定地传扬福音。传说他后来到里海一带传道，遍及阿富汗、印度，寻找失丧的犹太人，领他们归主。现在印度仍有历史悠久的多马教会。相传他最后在东印度为主殉道。

雅各也为马利亚所生，从血缘或肉身讲，他是耶稣的亲弟弟。耶稣受难以前，雅各并不相信耶稣是神的儿子，耶稣复活后曾向雅各显现一次。这使雅各由疑惑到确信，成为耶路撒冷教会的柱石，后来以身殉道，被石头打死。使徒保罗原名扫罗，曾竭力残害基督徒。一次去大马色的路上，主耶稣在大光中向他显现，质问扫罗为什么要逼迫他。扫罗的眼瞎了三天，也不吃，也不喝，恳切祷告，彻底悔改、归主，大有能力地为耶稣作见证，成为向外邦人传福音的伟大使徒。在新约《圣经》中，保罗的书信占使徒书信的三分之二，哺育了一代又一代的基督徒。如今每天有千万人读他写的书，引用他不朽的名句。保罗两次被监禁在罗马狱中，最后亦为主殉道。

门徒们的改变是耶稣复活极强有力的证据。前面已谈到，门徒们（除卖主的犹大外）个个品德高尚，不会编造耶稣复活的谎言。编造谎言者总有攫取名利的个人动机。但门徒宣扬耶稣的复活所面对的是残害和死亡。事实上，忠于耶稣的十一个门徒中，除约翰一人活到近百岁、在拔摩岛上见到异象、写成《圣经》的最后一卷书〈启示录〉（〈启示录〉的作者一般认为是使徒约翰）外，其余十位全部为传扬主耶稣的复活、劝人悔改信主而殉道。他们能如此勇敢地牺牲自己，必定是得到了耶稣复活、以大能显明他是神的儿子的确据。古往今来，很多人为了自己的信仰而献身。他们的信仰有正确、谬误之分，有真实与虚假之别。但是，当他们在临死时，肯定毫不怀疑自己为之捐躯的信仰是神圣、高尚、真实的。还未见过任何人为自己编造的、或明明知道虚假的一种信仰去受死的。何况，纸包不住火，谎言总有一天会被揭穿的。但耶稣复活之事，两千年来无人可以推翻（下面还要讨论）。

查理·寇尔森(Charles Colson) 1986年至1973年任美国总统尼克森的特别顾问，被称为尼克森的刀斧手，后因水门事件入狱，在狱中悔改信主。出狱后他创办了监狱团契，专门向狱中的犯人传福音，并著有《重生》(Born Again)、《爱主你的上帝》(Loving God)、《当代基督教与政治》(Kingdoms In Conflict)等书，内涵丰富、深刻，可读性很高，是我喜爱的作者之一。他以自己的亲身经历为耶稣的复活作见证。根据他的回忆，水门事件刚被披露出来时，尼克森本人和他的智囊团并不在意。但尼克森终于认识到事态的严重性，于是把最忠于他的十名亲信召在一起，统一口径，企图把事情掩盖过去。当时，全国人声鼎沸，他们受到很大的压力，但绝无生命危险。为了保全自己，"立功赎罪"，他们都纷纷背叛其主。从尼克森知道事件的全部真相、订立攻守同盟，到亲信们向检查官处全盘托出，前后不过三个星期！寇尔森说："水门事件叫我看见，以谎言为本的密谋很快便会被揭穿，不论行骗的人是多么有权、有势、有头脑。……然而，基督的门徒，一批无权无势的软弱小卒，竟然能够坚定不移见证他们亲眼看见基督从死里复活，最后甚至以身殉道在所不辞。除非基督的复活确有其事才有可能，否则为一个谎言作一点暂时的牺牲已经绝无仅有，更妄论捐躯了。"[2]

二、历史考证

当事人的见证

耶稣复活的史实最详尽地被记录在〈马太福音〉、〈马可福音〉、〈路加福音〉和〈约翰福音〉四卷福音书中。马太和约翰是耶稣亲自选召的十二个门徒中的两位；路加是一位医生，但与使徒保罗的关系极为密切；马可则长期追随使徒彼得。在第二章里我们已详细论证过整本新、旧约《圣经》的历史性、可靠性和无误性。所以，四福音书是当事人见证的最重要文献。

福音书中关于空墓的记录，虽在细节上有些差异或冲突，但基本情节却是彼此相符的。这说明福音书的作者，被耶稣复活这件人类历史上最伟大的事件所深深震撼和激励。他们集中注意力在复活的基本事实上，而不是在一些细枝末节上。即使在今天，对一件在公开场合中发生的事件，如车祸、银行被劫等，目击者的笔录一定不会完全相同。四福音书中的这些小差异说明作者并没有刻意去统一每一个细节。相反，如果这四部独立著作的描述完全一致，那才令人怀疑是彼此抄袭的呢！

福音书描述耶稣复活的笔触是非常朴实无华的。他们忠实地记下了当时发生的事情，毫无夸张、渲染。第二世纪曾出现一卷〈彼得福音〉(*Gospel Of Peter*)，谈到在耶稣复活时，天上有大声音，有天使下降，封墓石自己挪开，一个会说话的十字架跟着头高达云霄的耶稣走出坟墓，等等。四福音书中却完全没有这种编造的宗教传奇色彩，显得更为真切、可亲、可信。另外，四福音书一致地记载说，是妇女们首先看到了空墓。在当时，妇女的见证在犹太律法上是不被接受的，没有人会相信。连门徒们最初也拒绝相信妇女的见证，认为是胡言乱语。所以，尽管妇女首先见证空墓对传扬耶稣复活不利，但福音书中仍如此记载。唯一的理由只能是，事实原本如此，四福音书的作者们完全忠于事实。

除福音书外，新约《圣经》中的〈使徒行传〉中，详尽地记录了复活后的耶稣，在大光中向保罗显现，使保罗悔改认主的始末。使徒保罗本人则在〈哥林多前书〉中，为主耶稣的复活提出强有力的见证。此卷书是保罗在第三次旅行布道期间，写给位于希腊半岛南部的哥林多城的教会的，成书期间约在公元55年。如果主耶稣是在公元30年左右受难的话，保罗写此信时，距耶稣的受难、复活仅二十多年。他在信中写道："我当日所领受又传给你们的，第一，就是基督照《圣经》所说，为我们的罪死了；而且埋葬了；又如《圣经》所说，第三天复活了；并且显给矶法看；然后显给十二使徒看；后来一时显给五百多弟兄看，其中一大半到如今还在，却也有已经睡了的；以后显给雅各看；再显给众使徒看；末了也显给我看；我如同未到产期而生的人一般。"（林前15:3-8）保罗在见证复活的主显现时，特别提到耶稣曾在加利利，一次显给五百多弟兄看；而且在他写这书信时，五百多弟兄中的多半还健在。这是何等有力的见证！如果保罗在此信中所谈稍有不实，早就被人揭露了，此信不可能留传至今，脍炙人口。试想，如果有人公开发表文章，编造说在六十年代末、或七十年代初去世的某知名人物，死后又复活了，他的文章一定会受到猛烈的抨击和令人嗤之以鼻。〈哥林多前书〉被收入新约《圣经》正典，至今广为人们所颂读、喜爱，是见证耶稣复活的巍然挺立的历史丰碑。

史学家的记载

在第三章讨论耶稣的历史真实性时我们谈到，尽管非基督徒史学家留下的记载不多，但仅有的记载是十分肯定、可靠的。关于耶稣复活的史料亦是如此。一个犹太人在罗马的边陲省分巴勒斯坦被钉死，在罗马新闻界是微不足道的，恐怕连见报的资格都没有。直到几百年后，当基督教如火如荼地席卷全世界时，史学家才猛然惊醒、回首。所以，除了当事人的见证外，史学家关于复活的记录不多，但已有的记载却相当确凿。

著名犹太史学家约瑟夫在《犹太古史》记载道："这时犹大地出现一名叫耶稣的智者（如果我们能这样称呼他的话），他能行神迹与奇事，又是许多喜欢追求真理之人的导师。跟随他的人除了犹太人之外，也有不少是希腊人。这人就是基督，但罗马巡抚在我们民间领袖的怂恿下，判钉他十字架。起初就爱他的那群人一直没有离弃他，因为他在死后第三天又复活了。众先知曾预言他的复活及许许多多有关他的神迹奇事。基督徒就是从基督得名的，至今仍未完全绝迹。"[3]

　　他勒 (Thallus) 是生于撒玛利亚的史学家，是外邦人中最早提到基督的，其作品多在主后50年左右写成。可惜原著已失传，只能从他人的作品中窥测一、二。公元221年左右，基督徒作家犹非利加纳斯 (Julias Africanus) 在评论他勒的作品时说："他勒在其所著的史书第三卷中，把耶稣受难时，遍地都黑了的情况解释为日蚀，照我看来似乎不合理。"[4] 这个评论是十分中肯和重要的。第一，耶稣受难正值犹太人的逾越节当天或除夕。犹太人的历法也是一年有十二个月，像中国的农（阴）历一样，是依月圆月缺计算的：月亮绕地球转一圈为一个月，月亮绕地球转十二次便为一年。阳历则以地球绕太阳转一次为一年。阴历一年与阳历一年差十一天，须用闰月来补足。世界通用的公历是阳历。有资料认为，以色列人住在埃及期间可能用阳历，但离开埃及后，便改用阴历。出埃及那一个月定为正月（相当于阳历三、四月），逾越节在正月十四日；那天晚上，是一年的第一个圆月之夜（这是犹太人的宗教历法）。此外，他们还有一种方便农作、以宗教历的第七月（相当于阳历的九、十月）为正月的民事历法。（有兴趣的读者可参阅《圣经》启导本第178页的"以色列人古代宗教。民事历、节期与阳历对照表"。）圆月时，地球应位于太阳和月亮之间，并在太阳与月亮的连线上，故在地球上可以看到反光的全月。日蚀的发生是因为月亮恰好位于太阳和地球之间、并在前两者的连线上，此时月亮是以背光面对着地球，我们看不到月亮（所谓新月期）。当月亮开始遮住太阳时，我们就看到太阳出现一个弧形的缺，当月亮全部遮住太阳射到我们眼中的光线时，就是日全蚀。耶稣受难时正逢满月之日，把他断气时遍地变黑归结于日蚀是不符合天文学常识的。

　　其次，福音书中详细记载了耶稣受难时遍地变黑之事。"那时约有午正，遍地都黑暗了，直到申初，日头变黑了；殿里的幔子从当中裂为两半。耶稣大声喊着说：'父啊！我将我的灵魂交在你的手里。'说了这话，气就断了。"（路23:44-46；另见太27:45-50；可15:33-41）从犹非利加纳斯的这一段评论可以看出，当耶稣被钉十字架时，黑暗降临大地之事在当时是家喻户晓的，以致不信耶稣是弥赛亚的人，必须要想方设法，用自然现象来解释黑暗发生的原因，企图抹掉这一神迹。不信者的这种解释，虽与科学知识相悖，但却成了耶稣受难、从死里复活的史实的极佳脚注。

三、《圣经》预言的应验

　　耶稣降世为人，传讲天国道理、受死和复活这一事件，是神预定的救赎计划。在《圣经》中，神借着众先知多次晓喻人们。据学者估计，仅预表耶稣基督的死，旧约《圣经》至少提到三百三十三次，新约提到一百七十五次以上。主耶稣自己也多次对门徒说，他将在耶路撒冷受难、并第三日复活。除了〈诗篇〉第22篇外，对主耶稣将遭受的苦难，描写得最详细的是〈以赛亚书〉第52章第13节至第53章第12节这段预言。麦道卫(Josh McDowell)在《铁证待判》(*Evidence That Demands a Verdict*)列举出旧约中论及主耶稣之被卖、受审、死亡及埋葬的二十九项预言，如"他被欺压，在受苦的时候却不开口"（赛53:7）；"那知他为我们的过犯受害，为我们的罪孽压伤；因他受的刑罚我们得平安，因他受的鞭伤我们得医治"（赛53:5）；"他们分我的外衣，为我的里衣拈阄"（诗22:18）；"他们扎了我的手，我的脚"（诗22:16）；"因为他将命倾倒，以至于死，他也被列在罪犯之中"（赛53:12）；"他却担当多人的罪，又为罪犯代求"（赛53:12）；"他们拿苦胆给我当食物；我渴了，他们拿醋给我喝"（诗69:21）；"主耶和华说，'到那日，我必使日头在午间落下，使地在白昼黑暗'"（摩8:9）；"我的神！我的神！为什么离弃我"（诗22:1）；"又保全他一身的骨头，连一根也不折断"（诗34:20）；"人还使他与恶人同埋；谁知死的时候，与财主同葬"（赛53:9）；等等。这些预言由不同的作者写成于公元前1000年到500年之间。〈诗篇〉第22篇是以色列君王大卫的诗，写于公元前1000年左右，而〈以赛亚书〉则是先知以赛亚于公元前七、八世纪写成。读新约后就知道，这二十九项预言在二十四小时中，完全无误地应验在耶稣一人身上。

有人认为预言应验在耶稣身上也许出于巧合，因为有些预言也应验在肯尼迪、马丁路德·金等人身上。的确，在其他人身上，我们也可以找到一、两件应验的预言。但是，几十项预言全部应验在一个人身上，除耶稣以外，没有任何一个人可以做到。美国丹佛市的基督教维克多出版社（Victory Publishing Co.）曾公开"悬赏"：如果谁能在耶稣以外，在全世界古今人物中，找到一个所有关于弥赛亚预言中的一半（不是全部），均已应验在其身上的，该社乐意奉送一千元美金做奖金。从概率学看，预言应验在耶稣身上绝非巧合。所以，至今无人能领取这份奖金。

有关主耶稣的这些预言的描写之细腻、生动、应验之准确无误，简直到了令人瞠目的程度，以至于许多虔诚的基督徒也极为惊叹地说：在读这些预言时，人们几乎要以为先知以赛亚就站在十字架底下，看到了整个事件的经过。因此，有人又从另一个角度，对这些预言在耶稣身上的应验提出质疑。一种看法是，耶稣及其追随者正是以旧约的预言为蓝本，刻意导演耶稣受难的剧情，以表明其预言的准确。这种观点显然是站不住脚的。因为，即使耶稣及其信徒们想这样做，没有罗马人、祭司、法利赛人的配合，这台戏是无法演出的；而罗马人、犹太人绝无配合之可能。再一种观点是怀疑这些预言本身的真实性。也就是说，会不会有人在耶稣受难以后，按他受难的情节，假冒以赛亚先知的名义写出这些"预言"呢？或者说，旧约《圣经》中的这些预言，是否真的写于耶稣受难以前呢？对这一质疑，长期以来找不到有力的反证。在死海古卷发现前，我们拥有的最古老的旧约希伯来文手抄本——马所礼经卷(Masoretic Text)，是公元后十世纪抄写的（详见第二章），因而无法肯定这些经卷中，有关耶稣的预言的确写成于公元之前。但死海古卷的发现把问题澄清了。死海古卷中有一卷希伯来文的〈以赛亚书〉抄本（参见第45页）。专家们把IQIs[b]抄本中的53章（即集中预言主耶稣受难的一章）与马所礼经卷仔细对照，发现两者几乎没有差别。该章的一百六十六个字中，只有十七个字是有疑问的；在这十七个字中有十个字是拼法有别，对书中意思并无影响；余下七个字中，有四个字是文体的改变，如连接词的增减等；其余的三个字可并成"光"字，被加在11节中，但对全文意义亦无甚影响。死海古卷各经卷写于公元前200年至公元后68年各不等。但其中〈以赛亚书〉被确定写于公元前125年左右。这表明从死海古卷到马所礼拉经卷，历经千年不左，抄经家的精确程度令人肃然起敬；更重要的是，这清楚地表明：关于主耶稣受难、复活的预言，确实写于公元前而不是耶稣受难之后，是真正的预言。预言在耶稣身上的完全应验，是耶稣按上帝的计划受死、复活的强有力证据。

四、耶稣复活的历史印痕

纪念主日

在耶稣受难、复活前，犹太人及耶稣的门徒皆守安息日（一周的第七天，即星期六）。这是神在西乃山所立的十条诫命之一："当纪念安息日，守为圣日。六日要劳碌作你一切的工，但第七日是向耶和华你神当守的安息日。

这一日你和你的儿女、仆婢、牲畜，并你城里寄居的客旅，无论何工都不可作；因为六日之内，耶和华造天、地、海，和其中的万物，第七日便安息，所以耶和华赐福与安息日，定为圣日。"（出20:8-11）以色列人历尽艰辛，出埃及、进入神所应许的迦南美地后，再次重申守安息日，除了重申上述诫命外，还说："你也要记念你在埃及地作过奴仆，耶和华你神用大能的手和伸出来的膀臂，将你从那里领出来。因此，耶和华你的神吩咐你守安息日。"（申5:15）以色列人被掳回归后又立约遵守安息日："这地的居民若在安息日，或甚么圣日，带了货物或粮食来卖给我们，我们必不买。"（尼10:31）到耶稣时代，犹太人已守安息日一千多年。他们对在安息日不可作的事有极详尽的规定。如果一个人在安息日在衣服上带一枚针都是犯罪。可见犹太人对守安息日的严格和一丝不苟。但耶稣受难后，他的门徒和信他的犹太人，就突然改守安息日为守主日（一周的第一日，即星期日）。必有一件重大事件发生了，才可能改变犹太人的传统习惯。这个重大事件就是耶稣的复活。因为耶稣是在星期日复活的。人们守主日就是纪念耶稣的复活、升天。这一习俗一直持续到现在。

圣餐和洗礼

圣餐和洗礼是基督教的两项重要仪式，它们都是主耶稣亲自设立的。使徒保罗谈到圣餐的意义时说："我当日传给你们的，原是从主领受的，就是主耶稣被卖的那一夜，拿起饼来，祝谢了，就掰开，说：'这是我的身体，为你们舍的，你们应当如此行，为的是纪念我。'饭后，也照样拿起杯来，说：'这杯是用我的血所立的新约；你们每逢喝的时候，要如此行，为的是纪念我。'你们每逢吃这饼，喝这杯，是表明主的死，直等到他来。"（林前11:23-26）洗礼是耶稣复活后在加利利向门徒显现时颁布的大使命。"十一个门徒往加利利去，到了耶稣约定的山上。他们见了耶稣就拜他；然而还有人疑惑。耶稣近前来，对他们说：'天上地下所有的权柄，都赐给我了。所以你们要去，使万民作我的门徒，奉父子圣灵的名，给他们施洗；凡我所吩咐你们的，都教训他们遵守；我就常与你们同在，直到世界的末了。'"（太28:16-20）洗礼是表征与基督同死、同复活。"岂不知我们这受洗归入基督耶稣的人，是受洗归入他的死么？所以我们借着洗礼归入死，和他一同埋葬；原是叫我们一举一动有新生的样式，像基督借着父的荣耀，从死里复活一样。"（罗6:3-4）如果耶稣没有从死里复活，圣餐和洗礼就毫无意义。这两项仪式坚持近两千年，沿袭至今，是耶稣复活在历史上留下的印记之一。

十字架的荣耀

从十一世纪开始，欧洲基督徒数次挥师东进，要夺回被伊斯兰教徒占领的圣地耶路撒冷。这些军队以十字架命名，即有名的十字军东征。直到现在，有些国家以十字架作为国旗的标志，有名的国际卫生组织红十字会，亦是以十字架命名的。十字架被高高地树立在教堂之上，印在救护车上，甚至被人挂在胸前。若耶稣被钉死后没有复活，十字架只意味着黑暗、死亡、悲哀。正是主耶稣的受死、复活，完成了神救赎人类的计划，耶稣极大地被荣耀，十字架才会代代相传，被人们当作荣耀、胜利和神圣的象征。

教会的兴起

基督教会的兴起是耶稣复活的直接结果。早期教会所宣扬的就是：耶稣从死里复活了！基督教不是从一套教义开始的，乃是从传扬耶稣的复活开始的。没有耶稣的复活，也就没有基督教。基督教是植根于耶稣复活这一历史事实的客观信仰，这是基督教与其它宗教的根本区别。有人说，耶稣的空墓是基督教的发祥地。据说，曾有一个谣传流遍亚洲某地，宣称佛祖释迦牟尼的一根遗骨被发现了。于是这遗骨被供奉起来，并举行盛大游行。成千上万的善男信女充塞条条街道，向游行的队伍致敬。一位基督教宣教士目睹那些虔诚佛教徒俯伏在地向遗骨膜拜，感慨万分地说："如果耶稣基督有一根枯骨被发现，会怎么样呢？基督教就立刻崩溃了！"此话精辟深刻，入木三分。基督徒知道自己的主已复活升天了，因此少有去敬拜耶稣的遗物或空墓的。不久前传说有人发现了耶稣埋葬时的裹尸布，一时成为焦点。各路专家纷至沓来，作了各种精细的考查、分析，莫衷一是。我个人认为，不管那是不是耶稣的裹尸布，都无关宏旨，在历史和神学上也不会有多大意义。因为，最重要的是，我们的主从死里复活了，升天了，别的都显得微不足道了。

行笔至此，笔者不禁联想到一件趣事。近期，佛教的活动有了新的变化，有的地方也开始开展类似基督教团契的唱诗、查经活动。基督教有圣诞节，庆祝耶稣降生；佛教也开始倡导佛诞日，庆祝释迦牟尼诞辰。尤有进者，据报载，台湾现已决定将农历4月8日佛陀诞辰增定为法定纪念日，与母亲节合并，放假一天（见《世界日报》1999年8月31日报导）。尽管佛教的活动与基督教日趋类同，但有一点是无法攀比的：基督教有复活节，佛教绝不可能有佛活节！

五、学者、专家的证词

也许有人会认为，像耶稣复活这样的事，在两千年前科学不发达时，人们比较容易相信；在社会高度文明的今天，恐怕就没有什么人会真正相信了。事实并非如此。两千年前，保罗第一次到希腊的雅典布道，宣扬主的复活，立刻受到人们的讥笑。其实，何止是雅典人、犹太人呢。正如前面讲到的，连耶稣的门徒一开始也不相信耶稣从死里复活的事！今天，不仅成千上万的基督徒相信耶稣的复活，其中包括各个领域的一批杰出的科学家、诺贝尔奖金获得者；而且，不少著名的、严谨的史学家、法学家也完全接受耶稣复活的史事。麦道卫(Josh McDowell)在《铁证待判》(*Evidence That Demands A Verdict*)中，史托德(John R. W. Stott)在《真理的寻索》(*Basic Christianity*)中列举了很多例子，现我仅引用几例。亚诺(Thomas Arnold)教授是英国著名学者、牛津大学的现代史教授，曾著有十三册罗马史。他在一本著作中写道："有关我们的主耶稣，其生、其死及其复活之事，我们所见之证据是十分可靠的，我们用平日决定好坏的标准，来评论这些证据的好坏。世间有成千上万的人都将这些证据仔细研究过，他们从事审查时态度慎重，如同法官面临重大的审判案件一样。我个人也曾如此做过，不为说服别人，而是为要满足自己的好奇心。我借用研究其它时期的历史时所用的考证法，来考查、衡量耶稣的门徒及后人所写的记录。我相信在人类历史当中，没有一件史迹的每一个细节，曾像神所赐的大神迹，也就是耶稣死后由死里复活一样地、被一个公正的学者所彻底研究过。"[5]

达林公爵(Lord Darling)曾任英国最高法院院长。在一次私人宴会中，当客人谈论到一本论及耶稣复活之事的著作时，他一本法官之态度，庄重地发言道："我们基督徒最重要的就是要有信心，比方说，要能相信耶稣的教训和他所行的神迹。但在全然相信之前，我们也当先有所怀疑。我们应对一些问题的关键重加思考，如耶稣是否就是他所宣称的那一位？这必须决定于他有没有复活一事上。对耶稣复活一事，我们不但要有信心，也要能找出证据来印证我们的信心。这些证据可以是正面的，也可以是反面的；可以是直接的证据，也可以是间接的证据。我们把这些证据放在世人面前，好叫世上一切有智慧的人都能在观察之后，都很肯定地下一判断说，耶稣的复活故事实在是真的。"[6]

哈佛大学医学院教授尼克里(Armand Nicholi)曾在1968年著文介绍安德生博士(J. N. D. Anderson)，说安氏是"国际有名的大学者，尤以善用历史证据闻名"，曾任英国伦敦大学高等法律研究所所长，也是当今国际法理学权威。安氏说过："这些证据乃基督教信仰的历史根基，能被用来引证新约《圣经》中一切有关耶稣其人、其训的可靠性；不但可用来证明耶稣的死这件事实及其意义，也能证明历史上的那座坟确实是空的，使徒们确实见过耶稣复活。这种证据在为我们行走信心旅途时，打下最稳固的一座根基。"[7]

著名的生理学家艾伟博士(Dr. A. C. Ivy)曾任依利诺大学芝加哥分校化学系主任、美国生理学协会会长。他的证词是："我相信耶稣肉身复活一事，也许你们认为这是私人的事，但我却不以为耻，要让世界知道我信这事，且能用理智为自己的信仰辩护……。一百多年前许多与耶稣复活一样难解的事实，如今在我的图书馆内都有科学资料可以证明，但对耶稣的复活，我不能以同样的方法来求证。然而根据现今已有的生物学知识和历史证据来看，一个真正相信科学哲理的人，他可以怀疑耶稣肉身复活这件事，他们却无法否认这件事曾经发生过。若需要否认，他们则首先要能证明这件事未曾发生过。我只能说现代的生物学还不能使一个已埋过三天的尸体，重新复活起来。按照我个人研究科学的态度来衡量，若根据现今生物学的知识来否认耶稣复活一事，实在是缺乏科学态度的一种表现。"[8]

弗来明教授(Ambrose Fleming)曾被选为英国最杰出的科学家、法拉第奖章获得者，他在其著作《神迹与科学——论耶稣之复活》(*Miracles and Science -- the Resurrection of Christ*)一书中肯定地指出，福音书中所记的神迹，没有一处是科学家无法接受的。他向知识分子们挑战，要求他们诚实审查："……经过诚心的追寻之后，他们必能发现基督教并非建立在虚构的小说或幻觉上，也不是如彼得所说：'随从乖巧捏造的虚言'，乃是建立在有历史根据、有实可考的事件上，不论这些事看来多么神奇，它们实在都是在世界历史上所发生过的、最伟大的几件事迹。"[9]

克拉克爵士(Sir Edward Clarke)在致梅克西(E. L. Macassey)牧师的信中说："我以律师的眼光对第一个复活节早上发生的事作过深入的研究，所找出的证据，十分完备。我过去在高等法院判案时，我们能根据一些比耶稣复活的证据微弱许多的证据来定案。只要看证据，我们就能定案，一个诚实的见证人是不用精心雕饰或费心装饰其供词的。福音书中所提供的证据就是这类的证据。作为一个律师，我自然毫无保留地相信，它们是由一群可靠的人对见到的事实所作的见证。"[10]

葛林尼夫(Simon Greenleaf, 1783-853)曾任哈佛大学法律系教授，并在大法官史陀瑞(Joseph Story)去世后接续成为同校的荣誉教授。诺特(H. W. Knott)在美国《名人字典》(*Dictionary of American Biography*)[11]第七卷中称："由于史陀瑞和葛林尼夫两位教授，哈佛大学法学院才能成为美国法律系中的佼佼者。"葛氏从使徒们的言行及当时所面临的险恶环境来论证耶稣复活的真实性，精辟入里。"使徒们所传扬的最伟大的真理，就是耶稣已经由死里复活，唯有人在认罪、悔改，相信他后，人类才有获得救恩的希望。他们会在四处异口同声地传扬此教义，实在有些令人不可思议，因为他们当时身受逼迫，且面临人心所能面临的最大恐惧。他们的主在不久之前，被民众法庭以罪犯嫌疑处死，他们的宗教被世人认为是来推翻世界的，世间每个国家的法律均下令阻止其门徒传扬福音。全世界的领袖均起来攻击他们，世界不肯容纳他们。即使他们想以最善良、最和平的方法来传扬福音，他们仍不免要招人的蔑视、受欺压、遭毁谤；人们迫害他们，鞭打他们，将他们下在监里，施予酷刑甚至遭受惨死。但他们依然热心传扬此一信仰，面对苦难，他们却不

惊慌，反倒喜乐。当他们一个又一个地倒下去时，却有更
多持此信仰的人站出来，以最大的毅力与决心继续完成未
完之责。在世界的战争史中，我们找不出有这种以英勇、
忍耐与不死之决心编成的军队。他们经常有外来的动力向
他们挑战，使他们必须重估自己信仰的根基，并需证实自
己所信的真理与事实。如果耶稣不曾由死里复活，他们不
可能会再确定自己所信的是真的；如果他们不能肯定这些
事件，他们不会持久拥有这样的信心。如果人有办法在这
件事上如此欺骗他们，世间必然也有其它的动力能使他们
回转发现自己的错误。若他们所信的是错误的，却不肯返
回，那么他们终生所遭遇的不但是人在外表所能承担下的
最大不幸，他们的内心也要承受极大的苦闷与罪恶感。他
们对未来的和平将无法再存希望，没有良心平安的见证，
没有荣耀的盼望，也得不到人的尊重。在今生没有喜乐，
来世也无福乐。⋯⋯但使徒的行为证明他们并不是这样
的。若使徒们必须隐瞒以上的种种行为，这显然与他们的
本性有所不合，因为他们从生活上显出与常人无异，与我
们一样，他们也被同样的动机所左右，会因同样的希望而
生出活力来，会为同样的喜乐所感，也会为同样的愁苦所
困；会因惧怕而心情紊乱，也会被类似的感情所困扰；他
们更与我们一样为试探、疾病所困。但他们的作为却表现
出他们对人类具有深刻的了解，如果他们的见证不实，世
界再没有理由要促使他们作这些虚伪的事。" [12]

六、复活之事至今无法推翻

　　柯伯里(John Singleton Copley)是十九世纪英国最有
名的律法权威，曾任英国首席检察司、上议院议长、剑桥
大学校长，被英皇赐名为林贺思公爵（Lord Lynd-
hurst）。他去世后，他的亲属在一些文件中，找到了他
谈及自己基督教信仰的详尽记载，其中有这么一句话：
"我清楚明白那证据是什么，有关复活的证据至今尚未被

人所攻破。"[13] 信仰和反对基督教的人都知道，耶稣的复活是基督教的基石。所以，复活的真实与否，一直是双方交锋的核心所在。但耶稣复活的史实一直迄然耸立，无人能够推翻，两千年前如此，中世纪亦然，上个世纪是这样，如今仍也未变。柯伯里的话，同样切合今天的实际。

律师莫理逊(Frank Morison)认为耶稣是一位伟大的人物，但不是神。他认为用复活这样喜剧性的童话来结束耶稣的一生，是破坏了耶稣的形象。他立志要将耶稣在世的最后几天中的事完全追记下来，以正视听，还耶稣英雄本色。他本打算尽可能删去有关神迹的一切记录，并准备对耶稣复活一事绝口不提。他认为自己是个律师，有足够的判断力，能把耶稣复活这个骗局和迷信揭穿，以便一劳永逸地推倒基督教信仰。可是，他详尽研究的结果，与他的初衷相悖，他不得不改变自己的观点，接受了耶稣复活的事实。他的著作《历史性的大审判》(*Who Moved the Stone?*)是一本畅销书，第一章的题目是"一本写不出来的书。"[14]

利特尔敦(Lord Lyttelton)是文人兼政治家，曾任英国国会议员和财政部长，他曾追述他与他一个做法官的朋友韦斯特(Gilbert West)的一段往事。他俩年轻时都深信《圣经》是一本欺骗人的书，并决意要揭发其中的虚伪。利特尔敦立志找出大数人扫罗从未变成使徒保罗的证据，韦氏则从事印证耶稣没有复活。他们分头研究了相当长的时期。结果，二人均因为竭力找寻证据想推翻基督教信仰，反而在证据面前放弃了偏见，悔改归信了基督。当他们碰面时，都觉得有些腼腆。他们没能按预想的计划因揭发了虚伪而欢呼，却彼此由衷地庆贺认识了神所启示的《圣经》。后来韦氏写了一本书《由历史及考证资料看耶稣基督之复活》(*Observations on the History and Evidences of the Resurrection of Jesus Christ*)。在该书的扉页上，韦氏引用了一句古语："对真理未曾下过研究工夫者，实不宜信口随意批评。"15

孟沃伟(John Warwick Montgomery) 1931年出生于纽约州，1952年以优异的成绩毕业于康乃尔大学，继而先后在加州大学柏克利分校、韦登堡大学、芝加哥大学及法国Strasbourg大学获硕士、神学士、哲学博士等学位。历任文学、神学和法学教授，著作甚丰。他在《历史与基督教》(History and Christianity)第一章中写道："在这本书内，笔者准备不厌其烦地再提出这些问题：耶稣是谁？他自称是谁？有何根据？本章与第三章将讨论耶稣的生平、身分及其使命的历史实录，以作为第三、四两章的背景，因为在后两章内，我们将要讨论耶稣基督的神性，他如何从死里复活，以证明他实在是他所自称的那一位。这些讨论的题目难免会引起面红耳赤的争论，因为这关系到人生哲学的检讨与批判。虽然如此，我仍乐于与大家一起来思想这些问题，因为笔者在康乃尔大学攻读哲学时，就曾面对这些难题，结果变成了基督徒。诚如剑桥大学教授鲁益师(C. S. Lewis)所说，我是在'拳打脚踢'、满不情愿的情况下，被历史的证据硬拖入主的国度里。从那时起，我对基督教的认识越深，就越觉得其宇宙观实在是完美无瑕，叫人经历越多，就越满足。因此我如今乐于向各位郑重推荐。"16

孟沃伟提及的鲁益师于1898年生于爱尔兰，在一个学院读了一年书以后，全靠自学，在牛津大学首次获得三重学位，1954年出任剑桥大学教授。他是一个拥有独特恩赐和逻辑头脑的基督徒作家，其作品畅销全球，享誉世界。年轻时，他是一个无神论者。但后来神将他"团团围困"，《圣经》的历史可靠性使他不得不降服在神的面前。他在描述他自己如何抛弃无神论、归向基督时，有如下自白："1926年初，我所认得的无神论者中之最顽强者，在我房间内和我对坐烤火。他对我说：'福音书的历史性看来十分可靠。''奇怪得很'，他接着说：'弗锐瑟(Frazer)笔下那位受死的神，好像真正曾发生过似的。'读者必须先认识我这位朋友（自那次以后，他没有再对基督教表示任何兴趣），才能想象他这句话给我何等非同小可的当头棒喝。我悚然大惊：倘若这位犬儒中的犬儒，刚硬者中的刚硬者，尚且不能觉得'安全'，我还有何地可站，难道真的没有逃脱的余地了吗？"[17]"我所最不期望的，是他的无情步伐。可是，它却偏偏临近我。我最惊怕的东西，最后也来临了。就在1929年3月一主日，我在神前跪下祷告，承认他是真神。也许那天夜里，全英伦最勉强不过的悔改，就是我的悔改了。我当时并不觉得这是最光荣、重要的事，现在我却认为是了。圣灵居然谦地地接纳一位像我这样的人。浪子终于脚踏实地回家去了。这个浪子，一个游荡、挣扎、愤恨、还游视每个方向、想逃之夭夭的人，究竟是谁愿意大方地接纳他呢？所以，'强迫人入教实在被不法之徒滥用得太多了，这使一般人对入教产生误解和拒绝。事实上，这恰好显示神的恩典是多么长阔高深。'"[18]

七、选择

杰出的剑桥大学学者魏思科(Canon Westcott)的话，可以作为这一章的小结："实际上，把所有的证据集合起来，我们大可以说，历史上没有任何一件事比基督复活有更允分、又更多样的证据。除非你先存成见，认为这一定是假的，不然，没有任何事物可以使我们认为复活缺乏证据。"[19]

复活的证据是如此充分、确凿，但有的人仍不相信耶稣的复活。原因何在呢？我个人以为，那些对耶稣复活的事经过深入、详尽的研究、了解后仍不相信复活的人，并不是证据不足使他们不能相信，而是由于理性、意志和道德的原因，他们不愿意相信。道德层面将在以后的章节里论及，这里只探讨有关理性和意志的原因。

有人认为耶稣从死里复活不符合科学，纯属无稽之谈，因而根本不重视复活的证据。这种态度本身恰恰不是科学的态度。R. T. France在《认识主基督》（*Jesus the Radical*）中指出："如果你认为，任何凭我们已有的知识，至少在原则上不能用自然科学解释的事情，都不可能发生的话，那么你已经采取了一条不合科学的思想途径，就是在没有任何其它可能的解释的时候，拒绝证据所清楚指出的结论。"[20] 我们学自然科学的人都有很多事与愿违的经历。在研究前我们有一套假说、设想，当实验的结果与我们的设想不合时，于是我们怀疑结果是否有误。但如果反复实验都得到同样的结果时，我们只好接受这些结果，开始考虑如何修正、甚至推翻我们原先的假设，以合理地解释实验资料。如果仅仅因为不喜欢资料可能导致的结论，而置实验资料于不顾，依旧坚持自己的假想，那么，我们就失去了作为一个自然科学家的起码品格。对耶稣的复活一事所应持的态度也是一样的。再说，耶稣死而复活的真伪是无法用自然科学逻辑来验证的。我在第一章已谈到一些关于科学与神的关系（在第五章〈现代科学和基督教信仰〉中还将详细讨论）。自然科学是研究宇宙的自然规律的；所有的受造之物（包括人类）都须伏在自然律之下。但作为自然律的制定者、维护者的神，当然是超越其上的。他可以按他所创造的自然律办事，也可以不按其律行事，这是完全顺理成章的。如果耶稣也受限于死人不能复活的自然律，他就不是神而是与我们无异的人了。神自己宣称，"耶和华岂有难成的事么？"（创18:14）耶稣也明确地对门徒说过："在人是不能，在神却不然；因为神凡事都能"（可10:27）。道成肉身的耶稣是人也是神，他有超然的来踪去迹是理所当然的。他的出生顺乎自然，他的成胎却是超然的；他的死是自然的，他的复活却是超然的。正是超自然的童女生子、死而复活，充分显明耶稣是神的儿子。

基督教信仰是有许多事实为依据的。孟沃伟(John W. Montgomery)说："基督教不必靠神学，单靠历史考证就能成立。"[21] 所以，基督教信仰并不排斥理性思辩。然而，信仰是超越理性的。信心是理性与信仰的桥梁。只有在理性的基础上，借着信心飞跃，才能确立信仰。离开信心，只凭理性是不能认识神的。耶稣的复活虽然已有极充分的事实依据，但毕竟不像数学、物理公式那样得到绝对的证明，因为多数人没有亲眼见过复活的耶稣。所以，人们必须在充分证据的基础上，踏出信心的一步，才能接受复活的真理。可是，很多人企图用理性代替信心，以为只要证据充分就能信。事实是，离开信心，信仰就无从谈起。对耶稣行的同一神迹，人们的反应却完全不一样：有人信他是神，有人不信，还有人诬告他。耶稣复活后，要门徒到加利利见他。"十一个门徒往加利利去，到了耶稣约定的山上。他们见了耶稣就拜他；然而还有人疑惑。"（太28:16-17）见到了复活的主，仍然疑惑！痛哉！惜哉！哀哉！法兰士 (R. T. France) 说得好："当历史的证据需要一种超然的解释时，我们就面临一个十分困难棘手的抉择，就像耶稣所行的神迹以及他神迹性的诞生所带给我们的问题一样。就是这个基本的抉择，将拥有信心的人与世俗的思想划分开来。"[22]

法兰士还指出，"从雅典的哲学家到今日的世俗思想家，一直有许许多多的人拒绝相信耶稣的确从死里复活。不是因为证据不够（它们已经够明确了），只是对有些人而言，再多再好的证据都无法让他们愿意照着耶稣所要求的，重新调整他们的世界观。"[23] 大卫华生 (C. K. David Watson)说过："很多人告诉我，他们不相信的原因，是他们不想信。"[24] 尼采(F. Nietzsche)也坦陈："我们反对基督教不是因为论证的理由，而是一个好恶的选择。"[25] 是的，你如果接受了耶稣从死里复活的事实，你就可以接受《圣经》中的一切神迹。你就必能放弃无神论，把神引入这个世界。那么，宇宙就变得有目的、有意义。人从哪里来、将到哪里去，也就有了明确的答案。这样，你就必须彻底地重估自己的世界观、人生观、价值观和道德观。这岂止仅是"调整"，简直是大破大立、脱胎换骨！然而，这正是许多人不能面对的事情。认识自己进而否定自己，是十分困难和痛苦的。可是，只有修正错误才能把握真理。我们应该有在事实面前降服、在真理面前低头的勇气，应该有按认定的真理重新塑造自己的决心和毅力。无论是科学的追求者还是信仰的探索者，诚实、公允、执着、坚韧都是必备的品格。耶稣说："我就是道路、真理、生命；若不借着我，没有人能到父那里去。"（约14:6）又说："复活在我，生命也在我；信我的人，虽然死了，也必复活；凡活着信我的人，必永远不死。"（约11:25-26）我们愿意自觉地经历痛苦、磨炼而踏上永生之道呢，还是甘心昏昏然、舒舒服服地坠入永远沉沦呢？这是一个永生和永死的根本选择。耶稣一直将这项选择放在我们每一个人面前，无人能回避。他一生的所作所为是如此，他的复活尤其如此。

注 释

1. Josh McDowell 著，*Evidence That Demands a Verdict.* Campus Crusade for Christ, CA, USA, 1972. 韩伟等译《铁证待判》，美国：更新传道会，1990，页320。

2. Charles Colson 著，*Kingdoms in Conflict.* Zondervan Publishing House, Michigan, USA, 1987. 陈咏编译《当代基督教与政治》，台北：校园书房，1992，页44。

3. 同1，页112。

4. 同1，页114，引自William F. Albright, *The Elimination of King "So"*, The Bulletin of the American Schools of Oriental Research. No. 171. Oct., 1963, p. 113.

5. 同1，页260，引自Robert M. Horn, *The Book That Speaks for Itself.* Downers Grove, IL 60515 InterVarsity Press, 1970, pp. 125-126.

6. 同1，页265，引自Fenton John Anthony Hort and Brooke Foss Westcott. *The New Testament in the Original Greek.* New York: Macmillan Co., 1881, Vol. 1, p. 53-54.

7. 同1，页265，引文同4，页106。

8. 同1，页264，引自Gleason Archer, *A Survey of the Old Testament.* Chicago. Moody Press, 1964, pp. 8, 22.

9. 同1，页259，引文同5，页427-428。

10. John R. W. Stott 著，*Basic Christianity.* InterVarsity Press, IL, 1965. 谢志伟译《真理的寻索》，香港：福音证主协会，1990, 页41。

11. 诺特(H. W. Knott)，《名人字典》*Dictionary of American Biography,* Vol. vii, New York, 1937。

12. 同1，页262-263，引自Frederic G. Kenyon, *The Bible and Modern Scholarship.* John Murray, London, 1948, pp. 28 -30.

13. 同1，页261，引文同 5，页425。

14. Frank Morison 著，*Who Moved the Stone.* Faber & Faber Ltd., London, 1962. 胡务实译，《历史性的大审判》。香港：福音证主协会，1980。

15. 同1，页265，引文同6，页55-56。

16. John W.Montgomery著,*History and Christianity*. Inter-Varsity Press, IL, 1965. 陈咏译《历史与基督教》,台北:校园团契,1977,页3。

17. 同15,页34。

18. David C.K.Watson著,*My God Is Real*. The Church Pastoral Aid Society. 张妙怡译,《光明的挑战》,香港:证道出版社,1974,页41。

19. Paul E.Little著,*Know Why You Believe*. InterVarsity Christian Fellowship of USA. 詹正义、区秀芳译《你为何要信》,香港:福音证主协会,1992,页55。

20. R. T. France著,*Jesus the Radical*. InterVarsity Press, 1989. 黄吴期馨译,《认识主基督》,台北:校园书房,1990,页170-171。

21. 同15,页34。

22. 同19,页170。

23. 同19,页171。

24. 同17,页96。

25. 同2,页34。

第五章

现代科学与基督教信仰

现代科学与信仰是一个敏感的问题，也是涵盖深广的课题。但就科学与信仰的关系而言，大体有三种不同的观点。第一种观点认为科学与信仰绝对对立、排斥，水火不容；第二种观点认为信仰可以存在于科学还无法企及的地方；第三种观点是基督徒的观点，认为基督教信仰既超越科学，又不与科学相悖。此外，有人以为科学与信仰完全互不相干，离开实验室时把科学留在那里；从教堂出来后，信仰也随之留在教堂里。这种现象确实存在。但严格地说，此种信仰并非真正的信仰。真正的信仰必完全贯穿了人的整个思维和行动过程。我将不对此种观点多费篇幅。作为一个崇尚科学的知识分子，我原在科学与信仰方面有过长期的挣扎。本章拟就对前三种观点，在我曾困惑和思考过的一些层面上，作些剖析和论述。

一、科学与信仰水火不容吗？

不少人认为，科学是基于事实的，是客观、真实、可靠的，而信仰则是出自心念，是主观臆测和不可靠的。因此，追求科学者必须扬弃虚无飘渺的信仰；虔信上帝的人则无法搞科学。不是鱼死就是网破，两者尖锐对立，不能兼蓄包容。持这种观点的人有两条强有力的依据。第一是中世纪的教会对天文学家哥白尼、伽利略等人的迫害，表明信仰对现代科学的阻碍作用。第二是达尔文的进化论。一个相信进化论的人，怎么可能接受神用泥土造人的说法呢？我过去视这种观点为天经地义，现在却有了新的看法。

教会对哥白尼等人的迫害被当作教会因循守旧、反对科学的左证，深深地印在许多人心上。大陆《语文》课本中有一篇文章《哥白尼》，是我国一位著名老科学家写的。文中说："哥白尼的学说不只在科学史上引起了空前的革命，而且对人类思想的影响也是极深刻的。哥白尼推翻了亚里士多德以来从未动摇过的地球是宇宙的中心、日月星辰都绕地球转动的学说，从而在实质上粉碎了上帝创造人类、又为人类创造万物的那种荒谬的宇宙观。"文章的结尾是，"科学终于以伟大的不可压抑的力量战胜了神权。"[1] 文中的观点在我国知识分子中是颇具代表性的：日心说对地心说的胜利，就是科学对基督教信仰的胜利。哥白尼、伽利略受到压抑和迫害是事实，但从这一事实中导出的这种结论却有待商榷。对这些事实的经过及诱发因素，作较详细的了解和公正的分析，有助于澄清问题。

日心说的确历经了漫长的时日。地心说是古希腊学者亚里士多德(Aristotle, 384-322 B.C.)首先倡导的。由于他有许多"理由"，所以地心说雄踞西方科学界、思想界一千多年，直到波兰天文学家哥白尼(Nicolas Copernicus, 1473-1543)发表《天体运行》一书才受到挑战。在哥白尼思想的影响下，泰革(Tycho Brahe, 1546-1601)在观察的基础上，提出了哥白尼式的地心说：地球以外的行星都绕太阳转；但太阳及其行星都绕地球转！泰革的助手、德国天文学家凯普勒(Johannes Kepler, 1571-1630)用归纳法分析泰革二十年积累的资料，提出了"行星运行三大定律"，支持了日心说。同期，意大利科学家伽利略(Galileo, 1564-1642)用自制的望远镜观察星体，看到许多前人未见的现象，也支持日心说。但是，直到牛顿(Isaac

Newton, 1642-1727)发现"万有引力定律",日心说才从理论上被确立。[2]

庄祖鲲博士在《基督教与现代科学的发展》(载于《海外校园》第二期)一文中,对日心说与地心说争论的实质,作了较为详细的分析。其中有几点值得注意。第一,哥白尼是第一个提出地球绕太阳运转的"日心说"的天文学家。但他本人并未遭受什么迫害,因为他有意在临终前才将他的书印妥出版。长时期来人们以为他这样做是怕受教会的迫害;近代历史学家却发现,哥白尼真正担心的对象不是教会,而是那些持亚里斯多德宇宙观、坚信地心说的天文学家。事实上,极力鼓励哥白尼出版著作的人士中就有一名枢机主教和一位基督教(新教)的天文学家。身为波兰裔天主教徒的哥白尼,则在书的开端将此书献给当时的教皇。

第二,真正受到迫害的是伽利略。他于1610年用望远镜的观测结果来支持哥白尼的日心说后,当即受到其它大学教授的围攻和教廷的警告。但因他的一位朋友继位成为教皇乌班八世,他便有恃无恐地于1632年出版了他的巨著。结果他被定罪,被软禁在意大利弗罗伦斯一座别墅里,度过了他人生的最后十年。庄文指出,伽利略被定罪的主因并不是日心说(对此他事先已私下取得了教皇的默契),而在于他对教廷权威的挑战。他坚持认为神同时用《圣经》和大自然启示他自己,因此《圣经》中有关自然现象的经文应从科学观点重新解释,从而大大激怒了一直拥有解释《圣经》的最高权威的教廷,被定罪就在所难免了。

与伽利略同时代的人中,有人攻击他是异端;后人中也有人以为伽利略支持日心说,表明他认为《圣经》有错误。伽利略本人,对此都有明确的回答。他说:"我们知道真理不会相互抵触,所以如果物理学的理论是正确的,所得的结果必定由正确地认识《圣经》得到印证。"他又说："有人指控我的发现是暗示《圣经》有错误，我却认为我在物理上的精确研究，更印证《圣经》的准确性。……只有相信《圣经》是绝对真理的人，才有勇气对世界上任何伟大的理论提出挑战！"[3]

我个人认为，伽利略受迫害的主因是否是日心说并不十分重要。当时地心说被科学界和教会人士普遍接受。问题的关键在于，这种以地球为宇宙中心的观点，并非是《圣经》的启示，而是来自天主教的教义，是当时人们坚持的理性主义思潮的结果。《圣经》中根本没有关于所谓地心说的论述，连一点这方面的暗示也没有。所以，伽利略的受害与基督教信仰和《圣经》无关，乃是当时统治教会的人的失误。与伽利略同时代的天文学家凯普勒同样公开支持哥白尼观点，但他却未遭到任何迫害。因为他住在马丁路德领导的"新教"（即基督教）的势力范围之内，天主教鞭长莫及。伽利略和凯普勒的不同境遇是很能为基督教信仰在哥白尼、伽利略事件上的无辜申辩的。所以，日心说对地心说的胜利，是正确的科学观对错误的科学观的胜利，是正确的科学观对天主教教义中的错误的胜利，而不是科学对基督教信仰的胜利。

毋容讳言，一些科学家歧视、误解基督教信仰和《圣经》，确与一些神学家的失误有关。除了哥白尼、伽利略事件外，金新宇博士在《科学与基督教》一书中还列举了一些例子。比如，爱尔兰主教乌雪(James Ussher, 1581-1656)根据《圣经》中人类的家谱推算说，神造人发生在公元前4004年，但《圣经》中并没有这样说；当避雷针被发明时，一些教会曾予以反对，认为这是不敬，打雷时应敲教堂的钟；1870年当莱特主教(Milton Wright)访问美国一所基督教大学时，对该大学校长的"我相信在未来五十年内，人能像鸟高飞天上"的预想大为震惊："能飞翔天空的只有天使，请你千万不要再提此事，不然你就会亵渎神了！"但三十年后，正是莱特主教的两个儿子发明了飞机，在美国北卡州的上空飞行。……金新宇指出，过去一些教会领袖对科学缺乏认识，怀有成见，以为科学是反对《圣经》的，因此科学与基督教之间便有了不必要的鸿沟。[4]

　　然而，这只是问题的一个方面。另一方面是，随着现代科学的兴起，相当一部分知识分子逐渐接受了人文主义（或自然主义）的世界观。他们高举人的理性，认为人是宇宙的主人，否定造物主的存在；他们崇尚科学主义和实证主义的哲学，以为科学是认识真理的唯一方法；强调真理的可经验性，摒弃一切于物质世界以外的客观实体，不承认任何超然的力量。正是在这种思潮的孕育下，达尔文的进化论迅速崛起，在短短的时间内席卷整个科学界、思想界。他们以这种世界观、方法论向基督教信仰和《圣经》提出严重挑战，酿成了科学与信仰两军对垒之势。

　　"五四"运动时期，先驱者们把西方的科学与民主引进中国的同时，把"科学主义"也引进了中国。至此，我国许多知识分子都把科学当作认识、检验真理的唯一标准；只有被科学证明了的才可信；一切不能被科学证明的皆可疑；所有不合科学的，不是假的就是错的。他们虽然欣赏《圣经》的道德准则和基督徒的品德，但因神的存在及神迹奇事无法被科学验证，故不能接受基督教信仰。

　　由于十九世纪下半叶和二十世纪初期，一系列考古学上的重大发现的支持，《圣经》的历史性、无误性，至今不可动摇。可是，在进化论和创造论的对峙中，迷惑者、困惑者却不乏其人，笔者就曾是其中之一。如果进化论是真理，《圣经》必为谬论。如果进化论是科学，创造论必然反科学。如果唯有科学才可靠、可信，基督教信仰必然不可靠、不可信。这是我过去深信不疑的逻辑推理。其实，这是没有根据的。当人们对进化论的立论、根据作一番比较深入的了解后，就不难发现进化论一直面临着理论上、实践上的许多难题，并不是科学真理，只是一种未经证实的假说。现代科学的许多重要发现都支持创造论而不利于进化论。这些，在第六章〈进化论与创造论〉中将详细讨论。

如果不是因一些神学家的失误和一些科学家的武断，越过自身的领域和能力彼此干预的话，科学和信仰不会如此尖锐对立。神借着大自然和《圣经》启示他的奥秘，科学则是研究神为大自然制定的各种规律。从根本上说，科学与《圣经》应是相辅相成、并行不悖的。据盖洛甫统计，前三个世纪的三百位著名的科学家中，百分之九十二是相信有神的，其中几乎囊括了人们熟知的所有大科学家，如牛顿、焦尔、欧姆、法拉第、孟德尔、巴斯德、马克士威尔、蒲朗克、爱因斯坦等。在当今，各个领域的杰出学者、科学家、诺贝尔奖金获得者中，也不乏虔诚的基督徒。这不是在搞"名人效应"。因为，事实上，也有不少著名的科学家仍不信神。但盖洛甫的统计清楚显示，科学家是可以相信神的。

所以，认为科学与基督教信仰水火不容的观点，虽有一定事实依据，而且在当今的知识界相当流行。但此种观点流于表面，并未触及事物的本质。

二、神只存在于缝隙之中吗？

持这种观点的人认为，神只存在于未知领域之中，即当人们面对无法解释的自然现象时，需要把神抬出来作挡箭牌；随着人们认知的增加，未知领域越来越小，神存在的空间也随之减少。当人们完全认识宇宙时，就再也不需要神了。人们常常以牛顿的一个故事作为例子。牛顿能用万有引力定律，准确地算出月亮绕地球转动的运行轨道，但他不能解释地球为什么会自转。他写信给剑桥大学老师的信中说："地球为什么能自转，我不能用万有引力推算，所以要用神的手去转动它。"（神创造一切，牛顿的话并没有错,但一直受到嘲讽和曲解。)随着科学的进步,抬出神来解释未知之事的机会越来越小了。几年前一位颇有名气的科学家在牛津大学演讲时说:"宗教是不必重视的,宗教已渐渐被科学推翻了,科学方法证明极有效能。"医学的进步,使得求神治病的人越来越少。有人说:"药物的效力可以等于大量的祷告了!"这种认为人类仅凭自身的智慧和努力就可以认识宇宙的观点被称为"天真实在论(naive realism)"。周功和牧师写道:"天真实在论认为科学理论是绝对客观的,认为人类可以站在绝对客观的立场观察宇宙;且观察所得即为绝对正确的宇宙真理。这种理论已为近代物理所推翻。"[5]

阿基米德和拉普拉斯的宣称

在科学的发展过程中,常常暴露出人的骄傲。"给我一个支点,我就可以把地球举起来!"两千多年前阿基米德大声地这样宣告说。他的依据是杠杆原理。但他尚不懂得动能和位能互变的原理,否则便不至如此了。牛顿的绝对时空观被确立之后,不少人以为宇宙的一切都可以用物理公式来表示。十九世纪法国天文学家拉普拉斯(Laplace)即为一代表人物。他认为,给定了方程和初始条件,宇宙的一切都是可以预测的。据说,有一次当他把一本天文学著作献给拿破仑大帝后,拿破仑问道:"神在你的学说里还有什么位置呢?"他回答说:"皇上,我不需要神这种假说!"[6] 二十世纪初,爱因斯坦发表相对论,确立了相对时空观。除光速保持不变外,时空的一切量度都会随观察者的运动速度和参照系的不同而改变。此时,拉普拉斯的豪言便显得浅薄了。

勃克感言

首次登月成功是人类科技史上一件值得庆贺的划时代大事。此时又有人"被胜利冲昏了头脑",在报纸上鼓吹说:"这次登月成功证实《圣经》〈创世记〉的记载,也成为神话。……证明了人类合作的力量,人类高度的智慧，提高了人类的地位，确定了人类更高的价值，人类从此开始可以无愧地说：'我们不只是万物之灵，更是宇宙的主人'。"[7]

相比之下，美国太空计划的一位关键人物、美国水星计划及双子星计划的总执行者华特·勃克博士(Dr. Walter F. Burke)的头脑，却冷静得多。他说："我喜欢用尝试征服的字眼，而不单用征服一字，人将永无完全征服太空的一天，只要想想离开我们最近的星球的距离。你若在基督降生时，就以每小时一百五十万哩的速度旅行，到今天为止，你还没有到达那里。再想想约翰·格林的飞行，他飞行的最大高度为一百五十哩，而我们地球的直径为八千哩，因此，我们第一位航天员所飞的高度与地球的大小相比，不过是刚离地而已。"[8]

我曾更直观地画了一个图，将地球缩小为一个直径十厘米的球，格林的最大飞行高度仅离开地表一点八毫米！勃克的结论是："不论人已有的这些太空发展，人想在他的一生中越过我们自己的天河的机会，极为微小。就是以光的速度飞行，需要十万年去跨越地球所属的银河，而我们知道太空中有无数的银河存在着。这种由速度乘时间而得的距离，简直大得难以想象。如果把星际间的距离和人的寿命相比的话，人以一生的时间也不可能在宇宙间走得很远；换言之，人活得还不够长，旅行得还不够快去侵犯神的宇宙。以现有的知识看，人只能在一小部分的太空里作有限的探索而已。"[9]

人们原以为，当我们对宇宙的认知越多时，未知的领域就相应地越来越少。然而，随着科学的发展，人们惊异地发现，我们对宇宙的知识越来越多，我们所不知道的变得更多！现仅以几件事为例。

人能造一个活细胞吗？

本世纪五十年代的生物学基本还是宏观生物学。一提及生物学，人们立即想到捕蝴蝶、采花草。电子显微镜的应用，使人们可以研究、观察到细胞的各种结构和变化；六十年代，生物学发展为细胞生物学。到七十年代末期，由于基因重组等技术的问世，人们已可以在分子水平研究各种生命现象了。分了生物学的崛起，为生物学、医学、农业带来革命性变革，生物工程已成为若干前沿学科之一。有人预测，二十一世纪将是生物学的世纪。尽管生物学的发展突飞猛进，日新月异，但人们仍无法造出一个活细胞来。不少人认为，人造活细胞是遥遥无期的。1998年初，Ian Wilmut等用克隆(clone)的方法，用成年羊的乳腺细胞复制出小羊桃莉(Dolly)，在世界上引起强烈反响，"复制人"的呼声震耳不绝。Dolly的诞生具有重大科学意义。然而，"日光之下无新事"，它没有创造什么，只不过是将现存的细胞重组而已。更有甚者，正当人们为复制人可能引起的社会伦理、道德问题展开热烈讨论时，近日却传出年龄仅一岁多的Dolly已出现衰老症状的消息，给复制工作投下了阴影。

光的本质

三百年前，牛顿根据他长期研究的结果，认为光由粒子组成。虽然与牛顿同时期的荷兰科学家海更斯(Huygens)的实验，证明光由光波组成，但因牛顿名气很大，科学界没有重视海更斯的学说。

1801年，杨多马(Thomas Young)发现，光穿过两条狭缝会发生干扰现象。光的这种衍射现象强烈地支持光是波的理论，但那时光波性质仍未被充分认同。

1864年数学家马克威尔(Clerk Maxwell)从理论上证明光是一种电磁波；1887年，赫兹(Hertz)在实验室中成功地用震荡电路放射出电磁波，证实了马克威尔的理论。此后，欧洲大陆的科学家才接受了光的电磁理论，牛顿的光粒子学说被认为是错误的，光波学说高于一切。

到十九世纪末期，光电效应的发现又对光波学说提出挑战。当光撞击一个金属面时，会把金属面的电子打击出来，这叫光电效应。电子流的强弱，取决于入射光的强弱和波长。当入射光的波长大于某一个值时，则无论怎么增强光的强度，也不能产生电流。光电效应只能用粒子学说来解释。因为光子的能量与它的震动频率成正比，只有频率大于某个值的光子，才有足够的能量击打电子，使之脱离金属面而形成电流。同时，入射光越强，表示入射的光子越多，打击所产生的自由电子也越多，故电流越强。所以，光电效应与光波理论不符。

1900年，蒲朗克(Max Planck)推出量子光学。这种认为光是由量子(Quanta)组成的理论，才解释了光电效应。于是，人们对光的认识又翻了个儿。到底光是粒子还是波，这个问题至今仍未解决。现在科学家承认光有两重性，既是粒子又是波。光的反射和折射既可用粒子学说，也可用波动学说来解释；光的衍射现象只能用波动学说来解释；光电效应则只能用粒子学说来解释。

光是如此重要，又如此奇妙，令人感叹不已。人们目前对光的性质只能用颇为矛盾的两重性来解释。但光的这种两重性已被科学界凭信心接受。笔者联想到，我们读《圣经》时，也同样面对很多难解的地方，比如，道成肉身的耶稣，既有人性又有神性，既是人又是神。我们是否也可以像科学家接受光的两重性一样，谦卑下来，凭信心接受耶稣的神、人两重性呢？耶稣一再宣称，称他自己是光、是世界的光！真是太美妙了。

非线性三体系统的可测性

我一位研究物理的同学告诉我，目前在自然科学界兴起的一个热门研究方向叫"浑沌"(chaos)。这一研究揭示出，一些极简单的系统，有惊人的复杂性和不可测性。自十八世纪以来，很多科学家耗费大量人力、财力研究由太阳、地球和月亮组成的三体系统的稳定性问题，但至今未得到答案，对这样一个体系，有两种对立的见解。一派以庞加莱(Poincare)为代表，认为其系统是不可预测的。

另一方则以拉普拉斯(Laplace)为首，他说："如果我们知道宇宙每一颗粒子，在某一特定时刻的准确位置和速度，便可以计算出宇宙的过去和未来。"这是一种机械唯物论，认为整个宇宙都是受机械律支配的。现在科学的发展和量子力学的确立，证明庞加莱的观点是正确的。

任教芝加哥大学的著名物理学家卡达诺夫(Kadanoff)，1991年在《今日物理学》(Physics Today)上发表的一篇通俗文章中写道，当我们考虑一个简单的非线性三体系统的运动时，如果仅仅忽略了银河系外一个电子对该系统的影响，在相当长一段时间后，这个简单系统的行为也将变为不可预测！

我的同学极为感慨地说："考虑到我们这个世界，我们周围的环境，我们自身，我们所掌握的科学武器，面对这类问题时，人类显得多么有限！多么苍白！多么脆弱！我们必须承认，科学是有限的，在无边无涯的未知世界中，我们始终只是一个稚童。在深奥无比的宇宙中，上帝才是原动力、创造者和主宰！"

人体特异功能

大约在1979年，报载四川省有一个叫唐雨的孩子可以用耳朵认字，但后来又说是弄虚作假。但到了1980年，北京又传出小学生可以用手认字的消息。而且，北京大学生物系和心理系正在对北大附小的学生进行有关的测试。联想到1965年我曾看到的一则关于一个苏联孩子可以隔着玻璃板摸字的报导，我虽对用手识字一事十分狐疑，但仍抱着开放的心态，专门拨出了一天的时间到北大的测试中心去，想看个究竟。

我去的那天，主持测试的是一位我认识的学长。说明来意后，他热情地邀我参加测试。测试工作十分严谨、细致，有防止作弊的各种有效措施，全备科学研究的特点。主持人介绍说，小学生们用手识字已有三种不同的等级。直接把字、画握在手上识别是初级的；把字、画先放入一个密封的塑料盒，然后用手隔着塑料盒识别的是中级；用手识别已曝光、但尚未冲洗的照像底片是最高级的。他问我要测试哪一级。我说，只要能亲眼见到初级识别，就心满意足了。于是他分派了两个男孩子给我。我分别把一张看图识字的画片放到他们手中，然后用一个厚布套子从他们的左胳臂一直套到右胳臂，使之无偷看图片的可能。我目不转睛地盯着他们，寸步不离（连厕所也没敢上）。

大约过了半个小时，其中一个男孩儿说他识别出来了。我问是什么？他说："一条蛇！"我追问一句："真的是一条蛇吗？"他有点含糊了："让我再想想！"于是他又闭目聚精会神地想了片刻，说："是一个人在游泳。"我不放心地问："确实了吗？"他说："没错儿！"于是我动手取下大套袖，从他手中拿过图片。果然，是一个人在游自由泳！游泳者的左臂已向后划出水面、正上举要挪到前方。弯曲的胳臂和手腕真与蛇的形状相仿。难怪他一开始说是一条蛇呢！我惊诧莫名。

这时另外一个男孩儿说他也认出来了。他说他手中的图片是一个孩子在打羽毛球，白衣白裤，戴着红领巾。我问："是男孩儿还是女孩儿？"他毫不犹豫地说："男孩儿！"除了性别以外，图片上的图像与他的描述完全相符。这个打羽毛球的小孩儿，在后脑勺露出一支很短、扎着头绳的小辫，是个女孩儿。这个学生误认为是个男孩儿。但我已相当满意了。真可谓，眼见为实，耳听为虚了。

到晌午时分，被测试的学生们都陆续回家了。我见一个女孩子还坐在测试中心，一脸的不高兴。原来她平时识别中级的图片又快又准，那天却一次也没有识别出来，因而非常失望。我兴致勃勃地鼓励她说："胜败乃兵家常事。别灰心。来，我让你摸一个初级的。"于是从房间的另一端的一张桌子上，随手拿了一张图片放在她手里。她两手紧紧握住，高举过头，仅仅几秒钟，她就对我说：

"有了!""什么?"我问道。"一匹马。""什么马?""斑马。"结果是一匹深棕色的马,不是斑马。由于投影关系,马的身体有明、暗、深、浅之分,被她认为是斑马。但她能识别出是一匹马(是驴也无妨),就完全满足我的要求了。

测试中心的人告诉我说,我一个同学的女儿是摸底片的高手。于是我打电话给我同学,她热情邀我到她家吃晚饭。饭前我对她女儿说:"青青,听说你摸字摸得挺好。今天表演给我看看吧!"她面有难色。她母亲告诉我,现在很多人不相信特异功能,认为孩子们在弄虚作假。我安慰青青说:"我相信这是真的。再说,又是在自己家里,给叔叔表演一下有什么关系呢?"她同意摸一个中级的。我把一个火柴盒的火柴倒出来,把一个东西放进火柴盒里,让她隔着火柴盒摸。不一会儿她就说:"是一个小男孩的照片,还戴着红领巾。"我不禁脱口而出:"对呀!那是我小学毕业时的照片!"

手何以能识别图像呢?我问了很多被测试的孩子,他们的说法基本一致:当手接触到图片后,只要闭目凝思,脑子里就会闪现出各种图像,像放卡迪片一样,变幻无常。如果其中一个图像在脑子里频频浮现,这就是手中那图片的图像了。这是孩子们识别的实际过程。但这些过程是如何发生呢?为何手一接触到图片(有时,其间还隔着盒子),大脑就会浮现出图像呢?看来,手似乎具有与眼类似的功能。但眼有视觉细胞、晶状体、视网膜、视觉神经等一整套精密、完善的组织结构,而手又是如何完成这个"看"的过程呢?测试中心的工作人员说,只要稍加训练,使孩子们学会集中自己的意念,大约三分之一的小学生都有这种识别功能。这也许不叫特异功能,而是人普遍具有的一种"第六感官"。

物质是由物质组成的吗?

二十世纪初叶,爱因斯坦提出相对论,动摇了牛顿时代的绝对时空观,人们对宇宙的认识大大地深化了一步。尽管相对论的一些论点仍超越人们的常识,不易于理解,而到二十世纪中叶,量子力学提出的论点,不仅常人不着边际,连爱因斯坦都难以接受。

前面提到的杨多马的双狭缝实验中,如果把光源减弱到一个光子、一个光子地射出,双狭缝后面的感光胶片仍得到干涉条纹。一个光子怎么可以"同时"经过两个狭缝呢?于是哥本哈根学派的物理学家波尔(Bohr)等的结论是,一切物体皆由能量波组成;只有在物体被观察的那一瞬间,才从能量波凝聚为有本体的物质。

比如,我们看一个物体时,光波被所看之物表面的电场反弹到我们眼里,在视网膜上凝聚成光子,方产生视觉。又如,一个物体只有在被触摸的那一瞬间,才由波动凝聚成由原子组成的实体,从而产生触觉。虽然这并不意味着我们的感受是幻觉,因为能量和物体都是真实的,且能互变(爱因斯坦的著名公式 $E = MC^2$,E:运动物体具有的能量,M:物体质量,C:光速),但总觉得够玄的。

1927 年海森堡(Heisenberg)发现"测不准定律"(uncertainty principle),表明微粒(如原子)的位置和速度不可兼得,越准确地测出其位置,则越不准确地知道其速度,反之亦然;因此微粒的动态无法用方程式精确计算,只能用概率加以预测。因为,测位置的误差与测速度的误差的乘积等于一个常数。换句话说,如果测一个粒子的速度很准确(误差趋于零),则测位置的误差就会趋于无穷大,根本不知道这个粒子在哪儿!这种看似"不科学"的量子力学,使科学更加符合实际,从而更加科学。

往往是"半瓶水"摇得最响,有深厚造诣的科学家常常最谦卑自律。因为他们站在最前沿,直接面对浩瀚无际的宇宙，深切知道人的渺小、有限。只有站在中间、后面的二流、三流或不入流的科学家才不知"天高地厚"！牛顿说，他是在海边沙滩上玩耍的孩子，有幸拣到几个好看的贝壳。爱因斯坦则说，他只在真理的海洋边徘徊，一无所获。他还说，他一生最大的感受之一是：科学在上帝的奥秘面前不过是儿戏！人徒凭自己的理智要完全认识宇宙是不可能的。基督徒相信，"隐秘的事，是属耶和华我们神的；唯有显明的事，是永远属我们和我们子孙的。"（申29:29）如果没有神的启示，我们是无力认识宇宙的。退一步说，即使有一天人们认识了宇宙的一切现象，又怎么样呢？是不是我们就再也不需要神了呢？不是的。神不仅是宇宙的创造者，也是宇宙的维护者，"常用他权能的命令托住万有。"（来1:3）正像一切律法必须由权威制定，并在权威的监督下才得以贯彻、执行一样，神所创造的宇宙，一切规律也只有在神的护持之下，才得以正常运作，否则，宇宙早就分崩离析了。人即使可以认识宇宙，却绝无力维持宇宙。所以，无论科学如何发展，人类永远需要神。

三、基督教信仰超越科学

基督教信仰与科学既有接触点，又处于不同的范畴和层次。神创造了宇宙并赋予它规律，科学的任务就是发现和认识这些规律。在这一点上，信仰和科学有相关性。另一方面，科学是认识宇宙的规律，是属于物质界、形而下的层面；而信仰是要认识创造宇宙的这位神，属于灵界、形而上的层面。也就是说，信仰是高于和超越科学的。笔者将从几个侧面来阐述这一观点。

《圣经》中的科学预见

《圣经》不是一本科学专著，乃是一本论述神的创造、神对人类的救赎和神的国度、神所默示的巨著。然而，《圣经》中确有许多关于科学的预见，远远地超前于人类的认知，日益为现代科学所证实，令人惊叹、折服。神并非刻意借《圣经》向人们传授科学知识。《圣经》中的科学预见乃是创物主在启示人们时一种自然的流露。正如诗人所赞叹的那样："诸天述说神的荣耀，穹苍传扬他的手段。这日到那日发出言语，这夜到那夜传出知识。"（诗19:1-2）莫琴博士(Jean Sloat Morton)在《圣经中的科学》[10]、余国亮博士在《物理学家看圣经》[11] 等书中，对此都有集中的论述。我仅举几个例子以飨读者。

○ **地球的形状、浮动和转动**　现在大家都知道，地球是一球体，悬浮在宇宙中，不停地自转和绕太阳公转。但古代的看法则完全不同，古代人们认为地球是平的，四周被大水围绕，只要一直往前走，一定会走到大地的边缘；同时，当时认为地球是被支撑和固定不动的，太阳系的所有星辰都以地球为中心旋转。地球是如何被支撑的呢？印度人认为在地面之下，有力大无穷的四只大象支撑着，大象则站在象征力量的乌龟的背上，乌龟又卧在首尾相衔的眼镜蛇上面。至于眼镜蛇又被何物托住，就不得而知了。巴比伦人则把地球当作在海上浮着的一座空山，并相信地球内部十分黑暗，是人死后的住处。这些观点现在看来十分幼稚、可笑，但古代能提出如此的假说已是相当杰出的了。

历史学家通常认为第一个提出地球是圆的这个观念是希腊人。公元前六世纪，希腊哲学家兼数学家毕达哥拉斯就说地球是圆的，但他这种概念源于他认为圆球在所有几何形体中最完美，并没有任何客观的事实根据。其后，亚里士多德提出了地球是球形的第一个科学依据：月蚀时月面出现的地影是圆的。公元前三世纪，希腊天文学家埃拉托斯特尼(Eratoshtenes)第一次算出地球的周长。1522年葡萄牙航海家麦哲伦(Magellan Ferdinand)领导的环球航行，证明地球确为球形。[12]《圣经》〈以赛亚书〉第40章22节明确写道，"神坐在地球大圈之上，地上的居民好像蝗虫。他铺张穹苍如幔子，展开诸天如可住的帐棚。"
"大圈"一词在希伯来原文中，是指一个立体的球面而不
是一个平面的弧形，《圣经》清楚地启示了地球的形状。
〈以赛亚书〉写成于公元前七世纪末到八世纪初，先于毕
达哥拉斯的假说二百年，早于麦哲伦的航行两千多年。

　　地球静止不动的"地心说"观点，直到哥白尼于公元
1549年提出"日心说"后才被动摇。十七世纪牛顿发现万
有引力定律，方可解释地球之所以能悬浮在太空，乃是地
球和太阳之间引力相互平衡的缘故。哥白尼的"日心说"
和牛顿的万有引力定律奠定了现代天文学的理论基础。然
而，关于地球的悬浮和转动，《圣经》早就指明了。〈约
伯记〉是《圣经》中最古老的经卷之一，成书的具体时间
难以考证。书卷的主人翁约伯是公元前2000年左右的历史
人物。不少学者认为〈约伯记〉的成书时间要早于摩西五
经（成书于公元前1400年左右），也有学者认为此书写于
以色列民族被掳回归之后（公元前六世纪）。不管怎样，
〈约伯记〉起码比牛顿的万有引力定律早两千年以上。
〈约伯记〉早已指出地球是悬浮在太空的，"神将北极铺
在空中，将大地悬在虚空；将水包在密云中，云却不破
裂。"（伯26:7-8）

　　由于地球的自转，才有昼夜之分，这是几百年前人们
才懂得的事情。而成书于公元一世纪的新约《圣经》，对
此早有暗示。主耶稣谈到何时再来审判世界时就提示说：
"人子显现的日子，也要这样。当那日，人在房上，器具
在屋里，不要下来拿；人在田里，也不要回家。……我对
你们说，当那一夜，两个人在一个床上；要取去一个，撇
下一个。两个女人一同推磨；要取去一个，撇下一个。两
个人在田里，要取去一个，撇下一个。"（路17:30-36）
两个人在田里干活，是指白天；两个人在一个床上是夜
里；女人推磨多在清晨和傍晚。为什么耶稣再来的时刻既
是白天又是夜里，既是清晨又是傍晚呢？因为，主耶稣再

来的时刻，在全球不同的地方的时间是不一样的。在中国是中午，在美国却是午夜，在其它地方可能是早上或傍晚。主耶稣这样说，明确地启示人们：地球是不断转动的，神的救恩是普世的，神的审判是全球性的。

○ **地球的风向系统**　　太阳的照射和地球的旋转是形成地球风向系统的两个主要因素。乔治·哈德里(George Hadley)于十七世纪第一次提出空气在赤道与两极回流的理论。赤道的空气受热上升，两极的冷空气因此会向赤道移动；赤道上升的热空气流向两极，受冷后下降。如此循环反复不已。这种风向模式被称之为"哈德里窝"。到十九世纪，科里奥利斯(G. G. Coriolis)发现，一个在旋转体表面移动的物体的运动方向，会向右或向左偏斜，被称之为"科里奥利斯旋转力"(Coriolis force)。其后，费瑞尔(William Fetrre)证实科里奥利斯旋转力也适用于地球的风向系统，即费瑞尔定律：由于地球的自转，北半球的风向右偏斜，南半球的风向左偏斜。哈德里窝是由太阳的直射和斜射引起，费瑞尔定律则因为地球的自转。这两大因素共同作用的结果，使地球形成了东南、东北季风带，南、北回归线无风带，南、北西风带等一套复杂的风向系统。

然而，早在公元前，《圣经》就指明这个风向系统了。〈传道书〉1章6节写到，"风往南刮，又往北转，不住地旋转，而且返回转行原道。""风往南刮，又往北转"是指哈德里窝（赤道—两极回流）；"不住地旋转"即指费瑞尔定律；"而且返回转行原道"说明这样的风向是有规律的。这一节经文仅二十一个字，却高度准确地概括出地球风向系统的主要特点。

○ **水文学**　　水文学研究水的蒸发、凝结和化为雨、雪下降等现象，是关于水循环的科学。这种水循环的理论直到十六、十七世纪才被接受。为水文学理论作出贡献的伯罗(Pierre Perrault)和马利奥特(Edme Mariotte)发现，法国塞纳河的流量与雨量有密切关系。后来，天文学家哈莱(Edmund Halley)的资料也支持水循环的理论，认为雨、雪的下降和水的蒸发是彼此制衡的。

早在两千多年以前，《圣经》已明确地记载了水循环的理论："江河都往海里流，海却不满；江河从何处流，仍归还何处"（传1:7）。何等隽秀、优美的诗歌语言，多么简洁、准确的科学描述！

○ **气压**　压力是物质所给予每个接触面的重量。空气是气态物质，有重量，也必然产生压力。物理学家伽利略在十七世纪，从观察中已猜测到空气有重量。他的学生托里拆利(Torricelli)于公元1643年，用实验证明空气确实有重量。他把一支真空的唧筒插到井里，井水可顺唧筒上升，但不能超过三十三英尺的高度。他想是井水上面的空气的重量所产生的压力把井水压入唧筒的；因空气的重量是一定的，所以产生的压力也是一定的。他用比重比水约大十三倍的水银做实验。他取一支48英寸的玻璃管，玻璃管一端封闭，一端开口。他将水银注满玻璃管，然后将开口一端倒插入水银槽中。此时，玻璃管中的水银下跌了18英寸，留下18英寸的真空，水银柱的高度保持在30英寸。这样，他不单证明了空气有重量，而且证明空气的压力所产生的重量相当30英寸水银的重量。第一支气压计就这样诞生了。

早在托里拆利数千年前，《圣经》就指出空气有重量了。"神明白智慧的道路，晓得智慧的所在。因他鉴察直到地极，遍观普天之下。要为风定轻重，又度量诸水。"（伯28:23-25）"下流人真是虚空，上流人也是虚假，放在天平里就必浮起；他们一共比空气还轻。"（诗62:9）显然，《圣经》中启示的空气有重量，既有道德方面的喻意，又有真正的科学内涵。

○ **洋流及海洋航道**　从古至今，许多人都以为海洋是不流动的"一潭死水"。其实，海洋是一个循环流动系统。底层海水的流动被称之为洋流。直到二十世纪，人们仍以为海洋深处没有洋流存在。后经一系列研究，证实南大西洋海底有洋流存在。但因缺乏直接证据，仍被怀疑。60年代中期，科学家们借助于现代摄影技术，发现海洋深处有涟漪和被冲刷的现象；透过涟漪，观察到洋流冲击海底沉积物的现象，海底洋流的存在才被最终证实。

美国科学家毛瑞(Matthew Fontaine Maury)是海洋航道的发现者。他从航海志中详细研究海上的风向和洋流情况，从中归纳出横渡大西洋的理想航道，成为日后国际公认的航道的基础。毛瑞所著的《海洋物理学》，仍是当今研究季风与洋流相互关系的基本教科书之一。是他第一个指出，由于季风和洋流的相互作用，使海洋成为循环不息的系统。

富有启迪意义的是，毛瑞关于海洋航道的灵感是来自《圣经》的启示。有关毛瑞生平的书中记载了这样一件事。一次毛瑞卧病在床，每天晚上由他儿子读《圣经》给他听。有天晚上当他儿子读到〈诗篇〉第8篇第8节，"海里的鱼，凡经行海道的，都服在他的脚下"时，他猛然联想到海底航道问题。他说："如果上帝说大海中有航道存在，那么我病愈后，一定要把它们找出来。"毛瑞于1873年去世。毛瑞的故乡维吉尼亚州于1923年在首府Richmond为他建立纪念碑，碑文载明毛瑞的灵感源于《圣经》。

○ **电磁波** 1820年，哥本哈根的物理学教授奥斯特发现，如果让电流从一支悬挂的磁针旁通过，磁针会发生转动。他的发现传到巴黎后，法国物理学家安培(Andre Marie Ampere)立刻想到电流与磁铁应是同等的。他用实验证实了他的想法：两条通电的导线会因它们电流方向相反或相同而吸引或排斥。安培的实验又启发了英国科学家法拉第(Michael Faraday)。他想，既然电流有磁性作用，磁铁也应该产生电流。经过十载的努力，他的实验成功，为日后电动机和发电机的问世奠定了理论基础。

1864年，数学家马克斯韦(James Clerk Maxwell)用数学证明，任何电或磁的改变，都会向空间放出能量，此能量以波的形式传递，其中电的方向与磁的方向相互垂直，而它们又都与前进方向垂直，并证明它们在真空中传递的速度等于光速，此波被称为电磁波。1887年，赫兹(Heinrich Hertz)用震荡电路放射出电磁波，支持了马克斯韦的光电理论。1896年，意大利人马可尼(Marchese Guglielmo Marconi)首次用人造电磁波传递信息，建立了第一座无线电发射和接收电台。

在古代，人们对电、磁的知识是相当贫乏的，直到1749年，富兰克林(Benjamin Franklin)才提出闪电是电荷流动的假说，并于1753年做了他那著名的风筝实验，借连接风筝的铜线把云层中的电荷引进实验室。可是远在三千多年以前，《圣经》就预言了无线电通讯的科学成果："你能发出闪电，叫它行去，使它对你说：'我们在这里?'"（伯38:35）那个时代的人描述电磁波，唯一的可能是闪电；事实上，闪电所放出的电光就是电磁波!〈约伯记〉的这句经文，也可解释为用电和磁来传递信息。比马可尼早数十年，摩尔斯(Samuel Finley Breese Morse)于1844年成功地借有线电报传递了信息。人类首次用有线电报所传递的话是《圣经》中的一句经文，"谁不知道那是耶和华的手作成的呢?"（伯12:9）

随着科学的深入发展，人们发现〈约伯记〉38章第35节这句经文包含着更深的意义。电磁波可用电子加速的方法制造，也可由原子内部的电子发出。原子核所含的质子数，决定了核外电子轨道的半径；在不同半径的轨道上运行的电子所具有的势能各不相同，激发电子由一个轨道跳到另一轨道时，所放出的电磁波的波长也不相同。分析其波长，就知道是什么元素了。科学家们正是通过分析其它星球所放射的电磁波来了解该星球有何种元素的。

另外，红移现象（red shift）告诉我们，当一个星球远离地球而去的时候，它所放射到地球的可见光的波长会变长，即向红光方向移动，反之亦然。这样，测定其电磁波波长的变化，我们便可知道该星球是以何种速度离开或接近地球了。所以，物体所发射的电磁波，不仅可以告诉我们它们是谁，而且告诉我们它们正向什么方向运动。

想想电磁波在宏观和微观上的这种"指示"功能，再来读〈约伯记〉38章35节这句经文，"你能发出闪电，叫它行去，使它对你说：我们在这里？"时，神的智慧是多么令人赞叹啊！

○ **割礼**　　割礼是《圣经》中记载的仪式，男婴出生后第八天，要割去生殖器的包皮，作为以色列民族与神建立誓约的标记（创17：10-13）。《圣经》记载了以色列人的祖先亚伯拉罕为儿子以撒行割礼。"以撒生下来第八日，亚伯拉罕照着神所吩咐的，给以撒行了割礼。"（创21：4）割礼不仅有属灵的意义，要除掉以色列人及其后裔心中的污秽，而且在医学上也是有益的。包皮垢菌与女性子宫颈癌的发生有密切关系。有人统计过，非犹太妇女得子宫颈癌的机率比犹太妇女高近百分之十。

但是，割礼为何要在出生后第八日进行呢？《圣经》没有解释理由，只说是神的吩咐。直到近年，这个谜底才被揭开。本世纪50年代初期，科学家在食品中发现一种物质，被称为维生素K，可以防止婴儿出血，因为维生素K可以促进血凝素在肝脏合成。维生素K可由人体小肠内的细菌合成。由于新生婴儿小肠内的细菌不多，缺乏维生素K，血凝素含量相对减少，故易引起出血。科学家们进一步研究婴儿在发育过程中维生素K的合成情况时，发现婴儿出生第三天，血液中血凝素的浓度只有正常值的百分之三十，而第八天达到百分之一百一十，然后再降回到正常的浓度。考虑到三、四千年前那种缺医少药的远古年代，婴儿出生第八天是行割礼的最好时机。神对世人的爱是这样地无微不至。

《圣经》中关于科学的预见，从天文到地理，从陆地到海洋，从动、植物到人类，涉及面广，丰富多彩。以上我仅举出几项人家所熟知的事实作为例子。每当我读到、想到、讲到这些例子时，内心都一次又一次地深深被激动。像地球的浮动和转动，地球的风向系统和水的循环都是极为宏观的现象，非高踞于地球之上，不得窥其全貌。电磁波的特性、血凝素的功能也只有物理学、医学发展到今日方能阐明。然而，几千年前，人们既无飞机、雷达，也不能发射卫星、飞船，更不知细菌、维生素、电、磁为何物。在那个时代写下的《圣经》，怎么能如此清晰、准确地揭示这些自然现象的本来面目呢？这再次无可辩驳地说明《圣经》是神所启示的话语，使我们清楚地知道，耶和华我们的神是宇宙万物的创造者，是自然科学家的研究灵感的源头。

基督教与现代科学的发展

十七世纪的英国是现代科学发展的温床。英国为什么能在短短的一、二百年内，科学突飞猛进，远远超前于其它国家呢？人们从社会、经济、政治、实验方法等诸方面寻找原因。现在多数研究者认为，基督教信仰是促进英国现代科学发展的一个重要原因。

○ **基督教一神观是现代科学的思想基础**　　希腊哲学家亚里斯多德的一元论世界观及由此产生的理性主义，中世纪在西方思想界占统治地位。一元论的世界观在理智方面抹煞造物主与被造之物的差别，认为人的理智的实能部分与神的理智相同。因而高举人的理性，认为人的理智和思想可以洞察宇宙万物的奥秘，是衡量一切真理的标准。人可以通过自己的默想，在理智中设立大前题，然后以此前提推演出去，用以解释各种事物，这叫演绎法（deduction）。他们注重理智思维，忽视人对事物的观察分析。

　　按此世界观、方法论，亚里斯多德认为宇宙由五十五个同心圆球组成，最中心是地球，向外分别为水、气、火、天空星体等圆球。每个圆球都有灵性，神在所有的圆球之外，对各圆球产生吸引，因而带动宇宙各圆球运转。中世纪的教会及科学界，普遍接受亚里斯多德的宇宙观，认为神是终极因，相信地球是宇宙的中心。[13] 在理性主义的束缚下，以实验、观察为主要手段的现代科学不可能得到发展。

　　公元1543年，天文学家哥白尼提出地球绕太阳运转的日心学，并得到天文学家伽利略和凯普勒从实际观察中得到的资料的有力支持，推翻了地心说。从此，经验主义的治学方法开始抬头，强调观察外界事物的重要性，在观察的基础上思考、分析、发现规律，即所谓归纳法 (induction)。经验主义哲学拉开了现代科学的序幕，伽利略被誉为现代科学之父。但与此同时，也带来了怀疑主义，只相信经验过的东西，不承认因果关系确实存在，认为科学只是经验的归纳，无法预测将来要发生的事情。休谟(David Hume)是代表人物。

　　此外，随着亚里斯多德宇宙观的被推翻，神是终极因的观点，也和地心学一起被许多人抛弃了。人们开始站在纯自然的立场，不再追求自然定律的终极因(why)，而只是描述和形容自然规律(how)。唯物主义和自然主义（人文主义）开始在知识界占上风，认为一切事物皆由物质组成，提倡物质的永恒性，否定其被造性；强调真理的可经验性，摒弃时、空之外的任何客观实体；高举人的理性，相信人能主宰自己的命运；认为宇宙乃机缘巧合的产物，否定超然的造物主的存在。自然主义否定神后，在宇宙和人类起源问题上留下的空缺，为日后进化论的崛起提供了适合的土壤。（详见第六章）

　　然而，基督教坚持一神的世界观，相信神创造了宇宙万物，人是按神的形像造的，人可以凭借由神所赋予的理性去认识神所创造的宇宙万物，进而认识神、荣耀神。也就是说，人可以从观察大自然开始（经验），借着归纳和演绎（理性）提出假设，然后再用实验来证实、修正或推翻这种假设。有人称此为经验的理性主义。很明显，当今实验科学所采用的方法，正是源于基督教倡导的理性经验主义。[14]

科学研究有一个大前提，即相信宇宙万物是按一定的规律运作的，这种规律不随时间、地区和研究者而改变。这一前提被称之为自然划一原理。这一原理也是直接来自基督教的一神世界观。无神论演绎不出这一原理，使宇宙此起彼伏的多神论也无法使自然规律在整个宇宙和谐统一。过去在欧美占支配地位的基督教信仰，为科学研究建立了大前提，提供了正确、有效的方法论，使现代科学孕育于西方成为历史的必然。

○ **基督徒是发展现代科学的中坚力量** 按照《圣经》的教导，上帝是宇宙万物的创造者、护持者，人是神按自己的形像造的。基督徒相信，因神赋予的理性，人有能力接受神的启示去认识宇宙，进而认识神、荣耀神；同时，神要人治理环境、管理各种鱼类、飞禽、走兽（见〈创世记〉第一章）。只有对所要管理的对象有深入的了解，才能当好神的管家。为了认识、荣耀神，为了不负神的重托，一大批虔诚的基督徒以极大的热忱献身于自然科学，取得举世瞩目的成就，成为各现代学科的奠基人。现代科学发展初期，英国社会的基督徒约占总人口的百分之二十，而在英国早期皇家学会中，基督徒的比例却高达百分之九十！

牛顿是这一大批基督徒科学家的杰出代表。这位英国科学家二十七岁即出任剑桥大学教授，发明微积分法，确定运动三定律，发现万有引力定律，在光学和天文学也有颇多建树。后被推为皇家学会会长，并被加封为爵士。他是举世闻名的科学家，又是虔诚的基督徒。牛顿的父母是虔诚的清教徒。但他出生前三个月，父亲病逝。面对这个濒于死亡的早产儿，他母亲向上帝祷告："万军之耶和华啊，你若垂听婢女的苦情，眷念不忘婢女，赐我一个儿子，我必使他终身归于耶和华"（撒上1:11）。所以牛顿从小敬畏神。牛顿成长过程中留下的最早记录，就是他在课堂笔记的空白处记下的祷告。牛顿常常到花园祷告与默想；苹果掉在地上，使他想到了万有引力。纽约大学历史系教授曼纽(Manuel)说："近代科学源自牛顿对上帝的默想。"[15] 牛顿身为杰出的科学家，又常常公开表示自己的信仰，加上不擅交际，故遭到许多无端攻击。"当时宗教分子攻击他有一流的科学，却有三流的神学；科学分子攻击他有一流的神学，却有三流的科学；政治分子攻击他的科学、神学、人际关系都属三流；有人看他孝顺母亲又终身未婚，就中伤他心理不健全，现今还有人说牛顿有恋母情结；有人看他对学生好，就说他有同性恋。"[16] 这些攻击使牛顿几乎发疯，也造成了他漫长的信仰动摇期(1698-1707)。直到英王任命他为英国皇家协会会长，攻击才消失。牛顿于1727年谢世，他晚年写道："不管任何环境，要守住耶稣基督救赎的真理和最大的诫命——爱人如己"。[17]

波兰天文学家兼数学家哥白尼经二十几年研究，发表《天体运行》(*DeRevolutionibus Orbium Coelestium*)巨著，首先提出日心学，奠定了现代天文学的基础。哥白尼不仅是伟大的科学家，而且早年学习神学和医学，一生悬壶行医，后又担任牧职传道。支持证实哥白尼的日心说的天文学家伽利略和凯普勒也都虔信神。伽利略虽遭到天主教教廷的迫害，他本人仍相信《圣经》，相信〈日心说〉与《圣经》并不矛盾。凯普勒是基督徒，曾在神学院进修两年。当凯普勒经过长期努力、终于发现了行星运行三大定律后，他将荣耀归给神："我感谢你，造物主和上帝，因为你已在你的创造中给了我这份喜乐，我在你手作成的工中喜乐。现在，我已完成我蒙召应作的工作。在其中我已尽用了你赋予我心智的一切才能。以我狭窄的心智对你无限丰盛的理解，我将向那些将要读到我的话语的人彰显你的工作的伟大。"[18]

电解原理发明人法拉第虔信《圣经》，并是伦敦一教堂的兼职传道人，每周讲道多次，遗留至今的讲章有一百五十篇之多。他临终时，别人问他在想什么，他说："我心灵很平静。"并引用《圣经》说："因为知道我所信的是谁，也深信他能保全我所交付他的，直到那日。"（提后1:12）对热力学第二定律的发现作出重要贡献的科学家卡尔文（William Thomas Kelvin），也是虔诚的基督徒。一次，有个学生问他一生中最大的发现是什么，他没有说是第二定律，却说："在我生平的发现中，最有价值的，是认识了主耶稣基督。"[19]

化学家波义耳（Robert Boyle）在他的科学论文中再三强调，科学研究的整体目标，是要显示《圣经》和自然规律的合理性及和谐性。他本人研读原文《圣经》，对基督教护教学甚有研究。在美国发行的第一本印地安语《圣经》是由他资助出版的。波义耳二十八岁后前往牛津，他与有"清教徒之父"之称的巴克斯特（Richard Baxter）建立了深厚友谊。针对当时有人以为对神虔诚就必须反对科学的谬误，他们宣称："人得救的条件不是要反对什么，而是接受上帝白白的恩典。只要你肯，仍然可以在科学里爱上帝、敬拜上帝。"在波义耳的牛津科学阵营里逐渐聚集了一批杰出的基督徒科学家，并由此形成了"英国皇家科学会。"[20]

瑞典博物学家林奈氏（Karl Von Linnaeus）对现代植物学的发展有极大贡献，尤以植物分类法闻名。他将自然界分为动物、植物、矿物三大类，再细分为纲、目、科、属、种，成为现代自然分类法的基础。林奈氏一生敬畏上帝。据说某日他外出散步，偶见一艳丽夺目的花朵，深感上帝创造的奇妙、伟大，便立即跪下，感谢造物主的恩典。

法国化学家巴斯德(Louis Pasteur)是世界公认的微生物学的创始者。他发明消毒法，对人类医疗卫生贡献极大。又在防治瘟蚕病、促进法国蚕丝业的发展立下丰功。他对上帝和福音都有坚强的信心。他说过，"如果承认上帝的存在，这一个信心实比一切宗教的神迹更为超奇，不可思议。如果我们有了这种信心，这种悟性，那便不能不对上帝下跪，肃然敬拜了。"他常在实验室里，一面工作，一面祷告。在巴斯德的时代，有人认为生命可以由物质产生，即"自然发生论"。出于他对神的信仰，他不相信物质可以产生生命，相信只有神才是生命法则的作者。经潜心研究，他发明了消毒法，证明了腐烂物质不能产生生命。年老时，他回母校讲演时说，他一生面对极大反对、却能节节胜利的两个原因是："信心，相信神的启示……信心是一条绳子，维系你周围所发生的事情，与你内心的呼召，成为一个和谐的关系。热心(enthusiasm)，这是最好的字，由En及Theo合成：En是里面，Theo是神。真正持久的热心是因为上帝住在我的心里。"[21]

法国另一位著名的科学家巴斯噶(Blaise Pascal)英年早逝，离世时仅三十九岁。他十六岁时就完成了有关投影几何的名著，并先后发明计算器、晴雨表和水压机等，为旷世天才。然而，科学上的重大成就却无法满足他灵性的需求，他甚感痛苦，遂研读《圣经》。一天晚上正读到〈约翰福音〉第17章时，神忽然向他显现，当年领以色列出埃及的伟大先知摩西所见的荆棘中的火焰，充满整个房间，同时上闻主声："亚伯拉罕的上帝，以撒的上帝，雅各的上帝，非哲人之上帝，非学者之上帝。"使之顿时开悟，单靠科学、哲学，不能通神。面对真神后，他大获平安、喜乐。他将神的启示笔录、缮正，缝于襟内，终其一生，未告诉任何人。直到他去世时才被发现，现珍藏于巴黎国立图书馆。巴斯噶悟道之后，尽弃骄淫之气，谦卑自律，判若两人。后著《沉思集》(*Pensees*)，为主证道，脍炙人口。他在《沉思集》中写道："有两种人会认识上帝，一种是身处尊贵或卑微，内中常存谦卑的心；第二种是，只要真理，不管反对的人。"[22]

到目前为止，在人类历史上，能先用数学推导物理现象的存在、尔后由后人证明其正确性的，只有四位：牛顿、哈弥尔顿(William Rowan Hamilton)，曾推导出"光在双轴晶体的折射会呈现圆锥状"、马克斯威尔和爱因斯坦。前三位是虔诚基督徒，第四位相信有上帝。[23]

以上只是部分实例。在现代科学发展初期，建立了丰功伟绩的基督徒科学家还有很多。从现代科学的方法论的建立到基督徒的实际参与，基督教对现代科学的发展起了极为重要的作用。有人甚至称基督教是现代科学之母。现代科学发展史清楚表明，那种认为基督教与科学对立、阻碍了科学的发展的观点，是攻其一点不及其余。笔者也为自己因无知而曾持这种本末倒置的观点而暗自红过脸。

科学家在科学研究中逐渐认识神

有人常问，像上面提到的那些著名的基督徒科学家，是否因为出生在基督教家庭而信主的？按手头现有的资料，笔者不能准确地回答这个问题。其中会有相当一部分人是受到家庭的熏陶而信主的。笔者认为，这些朋友所提问题的实质在于，如果这些科学家因家庭的影响而信基督教，他们的信仰是否只是自然而然地随大流而已？此种观点可以理解，但不全面，也不尽符合事实。

不少基督徒的后代并不是自然而然地成为基督徒的，有的始终没有成为基督徒。知名学者林语堂先生的父亲是一位牧师，他小时也接受了基督教的信仰，但成年之后，他对中国圣哲思想极为爱好，逐渐疏远了基督教。经过几十年的艰苦跋涉，最后才又回到主耶稣的怀抱里。他在《信仰之旅》的绪言中说:"我获得宗教,走的是一条难路,而我以为这是唯一的路;我觉得没有任何其它的路是更妥当的,因为宗教自始至终是个人面对那个令人震惊的天,是一种他和上帝的事;它是一种从个人内心发出来的东西,不能由任何人来'给予'。"[24] 他在该书的最后一章"大光的威严"中写道:"那种在大马色路上炫花了圣保罗的眼的光,现在仍在世世代代中照耀,没有暗晦,而且永不会暗晦。这样,人的灵修于藉赖耶稣基督而上接上帝的心灵。""如果人用心灵和诚实来崇拜上帝,形式只是一种用来达到同一目的的工具,各人各有不同。形式之有无价值,全视乎它们能否领导我们达成和基督建立友谊的目标。"[25]

张文亮博士在他的一系列文章中,记录了许多科学大师经过长期认真、甚至痛苦的寻索才归向基督的动人故事。"化学之父"波义耳的父亲是爱尔兰最有权力的李察(Richard)大公爵。在英国内战中,他父亲、哥哥先后死去。他发现,政治革命死了那么多人,却未给国家带来任何好处,仅仅是为了几个热血沸腾的口号。他从此变得反叛、苦毒和愤世嫉俗。后在布朗医生的启发下,二十八岁才成为基督徒。法国科学家巴斯噶二十三岁以后,在《圣经》的启示下,方冲破理性主义的束缚,实现了信仰的飞跃。曾任英国科学皇家学会会长的斯托克(Sir George Gabriel Bart Stockes)是牧师之子,常因信仰受他人责难,所以他上学后就开始反对父亲的信仰。但因信仰而使他常问自己的话"在时间无穷的列车里,我将置身何处?"却挥之不去。在他成名以后,正是这句话使他降服在耶稣面前。他曾与无神论者休膜(David Hume)力辩,也曾向造访的达尔文(Charles Darwin)传福音。"热力学之父"凯尔文是十岁就上大学的天才。十六岁时,他读到德国天文学家凯普勒的心路历程:"这位德国的科学家从小就以天才著称，但是愤世嫉俗，与世格格不入。……后来，他发现问题的关键在于：他内心深处在寻找必须的永恒。于是，他不再看地上的人、事，转而研究天上星辰运动，因此宣告神的作为在那里！"这个短短的见证，把凯尔文引上信仰之路。从此，他把科学和信仰紧密结合起来。他不仅力挽狂澜，决不随声附合达尔文的进化论，也常在自己的研究报告中提到信仰。发表热力学第二定律时，他引用《圣经》的话："天地都要如外衣渐渐旧了"（诗102:26），表示自然过程中熵的增高。他二十八岁发表热动力理论时，在报告中写到："上帝在这个时代还行神迹吗？是的！科学知识来自上帝，放在我们心中，使我们能够了解。过去，他把异象放在先知的梦中，现在他把知识放在人的心中，使人能建立理论以说明这个世界的真实。人的理解心智，是上帝创造的。" [26]

不可否认，出身于基督教家庭，从小耳濡目染，少有无神论与有神论的冲突，不会有太多的理性挣扎，比较容易接受基督信仰；也确有人是在这种环境中"糊里胡涂"地成了基督徒的。然而很难想象，那些有高度智慧、理性、逻辑思辨能力、在科学上取得非凡成就的基督徒科学家，会在信仰上采取人云亦云的轻率态度。事实上，从上面所举的例子可以看到，他们一面努力搞科学研究，一面严肃地思考、寻求信仰。他们的信仰不是盲从的，而是经过深思熟虑的。他们知道他们所信的是谁，知道为何要信。

英国当代著名的大气物理学家霍顿(John Houghton)在谈到自己的信仰时，这样说过："有了很强的历史证据，加上千千万万基督徒的见证，也不能说服我。因为我要亲自去体验、证实我可以与神建立的个人关系。那么，我需要的是怎样的证据呢？很少有人像使徒保罗，突然看见属灵的事实如刺眼的光芒，照亮了整个信仰的心田。多数人走向信仰的过程比较长远，就像人与人的关系一样，一见钟情到底比较少，多数人是逐渐地认识到神的真实的。所以，我个人的论点包括历史的证据，历代教会的经验，再加上我个人的体验，都是贯穿一致的体系。有了信仰的观点，历史的基础是否重要呢？有人认为关系不大，他们觉得信心可以胜过历史而独存。但大多数的基督徒，连我在内，却认为必须有历史的根基，否则信仰不能成立。正如使徒保罗在初期教会就说：'若基督没有复活，我们所传的便是枉然，你们所信的也是枉然。'（林前15:14）历史的基础与信心的经验并驾齐驱，相辅相成，缺一不可。"[27] 这番话颇能反映历代基督徒科学家们在信仰问题上所持的严肃、审慎和执着的态度。

此外，不少科学家是在科学研究中认识神、完成从无神论到有神论的思想飞跃的。

英国科学家虎克(Robert Hooke)因制造第一台显微镜、第一台真空抽气机、第一支水银温度计、第一架天平等等，而家喻户晓。但虎克的信仰之旅却很有传奇色彩。他的父亲是一个小岛上的牧师，家境贫穷。加之，他是天生残疾，从小就在苦中挣扎。他不理解，像他们这样为上帝全然摆上的家庭，反而得不到神的眷顾！他二十岁时写道："我要逃避上帝，如同逃避瘟疫一样。我恨上帝，我要对上帝说：我是无法被他感动的一位。"十年后的一天，他把一只被捏死的跳蚤放到显微镜下观察。"啊！我不禁赞赏跳蚤的美，"事后他写道，"跳蚤毛的结构，排列次序，不只是一种艺术的美，我看到一种神圣的美，一种信仰的美。"借着一只跳蚤，这个自称是"圣灵的绝缘体"的人，回到了上帝面前。[28]

爱因斯坦(Albert Einstein)则称他是在研究相对论时找到神的。他曾经说过："无限超越的圣灵，在这些细小的细节上启示他自己，而我们甚至可以用我们脆弱微小的头脑来了解。我的宗教信仰即由对他诚心的崇敬而构成的。我深深地相信有一种难以理解的宇宙所显明的、超越的理智力量的存在，这种感受构成我对神的观念。"

美国大发明家爱迪生(Thomas Alva Edison)对现代科学进步有重大贡献。米勒(Francis Trevelyan Miller)在《爱迪生传》(*Thomas A. Edison*)中说："如果没有神的启示，没有一个'舵手'，没有一个引导的力量，爱迪生决不会有一个科学的和数学的精密头脑来领悟宇宙的奥秘。天体行星在一定轨道上转动不息，千万年如一日；种种造化的奇妙，生活的繁殖，以及动物、植物、矿物的神奇不可思议，使爱迪生相信宇宙间必然有上帝。"爱迪生自己说过："我认为每一个原子必由某种智慧所掌管，所以能千变万化，成造化之妙。这种智慧乃是从一个比我们更伟大的能力而来。上帝的存在，在我是几乎可以用化学来加以证明的。"他虽未归向于任何正统的信仰，但敬畏上帝。他在自己的实验室曾写了一篇座右铭，其中说："我深信有一位全智全能的、充满万有的、至高至尊的上帝的存在。"

赫乔父子威廉(William Herschel)和约翰(John Herschel)都是大天文学家。威廉发现了双星和天王星，约翰发现了五白多个星云。宇宙的奇妙使他们敬畏神，他们常说宇宙是神精巧杰作的证据。证据是那样明显，以至威廉认为，不信神的天文学家的神经一定有点问题。[29]

曾任牛津大学大气物理系主任、英国国家气象局兼太空中心国家地球观测计划董事会董事长的霍顿博士深有感触地写道，"我多次提及神启示的两本书：《大自然》及《圣经》。《圣经》特别借着耶稣启示神自己。对我来说，最能激发敬拜之心的经验是同时默想这两种奇妙的启示。当我翻阅一页页的彩色天文图片，看着那些通过望远镜或宇宙飞船拍摄的行星和星云，或者欣赏那从太空实验室或同步卫星自动相机所拍摄的色彩变幻的地球时，我看见宇宙的浩大和太空运作之精妙。我的理性饱受激荡，同时我的感情和想象力也受这些科学观察的激动，我不得不感到惊叹和谦卑。"[30]

1999年7月20日，美国阿波罗11号航天员阿姆斯特朗
(Neil A. Armstrong)和同事们在华盛顿特区的史密斯松尼
太空博物馆(Smithsonian Institution, National Air and
Space Museum)欢聚一堂，并接受高尔副总统颁发的蓝利
金质奖章，表彰他们三十年前首次登月谱写的人类历史新
篇章，把人们又带回难忘的六十年代。对那一段太空研究
发展史，在韩伟等著的《科学理智与信仰》（台北：宇宙
光出版社，1989）一书中有精采描述。下面的三段记载就
摘自该书。

1961年4月12日前苏联宇航员加加林(Yuri A. Gaga-
rin)，驾驶载人人造卫星沃斯托克1号(Vostok 1)，用八十
七分钟成功地绕地球的轨道运行一圈后，太空时代宣告开
始。前苏联领导人赫鲁晓夫挟太空优势之威，在同年的联
合国会议上的蛮横态度使美国大为震惊。朝野一致努力，
美国的太空事业迅速发展。

1968年12月下旬，美国阿波罗八号的三位航天员首次
冲破地球的引力进入月球轨道，然后又冲破月球的引力回
到地球，为登月铺平了道路。圣诞节清晨他们在太空中轮
流朗诵〈创世记〉1章1-10节。美国邮政局为了纪念这次
飞行曾发行纪念邮票，邮票图案中央赫然印着四个字"In
the beginning God……（起初，上帝…）"。1969年7月
20日10时56分，阿波罗11号的航天员阿姆斯特朗的左脚
踏上月球，实现了人类登月的梦想。他和另一位航天员艾
德林(Edwin E. Aldrin)在月球表面漫步两个多小时，艾
德林在月球上通过卫星转播站向人类发出呼吁："无论你
在何处，请暂时停下来，向上帝表示感谢吧！"他们朗诵
了〈诗篇〉第8篇的诗句："我观看你指头所造的天，并
你所陈设的月亮星宿，便说：'人算什么，你竟顾念他？
世人算什么，你竟眷顾他？'"然后将〈诗篇〉第8篇留
在月球上。

1971年7月31日，阿波罗15号的航天员施高特(David R. Scott)和欧文(James B. Irwin)第四度登月，并驾驶耗资近四千万美元的月球车在月亮上探测六十七小时，搜集了大量资料，被誉为"首次真正的月球探险"。正处在事业巅峰的欧文上校在完成此次飞行后，突然向太空总署递交了辞呈，进入神学院学习。后来他到各处传讲神的福音。他说：当我们飞向月球时，"身后的地球最初还可以清晰地看到海洋、白云、和山脉，美丽极了，就像圣诞树上的装饰。但四个小时后，地球却小得像篮球，不久又缩小成为棒球、乒乓球……这时我才突然发觉自己是这样快地离开地球，内心的感触真是无法形容。……神既然应许我安然返回地面，是要我与各位共享一件事情：神多么伟大，人多么渺小，他也充满了爱。我有独特的权利看见神奇妙的创造，因此神在我身上有特别的旨意，要我对男女老少传讲：神爱世上每一个人，甚至将他的独生爱子耶稣基督赐给我们"。"[31]

前面曾提到的美国水星计划及双子星计划的总执行者勃克博上，在美国第一位航天员格林被发射到太空的那一周（1962年2月），仍在带领教会的查经班，因为当时他正担任教会主日学的校长。在肯尼迪角主持宇宙飞船发射后第二天，他便搭飞机回到圣路易斯城，当天晚上仍带领查经班不误。对此，他说："说实在的，我现在把如何为主而活的事情看得比我参加月球登陆计划的工作更为重要。"

在回答记者关于科学与信仰的关系的采访时，他说："我个人认为太空时代的确给予人许多好处，它是加强我属灵生命的一大因素；现在我每天读经更勤。以前我常有'到底有没有神'的问题，现在所想的已变为：神在我们身上有什么目的？我如何才能为基督做更好的见证？在我和许多科学家的交往中，还没有见到一个纯粹的无神论者。自从我们进入太空后，我觉察到许多同事们更加深了他们的信仰，很少有一天不听到人们谈及灵性问题。在以往数月里，我意识到航天人员有一种心灵的觉醒。现在他们自由地谈论属灵的事情，有的甚至告诉我，他们已经接受了基督教信仰，这是我以前做梦也想不到的。"[32]

近年来，关于宇宙起源的"大爆炸"理论，重新为人们重视，很多人开始相信宇宙不是永恒的，是大爆炸的结果。支持大爆炸理论的一个重要证据是科学家发现了存留至今的大爆炸所产生的微波辐射。为了协助解开宇宙起始之谜，美国太空总署特别设计了宇宙背景探险号（Cosmic Background Explorer, COBE）人造卫星，专门用以测量此种微波辐射。这个卫星从1989年11月开始工作。其后两年所提供的资料表明，宏观宇宙每一个方向的背景温度完全一致，均匀到万分之一凯耳温度（Kelvin）！

1992年4月，从诺贝尔奖得主群集的美国著名的Lawrence Berkeley实验室传出惊人的信息，太空物理学家史莫特博士（George Smoot）发现，COBE卫星所搜集的三亿六千万个测量资料中，只有万分之三的差异！有人称此发现为"若非有史以来最大的发现，便是世纪性的创举！"史莫特自己则公开宣称："我们所找到的是宇宙诞生的证据，""这好像睁开眼睛看到神一样。其中的秩序如此精美，如此均衡雅致，使我们想到宇宙的背后必然有其设计，""神可能是它的设计者。"世界第一流科学家称此发现为"神的手笔"（the handwriting of God）。美国著名史学家博汉（Frederic Burham）也发表评论说："现时这最先进的发现，使'神创造宇宙'这一观念，成为近百年来最受推崇的设想。"

不难看出，科学家对神的认识也经历着曲折的过程。二、三百年以前，实验科学处于萌发时期，科学家们从事科学研究的主要目的，是为了认识神、荣耀神。他们把科学研究看作是"适合礼拜天作的"神圣活动。他们的灵感来自于对神的创造的探知的渴求。牛顿、凯普勒这些科学大师在谈到他们的成功时都说，他们只是"思想神要他们想的事"，是"追随上帝的思想"而已。虎克给牛顿的信中写道："发明的灵感，有时就像圣灵的气息一样，我们不知道它从哪里来，也不知它往哪里去。它忽然来了，吹经我们多年努力、熟悉的窗口，进入我们意想不到之处。发明有时就需要这种幸运的一触，这种偶然巧合的一推。在千头万绪缠绕的中心，忽然看清那位人创造者的本意。我知道我做的每一件事，无论是蓄意的或不经意的，都是在上帝的影响下，因此我们更该竭力地去做。"[33] 为着认识神而从事科学研究，在研究中更认识神；在与神的亲密关系中得到灵感，使科学研究不断有所发现、有所进步，因而更敬畏神。《圣经》说，"敬畏耶和华是知识的开端"，"敬畏耶和华，是智慧的开端；认识至圣者，便是聪明。"（箴1:7, 9:10）耶和华是宇宙万物和自然规律的创造者，是生命、真理、智慧和知识的源头。敬畏、亲近他，可以得到更多的灵感和洞察力。认识、追随这位至圣者的人，是有真智慧的人。上述科学大师们，用自己的科研实践和心灵更新，为这句经文作了很好的注释。

当现代科学取得瞩目的成就后，有人再度骄傲起来。随着人文主义世界观的抬头，达尔文的进化论风靡全球。科学界不少人开始抛弃神，反对超然的造物主的存在，强调宇宙的永恒性，视人是这永恒宇宙的主宰。人们再次利用科学研究向上帝争权，将科学研究与敬拜神相分割、相对立，陷入无知、迷惘之中。

当科学家有重大发现时，会受到各种奖赏和称赞，这本是无可非议的。但同时也应该想到，他们只是发现了这些规律而并非创造了这些规律。崇敬规律的发现者而冷漠规律的创造者是很不符合常理的。比方说，有一位造诣极高的画家，画了一幅美妙绝伦的画，并将它精心裱帧，装入镜框，挂在客厅的墙上。一天一位客人在客厅见到此画，为之倾倒，立即叫亲朋都来欣赏，大家都赞不绝口，并热烈地祝贺这位客人竟然有幸发现此画。但此画出自哪位画家之手却无人问津，以为该画也许是自然形成并自己挂到墙上去的。我想，没有人相信这个比喻在生活中会真正发生，因为太不合逻辑。但是，一些很有理智的科学家在科学与神的关系上所持的观点，却正是这样不合逻辑，不合理性。

当科学再度向纵深发展时，复杂、浩瀚、精妙的宇宙，使不少人不得不再一次去思考、面对宇宙背后的设计者。这在天文物理学界尤为突出。加拿大天文学家Hugh Ross说："我和很多研究宇宙特征的人谈过话，也读过许多有关的书籍和论文。其中，没有一人否认宇宙不多不少是为适合生命而斧凿出来的。天文学家很自然地倾向独立和抨击一切信仰。只要有机会否定，他们就会把握。但宇宙的精雕和细琢，证据确凿，到如今我还未听过任何异议。"他列举了许多天文学家有关的谈话。[34]

因发现宇宙背景辐射而获诺贝尔奖的物理学家彭西亚(Arno Penzias)说："天文学带领我们看到一件独特的事件，那就是：一个从无有中被造出来的宇宙；这宇宙有精密的平衡，供应着容许生命存在的条件；同时，这宇宙背后是有一个根本计划，也可以说是一个超然的计划。"

宇宙学家罗夫曼(Tony Rothman)在一部著作的结论中写道："当中世纪的神学家，用亚里士多德的观点定睛仰望夜空时，他们看见是天使使宇宙和谐运作。今天，现代宇宙学家则像爱因斯坦一样，他们凝视着同样的天空，却看见上帝的作为透过大自然的常规表露出来，而非透过天使……当我们面对宇宙的规律和美丽，以及自然奇妙的巧合时，我们很容易有一种冲动，要用信心跨过科学进到宗教去。我肯定很多物理学家曾这样想过，我只希望他们会坦白承认。"

英国天文学家戴维斯(Paul Davies)逐渐从无神论转而承认："物理学定律本身似乎已是非常高明设计的产

品"；"对我来说，强有力的证据说明背后必有玄机……好像有人把大自然的数字精调来创造宇宙……这设计给人的印象实在是震撼性的。"

原宣称"宇宙就是一切"、毫不犹豫地反对基督教的英国天文物理学家荷尔(Fred Hoyle)现也无奈地说："一位超智慧者在玩弄着物理、化学及生物学。"天文物理学家基福(Robert Griffiths)则风趣地说："如果我们要找无神论者辩论，会到哲学系去，物理系派不上用场"。

科学的发展并没有使每一个科学家认识神，但确实有一批有成就的科学家，在研究中看到神的伟大而真正谦卑下来。

天文学家凯普勒说："我们天文学家们是全高无上之神在大自然方面的代理人。大自然提供我们研究的机会，并非让我们自命不凡，而是为了荣耀神。"[35] 热力学家凯尔文说："人类承认自己所知的有限，是科学最关键的原理。"[36]

因用油滴实验证明电子的存在，和其所携带的电荷，而获诺贝尔物理奖的米立根(Millikan)说得更加清晰，"人的宗教性是与生俱来无法逃避的。因为宇宙超过科学知识的范畴，非人类智慧所能窥测。这人类智慧不能窥测的范畴便是宗教的领域了。……人类智慧有限，不能完全明白宇宙终极的奥秘。……真正的现代科学，应当服从上帝、学习谦卑。"[37]霍顿博士形象地把科学与信仰（《大自然》与《圣经》）喻为人的双眼，"当我们将神的两种启示，揉合一起来看事物，好像用两只眼睛看见的立体感，新的深度和真实就出现了，新的属灵境界也显而易见了。"[38] 科学能使人们从敬拜受造之物的迷信中醒悟过来，转而敬拜创造天地万物的造物之主。

有人说，科学的终点就是信仰的起点。此话富于哲理。美国国家航空及宇宙航行局（NASA）、太空研究院的创始人泽斯爵博士(Robert Jastrow)，在《神与天文学家》(*God and the Astronomers*)一书中说过一段令人铭心刻骨的话："对于一个靠理性的力量而生活的科学家而言，这个故事的结局像是个恶梦。他一直在攀登无知之山，并且快要到达巅峰。当他攀上最后一块石头时，他竟受到一群神学家的欢迎，他们已经在那里恭候无数个世纪了。"[39]

基督教信仰的超越性

○ **何谓科学主义？** 有人会想，如果按前面论及的科学与信仰的关系，每一个科学家都应成为虔诚的基督徒才对，为什么现实并非如此呢？这是一个好问题。其答案是：科学至上的科学主义世界观，是阻碍一些科学家认识神的一个重要原因。什么是科学主义呢？何天择博士在《人从哪里来》一书中，对科学主义这样描述说："将科学局部的知识视为人类全部的知识，将科学有限的范围视为唯一的境界，将科学相对的学说视为绝对的真理，并以为在科学之外的其它学问都没有研讨的价值。以为科学可以解决人生一切问题，所以高唱'科学万能'。这便是科学主义。"[40] 笔者认为这是很中肯的。

现代科学的发展对人类进步所起的重要作用是无可置疑、有目共睹的。不幸的是，自从人们在科学研究中开始抛弃神后，科学家对神这位造物主的崇拜，便逐渐演变为对受造的科学规律和受造的人的理智的崇拜。人把自己当作宇宙的主宰，把科学方法看作是检验一切真理的唯一标准。科学成了二十世纪的新宗教，被无数人盲目地顶礼膜拜，视为神圣不可侵犯。

我们经常可以看到这样的现象：如果一个科学家举办讲座，听众不管是否听得明白，都无条件地接受；而且，往往越听不懂越是自叹不如：这道理太高深了，这个科学家的知识太渊博了！从不对科学家所讲的东西置疑。相反，如果是一个神学家讲道，无论他讲得如何清晰易懂，如何有根有据，人们也会疑云满布，百般挑剔。

　　科学主义的产生除了摒弃神这个主因外，也有认识论、方法论的根源。前面已经谈过，现代实验科学的主要方法是演绎法和归纳法。归纳法以观察、实验开始，从大量资料中找出规律来。演绎法虽以假设开始，却一定要以观察、实验的资料加以验证。因此，在科学研究中，始终十分重视实证，这是完全正确的。然而，如果把这种重实验资料的研究方法，不恰当地由物质世界扩展到灵性世界、由研究被造的自然界扩展到探知造物主时，就成了谬误。

　　○ **科学的局限性**　　科学不是包治百病的灵丹妙药。科学(尤其是实验科学)的局限性有如下几个方面。首先，科学研究的对象必须是可以重演的(reproducibility)、被动的(manageability)和可以量度的(observability)。我们得到的实验结果必须可以不断地重复。如果我们公布一个新发现，而他人无法在相同的条件下得到相同的结果，这个新发现是不会得到公认的。但是，历史上发生过的事件（如辛亥革命），个人一生中只发生过一次的经历（如初恋）和业已完成的事情（如生命的起源），都无法重演，因此不能用科学加以研究。

　　所谓被动性是说，当研究者改变一个实验条件，被研究的对象一定要作出相关的反应。这样，人们才能发现各事物之间的联系。如果，无论我们如何改变条件，被研究对象或无动于衷或乱变一通，研究工作就无法进行。神不在我们的控制之中，而且远远高于人，所以我们不能用科学方法去研究神。

　　另外，被研究的对象一定可以量度，如长度、大小、重量、强度等等。一次和一位朋友谈到此点时，我说：“爱是无法用科学方法研究的，因为爱无法量度。”他立即反驳说：“爱是可以用科学方法研究的！据说科学家已经发现，当人表现爱时，会发出一种波。”我说：“至今为止，我尚不知道爱可以用波来测量。即便真是如此，这恰好证明了我的论点：只有可量度的东西，科学才能研究。"对方听后先是一楞，尔后哑然失笑。研究对象的限制，使科学研究不仅是有范围的，而且范围是狭窄的。科学研究得到的知识只是人类知识的一部分。

其次，科学研究的成果是中性的。科学成果，如化学物质、细菌培养、原子能等，既可造福于人类，又可成为人类互相残杀的武器。而且科学发展使生态破坏、环境污染、能源枯竭等问题日趋严重。

第三，科学研究对灵性世界鞭长莫及。在第一章里已谈到，和物质世界一样，灵性世界是一个客观实体。灵界中有神，有灵界的受造物天使和部分天使堕落后变成的魔鬼撒但等邪灵。灵界存有的智慧远远高于人类的智慧。科学中有一条"铁律"：证明、研究者，一定要大于或等于被证明、研究的对象。相对于灵界，人类既无量度标准可用，其智慧又远所不及，科学只有望洋兴叹。"神是个灵，所以拜他的必须用心灵和诚实拜他。"（约4:24）心灵和诚实是认识神的唯一途径。

第四，科学无论如何发展，也无法解决人心和道德问题。纵观人类历史，科学事业一直在向前发展，近二、三百年尤为显著。但是人的道德水准并没有随科学发展而相应地提高。相反，科学愈发达，人心愈诡诈，道德愈沉沦。

当今的美国就是例子。难怪在美国太空事业取得辉煌成功时，当时的美国总统尼克森在就职典礼和国情咨文中多次大声疾呼："我们固然在征服外层空间方面需要更大的抱负，同样地，我们也需要征服我们的内太空——人类的内在心灵。"尼克森是受人尊敬的、富有远见的政治家。不幸的是，他因水门事件下台，在内太空征服战中败下阵来。然而，征服内太空的必要性是随时可见的。

一篇文章曾谈及纽约的公共汽车问题。在上、下班的高峰期，公共汽车十分拥挤，等车的人拼命想挤上车；一旦上车后大都堵在车门口，希望方便下车。为了使更多的乘客能上车，司机请车门口的乘客向空着的中间移动，但不管他如何劝说，毫无功效。司机不禁长叹，"我们已经可以把人送上月球，却无法让人从车门口向车中间挪步……"。

第五，科学研究的结论并非总是客观、可靠的，因它们必然为科学家的道德水准和信仰体系所左右。由于各种私利的影响，科学界作假的事屡屡发生。虽然被揭露的仅是少数，但这类丑闻仍常常曝光，中外科学家皆不例外。更重要的是，从假设、实验方法到对资料的取舍、得出结论，无不受到科学家信仰、世界观的影响，甚至扭曲，没有人能够超脱。达尔文提出进化论和爱因斯坦的宇宙常数，是著名的例子（详见第六章）。

○ **科学与神迹**　科学是研究神的正常作为；当神不按他所造的自然律行事时，神迹就发生了，科学就无能为力了。因此，有人将科学和神迹对立起来，但这是大可不必的。有神就必有神迹。其实，自然规律和人自身，就是我们看惯了的神迹。按《圣经》记载，大洪水之后，"挪亚为耶和华筑了一座坛，拿各类洁净的牲畜、飞鸟，献在坛上为燔祭。耶和华闻那馨香之气，就心里说：'我不再因人的缘故咒诅地（人从小时心里怀着恶念），也不再按着我才行的，灭各种的活物了。地还存留的时候，稼穑、寒暑、冬夏、昼夜，就永不停息了。'"（创8:20-22）正是神的这个恩典和应许，从那时起，除主耶稣再来时将要发生的普世性超然现象外，别的神迹都在有限的时、空中发生；在绝大部时、空中，自然规律照常运行，科学研究才成为可能。

○ **人类与上帝**　上帝是独一无二的造物之主，人类是受造之物。人类的科学研究只是探测神所"授与"的宇宙，无法直接了解神，因他可以介入宇宙，也可以超越宇宙。科学研究可以看到神的作为，但不能见神自己；可以知道有神，却不知神的特征（一神、多神？自然神、泛神还是与人类密切相交、有位格的神？）和旨意。这些只能从神的特殊启示——《圣经》中才能明白。在认识神的过程中，划清造物主和受造物的界限是非常重要的。我们人类处在四度时空中。一度一条线，两度一个面，三度是立体，多一度就多很多内涵。神在几度空间呢？有科学家推算，宇宙的空间可能有十一度到二十六度之多。五度空间现在就难以想象了，十一度、二十六度更无从想起。何况，神还在二十六度之外呢?所以，神与人之间的差距之大，是远远超出我们的想象的。然而，人们常常抹煞神和人的区别。要不，人要升到神的位置，甚至比神还高，对神品头论足，妄加评论，要把神圈在人的理性的圈子内，否则不能信他；要不，把神拉下来和人一样高，认为人做不到的事，神也做不到：因为人不能童女生子、不能死而复活，所以耶稣为童女所生并从死里复活就根本不可能。然而，一个简单的真理是：人是受造物，必须伏在自然律下面，不能超越；神是自然律的创造者，是可以随己意改变、超越他所造的自然律的。如果能回到自己受造的本位、谦卑地仰望神，那人们离认识神就不会很远了。

○ **实证与信心**　　"拿出证据来！"不信神的人常常理直气壮地这样说，"我是搞科学的，如果有充分的资料说明有神，我就信！"大家习惯于"眼见为实"；搞科研的人更强调实证。所以，对五官不能感受的神的真实性总是心里存疑。这些是可以理解的。然而，即便是实验学科，定律也并非仅仅是资料、资料的归纳。爱因斯坦的相对论的两个前设并不是基于实证，而是后来才被证实的。数学是极为严谨的学科，但数学的很多公理的前设都是未经证明、甚至无法证明的。如果要求首先证明这些前设，数学研究就不可能进行。更重要的是，所有实验科学的共同大前提是"自然划一原则"(principle of uniformity of nature)，即，自然规律是宇宙性的、不变的。这个原则

早已被人们视为理所当然。没有这个原则，一切科学研究
都不能进行。但这个原则是未经证明、也无法证明的。巴
斯噶说："如何证明人知道自己有一天会死？如何证明明
天太阳一定会再度升起？这种深入我们下意识的，就是一
种说不出的信心。"自然划一原则正是源于基督教的独一
真神的信仰，源于人们对神的信心。所以，没有信心，寸
步难行。我们对神的信心不是盲目的。《圣经》说："信
就是所望之事的实底，是未见之事的确据"（来11:1）。
信心是一种确据。我们信神的确据就是：《圣经》都是神
的启示，耶稣从死里复活的历史事实，以及千百万基督徒
的生命见证。有了这种确据，我们就可以产生信心飞跃，
相信那"看不见"的神。

　　○ **理性与灵性**　　人不仅有感性、理性，更有灵性。
人是有灵的活物。神是个灵，我们要用心灵和诚实去拜
他。神是要用灵性去悟的。很可惜，人们常常不是用灵性
提升理性，反而用理性压抑灵性。有时，有人的心灵已悟
到圣灵的启示，要相信耶稣，但理性马上泼冷水："别头
脑发热！想清楚了再说！"基督教信仰并不排斥理性，是
包含理性、超越理性的。有人坚持说，要弄清楚了才信，
看见了才信。殊不知，在信仰问题上，逻辑恰恰相反：信
了才能明白，信了才能看见！因为，"属血气的人不领会
神圣灵的事，反倒以为愚拙；并且不能知道，因为这些事
惟有属灵的人才能看透。"（林前2:14）"圣灵参透万
事，就是神深奥的事也参透了。……除了神的灵，也没有
人知道神的事。"（林前2:10-11）不信耶稣时，我们都是
属血气的。"你们既听见真理的道，就是那叫你们得救的
福音，也信了基督，既然信他，就受了所应许的圣灵为印
记。"（弗1:13）每个相信耶稣的人都因得到圣灵进住，
成为属灵的人。许多基督徒都见证说，信耶稣后，过去很
多无法弄清楚的问题都烟消云散了。一位理论物理学博士
走过了超越理性的信仰路程后，他在一本书里谈到一个生
动的例子。外层空间有一种奇特的现象。人们在宇宙飞船
里回头望，可以看到耀眼的太阳；如果转头向前看，不是

一片灿烂阳光，而是异常的黑暗。因为外层空间没有粒子，不能将阳光折射或漫射到人们眼里。但是，如果你相信外层空间的黑暗里充满了阳光，马上就能看见：只需把手伸出船舱，手就闪闪发光。如果你什么也不做，非看见才相信黑暗中有光，那就永远看不见！[41]

注 释

1. 《语文》初中课本第五册，北京：人民教育出版社，1987，页103-106。

2. 刘大卫著，《自然科学与信仰》，台北：雅歌出版社，1996，页21-28。

3. 张文亮著，《科学大师的求学、恋爱与理念》，台北：校园书房出版社，1996，页73-74。

4. 金新宇著，《科学与基督教》，香港：宣道出版社，1990，页10-12。

5. 周功和著，《基督教科学观》，台北：中华福音神院出版社，1993，页82。

6. 有作者认为，拉普拉斯这样说，并不表示他是无神论者；拉氏认为神是超越的，人们不可能在一般物质性的运作中直接看见他的显现（参见 Roger Foster and Paul Marston 著，《问得好》，孙述寰、詹正义译，美国：活泉出版社，1997，页45）。本文不是探讨拉普拉斯是无神论者、自然神论者，还是其它；而是指出：他认为人单凭自己的智慧和理性，就可以认识整个宇宙。

7. 韩伟等著，《科学理智与信仰》，台北：宇宙光出版社，1989，页238。

8. 海弗莱著，《科学家相信神》，刘家玉译，台北：中国主日学协会，1980，页79。

9. 同8，页79-80。

10. Jean S.Morton 著，*Science in the Bible.* 1978. 陈永成译，《圣经中的科学》，台北：中国主日协会，1980。

11. 余国亮著，《物理学家看圣经》。香港：道声出版社，1987。

12. 崔振华主编，《天文博物馆》，中国郑州：河南教育出版社，1995，页38。

13. 同 5，页 52。

14. 潘柏滔著，《进化论——科学与圣经冲突吗？》。美国：更新传道会，1987，页 234-235。

15. 张文亮著，《我听见石头在唱歌——科学大师的求学、恋爱与理念（二）》，台北：校园书房出版社，1998，页 79。

16. 同 15，页 83。

17. 同 15，页 87。

18. C. B. Kaiser, *Creation and the History of Science*. Grand Rapids: William B. Eerdmans Publishing Co., 1991, p. 127.

19. 同 11，页 180。

20. 同 3，页 134。

21. 同 3，页 90-93。

22. 同 3，页 39。

23. 同 15，页 179-180。

24. 林语堂著，《信仰之旅——论东西方的哲学与宗教》，胡簪云译，香港：道声出版社，1991，页 14

25. 同 24，页 258，259。

26. 参见 3，4。

27. John Houghton 著，*Docs God Play Dice?— A Look at the Story of the Universe*. InterVarsity Press, 1989. 钱锟译，《宇宙：神迹或机遇》，香港，福音证主协会，1992，页 73-71。

28. 同 15，页 32-35。

29. 同 11，页 179。

30. 同 27，页 143。

31. 这段话引自 6，页 242-243。一位读者曾来信说，地球比月亮大，因此在月亮上看地球一定比在地球看见的月亮更大，不可能像棒球、乒乓球那么小。的确，月亮的半径只有地球半径的四分之一稍长，其体积只有地球的五十分之一。所以，在月亮上看到的地球一定远比棒球、乒乓球大。我查对后，发现引文，没有引错。再仔细阅读，引文没有说是在月亮上、而是在飞行途中看地球像棒球、乒乓球那么大；如果当时宇宙飞船离地球比月亮与地球的距离更大，就有可能。因为现不知飞船的轨道，所以无法澄清。希望将来有机会了解。但笔者衷心地感谢这位读者的细心和认真。

32. 同 8，页 81-82。

33. 同 15，页 35。

34. Hugh Ross 著，*The Creator and the Cosmos*. NAV Press,
    Colorado Springs, 1995. 李柏基译，《混沌初开——从科学
    观点论创造》，美国：中信出版社，1998，页 61, 104, 134-
    139。

35. 同 11，页 179。

36. 同 15，页 57。

37. 同 11，页 179。

38. 同 27，页 144。

39. Robert Jastrow 著，《上帝与天文学家》，唐兴礼译（中国
宁夏人民出版社，2008 年），第

    93-94 页。

40. 何天择著，《人从那里来——进化论与创造论初探》，台北：
    宇宙光出版社，1992，页 9-10。

41. 李清义著，《飘浮的苹果》，台北：宇宙光出版社， 1995，
    页 98-100。

第六章

创造论与进化论

前面几章已经提到，自从1859年达尔文发表《物种起源》(*The Origin of Species*)后，进化的思想像野火一样迅速在思想界、科学界蔓延，对《圣经》所启示的创造论提出空前的严重挑战。虽然《圣经》的历史性已被考古学的证据充分证明，不少人仍把进化论当作科学真理，认为创造论不符合科学，是无法接受的。进化论成为许多知识分子接触、接受基督教信仰的阻拦。在谈论信仰时，不能不涉及创造论和进化论的论战。

有关这方面的专著中，潘柏滔博士所著的《进化论——科学与圣经冲突吗？》对进化思想的发展史、达尔文进化论的证据、基督徒对进化论应有的态度等都有详尽、全面的论述，资料丰富，分析中肯，值得认真阅读。由于创造论和进化论涉及面很广，本章仅就笔者自己在思考过程中认为比较重要的层面加以阐述，与大家分享。

一、进化论是尚未被证实的假说

进化论被写进很多书里，不少学校也在课堂上宣讲进化论。人们自然会认为进化已是事实(the fact of evolution)，认为进化论是科学定律。其实，这是一种误解。进化论并不是科学规律，它只是达尔文基于他观察到的一些现象而提出的一种假说。这个假说并没有被证实，目前正受到严重的挑战。

上一章谈到，科学研究（尤其是实验科学）的对象所必备的一个条件是重复性。宇宙、生命、人类的起源是已完成的事情，无法重复，故已超出科学研究的范畴。宇宙是进化来的还是由神创造的这一问题，科学无力作答。对此，进化论学者和创造论学者都有相当的共识。

亨利·莫瑞博士(Dr. Henry M. Morris)指出："最近再版的达尔文的《物种起源》的序言里，英国进化论领导人之一的生物学Mathews教授承认：'相信进化与相信特殊创造完全一样——两者都被信者确定为真，但至今却没有办法能加以证实。'"[1]

所以，进化论只是一种假说，一种没有被证实、也无法用科学研究的方法加以证实的假说。这一点是首先需要澄清的。

二、两种模式

既然进化论和创造论不能用科学方法证明或否定，关于起源的看法是凭信心而不是凭眼见建立的。这并不意味着我们不能客观地、合乎科学地来讨论起源问题。因为我们的信心不应该是凭主观意愿或轻率、盲从的，而是基于对客观事物的观察、分析和思考而建立起来的。基督徒接受创造论是因为他们有充分的理由相信《圣经》是神的话语，相信《圣经》是完全无误的。《圣经》明白地教导说，"起初神创造天地。"(创1:1)同时，他们也确信，神启示人类的两本书——《圣经》和大自然决不会相互矛盾而是相辅相成的。随着科学的发展，人们一定会越来越清楚地认识到，宇宙万物是神创造的而非无目的地依机遇进化来的。

为便于分析比较，我们可以建立两种关于起源的模式，即进化模式和创造模式。进化模式是：宇宙是一个无始无终、自给自足的封闭体系；其中有自生自长的律，使一切可以由简到繁、由紊乱到有序、由低级到高级不断地进化、发展；这种进化、发展至今持续不断。创造模式是：宇宙万物由超然的造物主所创造和维护；现在，创造过程已完成，进入了护持阶段。本章将着重讨论有关宇宙起源、生命起源和达尔文的"自然选择"（或"物竞天择"）等方面的科学观察及成果。现代科学的资料更符合哪一种模式，那么，该模式可以作为较正确的模式予以接受。

三、热力学定律

热力学第一定律和第二定律是科学界公认的宇宙普遍规律。能量守恒定律是说，能量可以由一种形式变为另一种形式，但其总量既不能增加也不会减少，是恒定的。二十世纪初爱因斯坦发现能量和质量可以互变后，此定律改为能质守恒定律。这个定律应用到热力学上，就是热力学第一定律。这一定律指出物质和能量既不能被消灭也不能被创造，一度曾被无神论当作宇宙永恒的根据。

热力学第二定律是描述热量的传递方向的：分子有规则运动的机械能可以完全转化为分子无规则运动的热能；热能却不能完全转化为机械能。此定律的一种常用的表达方式是，每一个自发的物理或化学过程总是向着熵（entropy）增高的方向发展。熵是一种不能转化为功的热能。熵的改变量等于热量的改变量除以绝对温度。高、低温度各自集中时，熵值很低；温度均匀扩散时，熵值增高。物体有秩序时，熵值低；物体无序时，熵值便增高。现在整个宇宙正在由有序趋于无序，由有规则趋于无规则，宇宙间熵的总量在增加。

热力学第二定律告诉我们，宇宙不是在进化，乃是在退化之中。曾长期在美国西北大学执教的物理学家贝克博士（Dr. Edson Peck）指出，"我们的宇宙中熵值有增高的倾向"，"我们有充分的理由相信，宇宙像一个发条逐渐慢下来的大时钟。"[2] 诚然，我们也可以观察到一些暂时逆热力学的自然现象，如生命现象。动、植物由受精卵开始，从简到繁、从不分化到分化，最后成为一完整的动物或植物。之所以说"暂时"，是因为这些动、植物最后也要衰老、死亡和解体。

暂时逆热力学的生命现象需要两个必备条件。第一是要有蓝图或指令。这就是在精子和卵子的DNA中所携带的来自父母双方的遗传基因。在这些基因的调控下，一颗绿豆发芽长成一株绿豆苗，鸡蛋孵化后成为一只小鸡。第二是要一个能量转化系统，以供给发育时期所需的能量。光合作用、消化作用、血液循环和呼吸作用等都是这样的转化系统。

进化论者认为，地球是开放系统，可以不断从太阳吸收能量以弥补在熵增高的过程中所消耗的能量，因而进化与热力学第二定律并不矛盾。但是，他们把能量的多寡与能量的转化相混淆了。问题不是太阳是否有足够的能量维持进化过程，而在于太阳的能量怎样用来维持进化过程。如果把一头野牛放进一家瓷器店，野牛用它巨大的能量在店内作功的结果只能是一场破坏。同样，如果盖一座楼房没有设计图纸，没有建筑师统一指挥，乃是让各种机器自由运作，让人们把水泥、砖头随意堆砌，楼房根本无法盖成。

如果进化是宇宙的普遍现象，那么在宇宙中一定有宏大的指令系统和能量转化系统，使万物能逆热力学第二定律，由无序到有序、由低级到高级不断地进化。但是，人们在宇宙中找不到这样的系统，故进化的模式是与热力学第二定律直接相冲突的。

四、宇宙的起源

虽然起源问题无法直接用科学的方法重演，但科学家们仍在观察、推理的基础上对宇宙的起源提出各种假说。现在，人爆炸论被广泛地接受。李志航博士在《科学对基督教的挑战》[3] 和梁斐生博士在《真金不怕洪炉火》[4] 两本书中对此都有引人入胜的论述。

宇宙不是永恒的

十九世纪三十年代初期，德国医生奥伯斯(Olbers)从一个简单的观察中提出宇宙不是处于衡定状态的假说。大家都知道星与星之间的夜空是完全黑暗无光的。奥伯斯首先想到，这说明于由中星球的数目是有限的，不能使宇宙的每个角落都发光。其次他假设，由于星球之间的万有引力，星球之间的距离会越来越小；或者由于什么尚不清楚的原因，万有引力会被抵消，使星球间的距离不断加大，即宇宙可能在膨胀。但这种假说未引起当时科学界的注意。

本世纪二十年代，美国天文学家观察到了红移现象(red shift)。他们发现距地球很远的星球或星系射到地球的光比离地球近的星的星光弱而且较偏红色，即偏向可见光中的长波光谱。在声学上有一种现象叫做都普勒转移(Doppler effect)：当一个运动物体接近我们时，我们收到的它的声波频率偏高；当它远离我们而去时，我们收到的它的声波则偏向低频。一个最常见的例子是，当火车驶进站时，站在月台上的人听到它的鸣笛十分高亢；当它离站驶去时，笛声则变得低沉。因此天文学家们把红移现象解释为：远处射出红光的星球正在以高速度远离地球。

几年后，爱因斯坦于1917年发表了著名的普遍相对论，震动了科学界。一些科学家发现相对论的公式包含有宇宙不恒定的结论。但爱因斯坦不同意此见解，他当时以为自己的计算有误差，于是在方程式中又加进一个常数，以抵消宇宙有不断膨胀或收缩的可能性。

1931年，美国天文学家哈博(Edwin Hubble)用当代最大的二百英寸天文望远镜惊奇地发现在银河系外还有千千万万个天河系，而且这些天河系明显地不断迅速向外扩张。在事实面前，爱因斯坦承认他在相对论公式中所加的宇宙常数是他一生中最大的失误。尽管他感到有些刺激，并认为不尽合理，仍勉强地接受了"宇宙有个原始的必须性"的假说。由于理论和观察都提供了充分的证据，此后科学界再不怀疑宇宙确实是在膨胀了。

大爆炸理论的确立

基于宇宙在不断膨胀的事实，早在40年代，旅美俄裔物理学家伽莫(George Gamow)等科学家就预测说，只有一个从近于无限高温迅速冷却的宇宙，才能合理解释质子和中子的融合，以致产生今天这个含73%的氢、24%的氦、和3%的重元素的宇宙；如果宇宙是由大爆炸产生的，在整个宇宙都可以测量到绝对零度-273°C以上约五度的微光。[5]只是，他们的预测并未引起应有的重视。当时，一般实验室没有足够精密的仪器在如此低温下来侦测这种微波。

1964年，美国电讯公司的贝尔(Bell)研究所的两位科学家彭兹雅(Arno Penzias)和威尔逊(Robert Wilson)用一种敏感的天线装置测量银河系的电波时，记录到很多杂音。他们一直以为天线有毛病。但天线经过彻底检查、确保无误后，这些杂音仍然存在，而且从各个方向测量的结果完全一样。这种杂音的强度所代表的温度是-270°C左右。

与此同时，以狄克(Robert Dicke)为首的美国普林斯顿大学的一群物理学家也在寻找太空微波。他们理论计算的结果是，如果宇宙是由大爆炸而来，其遗留的爆炸微波所代表的温度应是-263°C左右。有趣的是，这两个研究小组并不相通，而且他们都不知道伽莫等人在1948年所作的计算。一个偶然的机会，他们得知了彼此的研究情况，并认为彭兹雅和威尔逊接收到的杂音正是大爆炸后余留至今的微波辐射！当他们的研究结果在天文物理学报上发表后，引起强烈震动。其它科学家随后所从事的观测和计算，也完全一样。由于这一震惊世界的发现，彭兹雅等获得1978年诺贝尔奖。美国太空总署发布的宇宙背景探测卫星(COBE)在大气层以上测得的资料表明，宇宙是一个完全的辐射体，与大爆炸论相符。

此外，根据大爆炸理论，宇宙中最先形成的元素是原子量小于七的元素，主要是氢和氦。氢和氦在宇宙中的比例的理论推算与现今在宇宙中测定的是吻合的。二十年来，物理学家用核子加速器研究不同核子、粒子高速碰撞的结果，用以推测宇宙形成过程中不同核子的比例，其推测结果也与今天实际观测的比例一致。

大爆炸理论是否符合客观实际，需要进一步被检验；宇宙是否有百亿年的历史，也值得商榷；该理论在细节上也存在不少问题。但因它合理地解释了宇宙的膨胀，找到了大爆炸的直接证据；加之，按此理论推算的结论和在加速器中得到的资料，大都与在宇宙中观测的实际情况相符。因此，大爆炸理论已成为现今被广泛接受的理论。

大爆炸理论的超然性质

大爆炸理论的观点、推论和实际观测结果中，包含了许多奇特、不可思议和超越自然律的部分。对此，梁斐生博士在《真金不怕洪炉火》一书中有详尽论述。我这里只简要地举出几点。

第一，现在多数宇宙学家都认为，在大爆炸之前，只有虚无，连时间和空间也没有。可是，如果什么都没有，爆炸怎么会发生呢？而且，宇宙这种"无中生有"的起源是与热力学第一定律不相符的。

第二，前面提到，当一个过程处于初始阶段时，冷热不均衡，熵质很低，然后冷热趋于均匀，熵值不断增高。但英国著名天文学家彭罗斯(Roger Penrose)却提醒人们，原始爆炸的火球原是处于热膨胀平衡状态，具有极高的熵值。这又与热力学第二定律尖锐地对立。

第三，根据宇宙新膨胀论，在大爆炸发生后的10^{-23}秒的一瞬间，宇宙膨胀了10倍，其膨胀速度可高达10^{31}米/秒，远远地超越了相对论中的光速极限（3×10^8米/秒）。

第四，现在大多数学者对大爆炸后10^{-35}秒以后的过程已有不少共识，但对大爆炸后10^{-35}秒之内的情况却根本无法窥测。因为在这段时间内，温度极高，可达10^{32}℃，一切自然律都失去了功效。换句话说，宇宙是在超自然的状况中产生的。

另外，我们一般人都会认为，如此剧烈的大爆炸的结果，一定是杂乱无章的，就像炸弹的爆炸一样。然而实际情况却大出人的预料。美国太空总署为侦测大爆炸遗留的背景微波辐射而特别发射的卫星于1989年11月升空后两年内收集到的资料表明，宇宙每一个方向的背景温度几乎完全一致，只相差万分之一凯尔温度！到1992年，科学家从该卫星收集到的几亿个测量资料中发现，它们只相差万分之三度！也就是说，大爆炸所产生的微波细浪是出奇地均匀、平滑！这是大大超乎人们的想象的。更奇妙的是，正是从这极微小的不均匀中，各种元素、星云、星系得以产生，形成今日的宇宙！

加拿大天文学家Hugh Ross指出：科学家们发现，为在宇宙中形成生命所需的必须物质，宇宙中的很多特征一定要被精细微调。他在书中列举了人们已发现的二十五种特征。这些特征之精确，使人瞠目。比如，宇宙的膨胀率不能与现今的膨胀率相差10^{55}分之一！又比如，宇宙中电子与质子数目相等的精确度的误差是10^{37}分之一，否则宇宙的电磁力就将克服各种引力，使星体不能形成。10^{37}分之一是什么概念呢？Hugh Ross有一个形象的比喻。把十亿个北美洲大小的面积铺上一角钱的硬币，从地球一直铺到月亮那么高，其硬币的总数就约为10^{37}。把其中一个硬币涂上红漆后，再混到硬币堆里去。在这个堆里找到这枚红漆硬币的可能性就是10^{37}分之一！随着对宇宙精妙的不断认识，科学家们不能不面对宇宙的创造者。"某人精调大自然"、"超智慧"、"耍弄"、"无可抗拒的设计"、"上帝的手"、"最终的目的"、"上帝的思想"、"优美的秩序"、"非常精密的平衡"、"超然聪颖"、"超自然结构"、"超自然机制"、"合身裁剪"、"超然存在者"、"神工斧凿"等等，已成为天文学家们描述这位造物主的常用语。[6] 宇宙必有一个开始，一个超越自然律的开始。这个结论与进化的模式无法协调，却与神创造宇宙的创造模式完全吻合。

宇宙的起源和科学家的信仰

笔者过去以为，并相信现在很多学生、学者仍然以为，科学研究的结果是最客观、可靠的，因为科学家是不偏不倚、完全公允地从实验、观测资料中得出结论的。可惜，事实并非如此。这里姑且不论那些不时被曝光的伪造实验资料的丑闻。对一般科学家而言，由于世界观和信仰不同，在科学研究中总会有意无意地、或多或少地重视或偏爱自己所预期的结果，会接受和坚持那些证据并不十分充分、但符合自己世界观和信仰的假说或理论。真正要做到客观、公正，敢于在真实面前修正自己的观点是相当不容易的。这在宇宙起源的研究中也看得很清楚。

不少受人文主义影响的科学家坚持宇宙永恒、自然演化的无神论观点。在红移现象被发现、推测宇宙在不断膨胀的假说提出后不久，爱因斯坦推出相对论。当别人指出相对的公式中含有宇宙膨胀结论时，爱因斯坦不接受，以为自己的计算有误，所以特引进一个宇宙常数以消除宇宙膨胀或收缩的可能性。虽然现在有些科学家认为，作为一种反重力的因素，爱因斯坦的这个宇宙常数是可能存在的

（参见*Reasons to Believe*, 1, No.3 [Third Quarter 1999]: 3），但当年爱因斯坦加上这一宇宙常数，并非出于科学的洞见，而是信仰的支配。因为他不愿意相信宇宙有个开始。所以，在他公开承认失误，接受了宇宙在膨胀、宇宙必有个开始后，心里仍感到别扭。他在和朋友的通信中说："宇宙膨胀之说，对我有点刺激。""承认这些证据的可能性，似乎不合理。"不过，这位科学巨匠是值得钦佩的，他毕竟有承认错误的勇气。

宇宙膨胀获得充分证据后，伽莫等科学家早在本世纪四十年代就提出大爆炸论的假说，但不受科学界青睐。1948年三位英国天文物理学家邦迪(Herman Bondi)、高特(Thomas Gold)、和荷尔(Fred Hoyle)提出宇宙衡态论(steady state)，认为宇宙虽在膨胀，但宇宙可以从一个尚不知晓的地方不断产生新物质（可能是氢），以填补宇宙膨胀后留下的空间，使宇宙的平均密度保持不变。此假说并无充分的事实依据，但因它既能解释宇宙的膨胀这个事实，又表明宇宙不需要有个开始，因此立即获得科学界的广泛支持。可见，世界观有时比事实更重要。

现在，大爆炸理论已站住脚跟，衡态论已失去优势。但仍有科学家不愿接受宇宙有个开始的结论。于是，又有人提出一种新的假说：循环论(oscillating theory)。这个假说承认宇宙是由大爆炸而来，宇宙在膨胀之中；但由于万有引力，有一天宇宙不再膨胀，进而开始收缩，密度和温度不断增高后，复变成原始火球，于是又发生大爆炸。如此膨胀、收缩，周而复始，所以宇宙仍然不需要有开始。循环论也并没有什么事实根据。李志航博士在《科学对基督教的挑战》一书中指出，循环论面对两大难题。第一，除非宇宙的物质再增加十倍，否则没有足够的万有引力可以阻止宇宙的膨胀。第二，根据物理学和热力学的理论计算，如果宇宙真有不断膨胀收缩的周期，每一周期中光子对核子的比例会越来越大；如果宇宙无尽地膨胀——

收缩循环，今天光子对核子的比例应是无限大，但这显然与事实不符。

当然，也确有不少科学家在研究宇宙起源中进一步认识了神。因发现大爆炸余留的微波辐射而获得诺贝尔奖的彭兹雅(Penzias)就公开表示，《圣经》的记载和当前天文学的最佳科学佐证不谋而合。当美国著名的Lawrence Berkeley实验室的科学家于1992年发现大爆炸遗留的微波辐射是那样均匀雅致，那样精美绝伦时，他们说这好像是亲眼看到了神一样！如第五章所述，戴维斯(Paul Davies)、荷尔(Fred Hoyle)等科学家的无神论世界观正在改变之中。神一直借着《圣经》和大自然向人们启示他自己。凡真诚寻求真理的科学家都能认识他。

五、生命的起源

在生命起源问题上，创造论和进化论的观点也截然不同。创造的模式认为从原始到高级的各种生物都是由大能的神各从其类造出来的；生命只能源于生命，各种生命皆来自永生的神。但进化模式却认为生命是在漫长的进化过程中，由无机物变成有机物，由有机物演化出氨基酸、蛋白质，最后演化为最简单的单细胞生物，产生了生命。和宇宙的起源一样，地球上生命的起源已经完成，无法重复，故已超出了科学研究的范畴，无法直接用科学方法阐明。现在我们从以下几个方面来比较一下这两种模式在生命起源方面的合理性。

米勒的实验

1953年，生物界发生了两件大事。一是James Watson和Francis Crick发现了去氧核醣核酸(DNA)的双螺旋结构，揭开了生物遗传的秘密。另一件事是米勒(Stanley L. Miller)从无机物中制造了氨基酸等重要的生命所必需的物质，被认为是支持生命由无机物逐渐进化而来的"无生源论"的重要科学证据。

米勒当时是芝加哥大学的研究生。他模拟人们认为的在生命出现以前的原始地面气层的成分，在一个烧瓶中加入氢气、甲烷和氨等还原性气体和水蒸气。将烧瓶密闭后插入两支电极，通电后可以产生电火花。七天后，他从烧瓶中收集到一些有机物，其中竟有几种氨基酸！他的实验结果轰动了科学界。因为蛋白质是由氨基酸组成的；按恩格斯的说法，"蛋白质是生命存在的形式"。有了蛋白质，生命的产生就指日可待了。因此，人们以为米勒的实验所揭示的也许就是生命从无机物起源过程中的重要一步，证明生命是进化而来的。四十多年来，米勒和其它人用类似的实验方法，利用不同的能源，如紫外光、高温、震动波等，从还原性气体中获得了更多种类的氨基酸、葡萄糖、核糖、以及核酸所含的几种碱基等生物体内的重要有机物。

然而米勒的实验并不像当时许多人预想的那样，拉开了创造生命的序幕。相反，对米勒的实验的意义，人们提出愈来愈多的质疑。比如，关于反应物的浓度问题。米勒实验中所加入的反应物（各种还原性气体）的浓度远远高于原始气层中这些气体的实际浓度。反应物浓度低，则这种由无机物生成有机物的合成反应就难于进行，或者一旦合成后立即又会分解。

有人指出，按米勒和他的同事们所假设的原始气层环境计算，米勒实验中制成最多的甘氨酸的分解速度比合成速度快，因此在原始大气层中形成的甘氨酸的97%在抵达地面之前就分解了，剩下的少量甘氨酸要扩散到三十英尺深的深海中才不致被紫外光破坏。

再则，有人推算，米勒实验中的电火花在两天内提供的能量相当于原始地球表面四千万年所接受的能量的总和。也就是说，米勒在烧瓶中观察到的化学反应，在实际原始气层中是难于发生的。

李志航博士指出，"怪不得连从事此项研究的Brooks

与Shaw两人都得承认：'这些实验宣称是无生物的合成结果，实际上却是借着有高度智慧与活生生的人精心设计而成功的。'"坚持进化论观点的美国国家科学院在1984年出版的一本书内也坦承地说道："我们能不能有一天研究出导致生命来源的化学进化过程？这个问题可能没有答案。就算一个活细胞在实验室里制造出来，仍不能证明自然界在数十亿年前采用同样的步骤。"[7]

另外，许多生命所需的物质都有旋光性。旋光性是某些物质具有的使偏振光的偏振平面发生旋转的特性。这是由于这些物质内有不对称的碳原子或整个分子不对称，使之对左或右坏形偏振光有不同的折射率。使偏振平面向左旋转或向右旋转的物质分别被称为左旋体或右旋体。醣类都是右旋的，生物所必需的二十种氨基酸全是左旋的。但米勒等人得到的氨基酸却是右旋和左旋各占一半。由对等的左、右旋的氨基酸变成全部左旋的氨基酸，很难用随机机制来解释。

然而，米勒实验遇到的最严重挑战却是关于原始大气层的性质问题。长期以来人们认为原始大气是还原性的，没有氧气存在。由无机物合成氨基酸等的实验也是在无氧状态下进行的。如果有氧气存在，这种合成作用或者不能发生，或者分解作用超过合成作用。

近一、二十年来关于原始岩石及太空研究的资料指出，地球的大气层中不一定含有大量的甲烷、氨气等还原性气体，而且有含氧的可能性。特别值得指出的是，无人驾驶的海盗号(Viking)宇宙飞船在火星登陆后发现，火星没有生物存在，但火星却有氧化性的气层。因此，地球的原始气层中含氧的可能性是不能排除的。虽然对于大气中含多少氧气才能完全阻止氨基酸等有机物的形成尚无定论，若地球的原始大气层中确实含有氧气的话，米勒等人的实验的意义就当完全重估了。

DNA 的形成

退一步说，即使米勒等人的实验确实在原始大气中实际发生过，也就是说，假定氨基酸等能在原始大气中由无机物产生，这离生命的起源仍然还有遥远的距离。生命有许多特点，最主要的是要有新陈代谢（metabolism）和繁衍后代（reproduction）的能力。这两种能力都来自于DNA的功能。生物的新陈代谢是由基因调控的。基因是DNA的片断。除少数原核生物（主要是植物病毒）靠RNA繁殖外，绝大部分生物都由DNA的复制进行繁殖。所以，要产生生命，首先要产生DNA（或RNA）。最简单的生物噬菌体（专门吃细菌的病毒）就主要是由一个外壳和内含的DNA分子组成的。但DNA的自然形成面临着两大难关。

DNA本身并不复杂，是由四种不同的核苷酸相联而形成的长链。复杂的是DNA分子中这几种核苷酸排列的顺序（Sequence）。DNA正是借着这四种核苷酸的不同排列顺序产生了不同的基因，并由此产生不同的蛋白质及其它生命所必需的化合物，进而发展出不同的生物性状。正如在第一章提到的那样，这四种核苷酸在DNA分子中不同排列组合的可能性之巨大，远远超出人们的想象。然而这些巨大的排列组合的可能性中，只有一种可能性是可以产生第一个生命的。随机产生这一正确组合的可能性之小就不难明了了。

梁斐生博士曾引用过1967年诺贝尔化学奖获得者爱根博士（Manfred Eigen）的演讲中所说的话："一个含有221个核苷酸的分子，其复杂程度的数学量等于这些核苷酸所能形成的不同排列的总和，一共是4^{221}（4的221次方）或者是10^{133}（10的133次方）"，而"10^{105}个这样的分子就足以充满整个宇宙！"这10^{133}次随机组合之中，只有一次组合是可以产生第一个生命的。这是什么意思呢？如果让这10^{105}个分子随机组合，令组合的速率为每秒一万次（10^4），假设宇宙的年龄为三百亿年（10^{18}秒），那么，从宇宙形成到现在，一共可以产生的组合方式是10^{127}次（$10^{105} \times 10^{18} \times 10^4$），还不足以产生一个有正确核苷酸排列组合序列的DNA分子！**[8]**

根据美国人空总署的资料，最简单而"有生命"的蛋白质分子至少含有四百个氨基酸。也就是说，需要至少由一千二百个核苷酸组成的DNA分子使该蛋白质能够产生。人们在最简单的原核生物中看到的DNA分子，含有几千个、而不是221个核苷酸。可见，无论宇宙的年龄有多长，"进化"速率有多快，单靠随机组合而产生第一个生命所必需的DNA分子的可能性几乎等于零。

其次，DNA分子形成时，需要各种酶的参与;而酶是一种蛋白质。但是，蛋白质要在DNA链上的基因的指控下才能合成。像"先有蛋还是先有鸡"的问题一样，在第一个生命产生之际是先有DNA分了呢，还是先有这种DNA形成时所必需的蛋白质（酶）呢？答案是，必须两者同时形成，缺一不可。凭机遇单是形成DNA分子已几乎无可能，更何况还要靠机遇同时形成各种酶聚合。如果一定要用进化的、随机产生的观点来解释第一个DNA分子的形成，未免太牵强了。

化石的证据

如果生命真是从无机物逐渐进化而产生，然后由简单到复杂，由低级到高级不断进化的话，化石中一定可以找到这种进化的证据。可是化石的证据对进化论的观点是非常不利的。在地质和古生物学界，把寒武纪早期（约五亿七千万年前）作为"隐生宇"和"显生宇"的分界。因为在寒武纪之前的地层几乎找不到生物的化石，而寒武纪早期，几十个门 (phyla)的动物的化石突然同时出现，被称之为"寒武纪生命大爆炸"。这是进化论无法解开的一个死结。

詹腓力博士(Dr. Phillip E. Johnson)在他的著作中指出："化石记录问题之中使达尔文主义者最头痛的难处是

'寒武纪大爆炸'（Cambrian Explosion）。大约在六亿年之前，几乎所有动物的'门'（Phylum）同时在地层中出现，完全没有达尔文主义者必须有的祖先的痕迹。正如道斯所说，'这些动物化石就好像有人故意放进去的一样，完全没有进化的历史可以追寻。'达尔文在世时还没有证据显示寒武纪之前有任何生物存在。他在《物种起源》中承认'这现象目前仍未能解释，而且的确可以用来作为有力的证据打击我现在要讨论的观点。'达尔文又说，如果我的学说是确凿的话，'寒武纪之前的世界必定充满各种活物。'"9

但古生物学研究的结果正与达尔文所预期的相反。本世纪以来，在加拿大哥伦比亚省发现的伯基斯（Burgess Shale of British Columbia）动物群，澳大利亚弗林斯德山脉发现的埃迪卡拉（Ediacarans）动物群和1984年在中国云南省昆明市附近的澄江县发现的澄江化石生物群，都进一步证实，在寒武纪，大量的动物门类同时突然出现，展示了地球上生命的形式的爆炸性的突变，无进化痕迹可寻。一些古生物学家报导说，他们在古老的岩石中（被认为在三十亿年以前）找到一些原核生物（如细菌、蓝绿藻等）的化石。此类化石有时是难以分辨真假的。即使这些化石是可靠的，这些原核生物与寒武纪突然出现的复杂的真核动物之间无任何进化关系。

进化论者的一种推测是，寒武纪动物群的祖先可能是软体动物，很难形成化石。但这种推论是站不住脚的。因为，在伯基斯叶岩中有很多软体动物的化石。在澄江化石群中，许多动物的软体组织如胃肠、口腔、神经等都保存完好，清晰可辨。

1995年4月在中国南京召开了"寒武纪生命演化大爆炸、环境和资源国际讨论会"。与会者高度评价了我国澄江化石生物群的研究成果。同时，《人民日报》（海外版）于1995年5月25日发表了纽惟恭的题为〈澄江化石生物群研究成果瞩目）的评论文章。文中写道："近十年来，该所（指中国科学院南京地质古生物研究所——笔者注）对澄江化石生物群进行了系统的综合性研究，采集了成千上万的珍贵化石标本，发表了许多重要论文，引起全球古生物学界的轰动。研究表明：寒武纪生命'大爆炸'是全球生命演化史上突发性重大事件，现代生命的多样性起源于此，又经过几次重大突变演化而成。对其进行深入研究，可能对传统的进化论是个动摇。"

接着，《人民日报》（海外版）在1995年7月19日又发表了另一篇署名为丁邦杰的评论文章：《向进化论挑战的澄江化石》。文章说，"十九世纪，英国科学家达尔文创立了著名的生物进化论。其中一个核心论点便是：生物物种是逐渐变异的。但是，经科学家长期研究发现距今五亿三千万年的寒武纪早期，地球的生命存在形式突然出现了从单样性到多样性的飞跃。于是，'寒武纪生命大爆炸'的命题被提出来了，只是由于种种原因，在过去相当长的时间里，这一命题难以被充分认识。"

最近，《人民日报》（海外版）1999年11月5日在头版新闻报导说，中国古生物学家在"寒武纪生命大爆发"的研究中取得重大突破：发现了地球上最古老的脊椎动物"昆明鱼"和"海口鱼"。报导说："寒武纪生命大爆发是地球三十八亿年生命演化历史上规模最为宏大、影响最为深远的生物创新事件，它在不到地球生命发展史1%的'瞬间'创生出了90%以上的动物门类。"（可详见*Nature*杂志1999年11月4日号所载的专文）

多年来，达尔文的进化论在中国被视为不容质疑的科学真理。今天，这种"闯禁区"的文章能在中国最权威的报纸《人民日报》登载出来，意义深远。这说明，一批诚实、严肃的科学家基于研究结果，已开始冲破各种思想束缚，勇敢地向不符合客观事实的权威理论挑战。我相信，这仅仅是开始。

地球的生命来自外星球？

由于生命由无生物逐渐进化而来的"无生源论"或"生物自生论"的观点遇到上述许多无法逾越的难题，不少科学家开始放弃了这种观点。李志航说："怪不得因发现核酸DNA结构而世界闻名的Crick氏这样说：'每次当我写一篇关于生命来源的文章后，总发誓以后绝不再写这类文章，因为猜想的东西太多，确知的事实太少了。'（可惜，发了誓以后他还继续写！）" [10] 但其中一些人仍不愿接受神创造生命的创造模式，转而提出"生物外来论"(Panspermia)的假说。Francis Crick也说过："若生命没有借自然程序来开始，除非我们赞成特别创造的论点，否则生命必始于他处，并将地球殖民地化。" [11] 科学家们一直在陨石中找微生物，但至今没有成功。原以为火星很可能有生命，但无人驾驶的太空飞船1976年在火星登陆后发现火星是生命的荒漠，连水都没有。美国太空总署并不灰心，又先后向月亮、金星、水星、土星和海王星等发射了飞船，结果仍使人失望。即使如此，科学家们又把希望寄托在太阳系以外的外层空间。不少人相信，外层空间可能有高级智慧生物，并由他们把原始生命送给地球的。美国国会于1989年拨款一亿美元，用以"寻找外层空间智慧"(search for extraterrestrial intelligence)的计划。

寻找外层空间智慧并非无稽，笔者对UFO等也有浓厚兴趣。但是，如果在诸多事实面前仍坚持排除生命有超然起源的创造论的观点，转而求助于外层空间生物，并不能解释生命起源的终极原因。即使有一天科学家真的证明了地球上的原始生命来自外星球，我们仍会面对我们今天所面对的难题：外星球的原始生命又是如何起源的呢？

六、自然选择面对的困难

达尔文进化论的中心思想是自然选择或物竞天择。它主要是说，生物都不断发生变异，不断产生新的性状。有的变异更具有竞争能力，有的则不利于生存。这样，在众多的变异中，适合环境的物种就被保留下来，不适应者就被淘汰，即所谓适者生存。久而久之，生物就不断由低级向高级进化。可是，达尔文关于自然选择的观点面临着越来越多的理论上和实践中的难题。

进化的原料和动力

分子生物学兴起后，一些学者开始寻求进化论的理论基础。他们认为，因为在自然界，生物的基因在不断发生突变(mutation)，基因突变导致生物性状发生变异。也就是说，基因突变是进化的原料，自然选择则是进化的动力。这种被称之为"新达尔文主义"的论点乍听之下很有道理，但却经不住推敲。的确，基因突变的现象是普遍存在的，但突变的速率很低，在每一代中只有 10^{-4} - 10^{-6}。更重要的是，这些突变中99%以上都是致死的或有害的。这种有害的突变怎么可能成为进化的原料呢？

有人会争辩说，虽然99%的突变有害，总有1%或十分之一的基因突变是有益的；这些有益的基因突变经漫长岁月即可导致进化。这种争议是缺乏根据的。前面已谈到，即使以每秒钟十万次的重组速率，三百亿年中尚无法自然形成一个最原始的生命的DNA分子，在短短的几十亿年的地球历史（姑且说有几十亿年之久）中，以这样低的无害的基因突变速率怎么可能完成从细胞到人的进化过程呢？

把自然选择作为进化的动力，理论上也讲不通。自然选择只是使适者生存。自然选择只是一个被动的"筛"而已，并无主动的导向的功能。物种变异加上自然选择，可能增加物种横向的多样性。如像一支白毛鸡演化为黄毛、花毛鸡等。这些鸡处于同一"进化"水平，只在横向增加了亚种、变种等。但自然选择没有把生物纵向地由低等进化到高等的功能。正像前文谈到的，这种由单到繁的进化过程是违反热力学第二定律的。自然选择本身既没有能量转换系统又无蓝图或指令系统，故暂时逆热力学定律而导致生物进化是不可能的。

进化的方式：连续式还是跳跃式？

按照达尔文的自然选择思想，物种的变化是各种微小变化的累积，进化应该是连续不断的。但这种设想显然与实际情况不符。在自然界，各类生物之间都是有明显区别的。如果进化是连续的，生物分类将无法进行。现行的分类法就是根据各生物类群间差异的大小将它们分为门、纲、科、属、种等类的。这种分类单位不完全是分类学家主观的意念，也有一定的客观标准。比如说，关于"种"的生物学定义，其中一条便是，种间杂交不能产生后代或即使产生后代，后代却没有生殖能力。虽然在植物中有远缘杂交的实例，这一条在动物中似比较严格。比如，马和驴交配后可以生骡子，狮、虎杂交也可生子，但其子皆无生育能力。所以，马和驴，狮和虎属于不同生物种。现存生物类种间的明显区别与连续进化的学说是矛盾的。

是不是那些在连续进化中产生的中间类型，因不适合环境而死亡，因而导致现存生物之间性状的不连续性？假如果真如此，一定会有相当数量的中间类型的生物的遗体在化石中保存下来。然而，化石记录中所看到的，也同样是物种性状的不连续性。地质学中各种地层和地质时代的划分主要是根据所谓"标准化石"。标准化石的特点是数量多、分布广、易于认别和只存在于较短的地质时期之中。由于不同地层的标准化石全然不同，地层的划分、不同国家、地区的地层之间的比较、等同才有可能。如果化石的性状是连续性渐变的，地层和地质年代的划分就无从谈起。

　　除了在实践中暴露出的无法调和的矛盾外，进化的方式问题的争论更反映了进化论者在进化理论方面的严重分歧。大家都知道，很多生物器官都需要各种恰到好处的配合才能正常发挥功能。眼睛就是最好的例子。眼睛由眼睑、眼毛、眼膜、晶状体、视网膜等精细的结构组成，有感光细胞将光刺激转化为电讯号并将它们迅速传到脑部，在脑的指挥下使眼能迅速和准确地对外界刺激作出反应。眼睛的功能是任何最高级的照相机无法企及的。但按进化论的观点，眼睛的结构与功能也是一点点地进化来的。可是，眼睛的各部分以及它与大脑的联系等怎么都那么凑巧地同时进化到这样准确的程度使眼睛有正常的功能呢？眼睛的形成，是很难用进化来解释的。

　　达尔文本人对此也相当困惑。在他的著名的《物种起源》(Origin of Species)一书的第六章〈理论的难题〉(Difficulties of the Theory)的"极其完美和复杂的器官"(Organs of Extreme Perfection and Complication)这一节中，他直言不讳地写到，"眼睛有调节焦距、允许不同采光量和纠正球面像差和色差的无与伦比的设计。我坦白地承认，认为眼睛是通过自然选择而形成的假说似乎是最荒谬可笑的。"(To suppose that the eye with all its inimitable contrivances for adjusting the focus to different distances, for admitting different amounts of light, and for the correction of spherical and chromatic aberration, could have been formed by natural selection, seems, I freely confess, absurd in the highest degree.) [12]

　　不过，达尔文紧接着又写道，"当日心说第一次被提出来时，人们的常识认定它是不真实的；但事实表明，先前的地心说是科学所不支持的。因此，达尔文指出，相信一支完美、复杂的眼睛能由自然选择形成所面对的困难，虽然在人们的想象中是难以克服的，但对他的进化理论不应该被视为是颠覆性的。"(the difficulty of believing that a perfect and complex eye could be formed by natural selection, though insuperable by our imagination, should not be considered as subversive of the theory.）[13] 他仍凭信心认为，复杂的眼睛可以由简单的眼睛进化而来。

《物种起源》一书出版后，1860 年 2 月，达尔文在给朋友的信中写道："到目前为止，眼睛令我不寒而栗；但当我想到已知的微小渐进的变化的时候，我的理性告诉我，我可以战胜这种惊惧。（The eye to this day gives me a cold shudder, but when I think of the fine known gradations, my reason tells me I ought to conquer the cold shudder.）"[14] 可见，关于眼睛成因的阴影，在达尔文心中仍挥之不去，虽然他再次用信心克服了自己的惊惧。

达尔文的信心并没能化解他面对的难题。《物种起源》发表迄今已一百多年，细胞生物学、分子生物学、生物化学等学科取得了长足的发展。人们发现，在分子层面上，一个细胞、甚至一项看似简单的生命活动，都远比在解剖层面上看到的眼睛、脑部、心脏、消化系统、循环系统、神经系统、肌肉系统、骨骼系统、生殖系统等。精妙器官更复杂和精妙！达尔文当年面对的难题，今天变得更难了。[15]

基于这种理论上的困难和中间型物种的缺乏，全力支持达尔文的赫胥黎（Thomas H. Huxley）曾私下多次劝告达尔文接受跳跃式的进化观点，并警告说，"你这样毫无保留地接受自然界绝无大跃进的观点，使你陷入不必要的困难之中。"[16] 但按达尔文的看法，大跃进（或大突变）进化，如眼睛的突然形成，就等于是一个神迹。而达尔文深知，他的学说最具吸引力、最独到的地方乃是比较科学化、拒绝一切科学无法解释的超然主义，用纯自然的观点解释生物的起源；他只有用渐进、微小的变化来解释复杂的大变化，才能持守他这种彻底的唯物主义立场。他明确地说："如果有人能证明，任何现有的复杂器官，不可能是从无数连续的、微小的突变而来，我的学说就得完全瓦解了。"[17] 他给他的朋友、著名地质学家赖尔（Charles Lyell）的信中对跳跃式进化的观点持严厉批评的态度，"如果我的自然选择理论必须借重这种突然进化的过程才能说得通，我将弃之为粪土。……如果在任何一个步骤中，需要加上神奇的进步，那自然选择理论就不值分文了。"[18]

达尔文用灭种的假说使自己摆脱困境，坚持连续进化的观点。他说，那些进化的中间环节的生物因不适应环境而灭亡，保留下来的生物之间则显示出进化的不连续性。倘若达尔文的这种解释是正确的，一定可以找到许多被绝灭的中间环节的生物的遗体。如果说当年因化石资料尚不充分，可以使这种假说勉强过关的话，那么一百多年后，在充分的化石证据中根本找不到大量的绝灭的中间类型的痕迹的今天，达尔文的连续进化思想，进一步被进化论者置疑就在情理之中了。

然而，如果是跳跃式的大突变的进化，一方面自然选择的渐变理论将被推倒，另一方面却无人能对这种大突变的原因找出令人满意的答案。詹腓力指出，"细察之下，大突变主义的最大问题，在于它本身只不过是进化论与特别创造论之间毫无意义的中间路线。正如道斯所说，你可将《圣经》中记载的人在尘土中被造看作大突变。从化石的证据看，大突变就是说新物种不知为何从无变有。以科学理论来评价，'大突变式的进化"就是当年达尔文首先指称的：垃圾！"[19] 连续、渐进的自然选择理论既站立不住，跳跃的大突变主义又缺乏立论依据。进化论正陷入空前的危机中。

进化的过程：均变还是突变？

十八世纪末期，哈顿（James Hutton）出版的《地球概论》（*Theory of the Earth*）一书标志着近代地质学的开端。哈顿在该书中系统地阐述了"自然划一原则"（the

principle of uniformitarianism)。他 的 一 句 名言是：
"今天乃是解释过去的钥匙。"也就是说，借着对现今地
质现象的观察来解释地球发展的历史。现代地质学的奠基
人、英国地质学家赖尔(Charles Lyell)在他的著名的《地
质学纲要》(*Principles of Geology*)一书中进一步完善了
"自然划一原则"，认为所有地球的变迁乃是由现今的自
然过程经过漫长的时间逐渐积累而成。

与均变说相反，以法国古生物学家居维页(Baron
George Cuvier)为代表的灾变学说(catastrophism)认为
地质记录所显示的乃是多次因天灾引发的突然剧变而非连
续的均变。赖尔与达尔文是同代人。赖尔的均变论能提供
达尔文的自然选择理论所需要的漫长的历史时间。达尔文
推出《物种起源》后，赖尔的均变论逐渐被普遍接受。然
而，化石的证据对均变论是相当不利的。

化石记录显示，很多生物突然同时绝灭，然后很多新
种突然同时出现，接着是一段长期稳定的时期。其中最著
名的两次物种大绝灭是二叠纪大绝灭(Permian Extinc-
tion)和"K-T"大绝灭。二叠纪是一个地质时期（被认为
在两亿五千万年前）。在那次绝灭中，海洋中百分之五十
的无脊椎动物的"科"(Family)，百分之九十以上的动物
的"种"一同绝灭。K-T表示白垩纪(Cretaceous)和第三
纪(Tertiary)这两个地质时期的交界处。恐龙在白垩纪
（被认为在六千五百万年前）非常多，但进入第三纪立即
消失得无影无踪。到现在为止，恐龙灭绝之谜仍未解开。
多数证据趋向于认为是天灾（如大量的殒石撞击地球等）
所致。人们的常识也不利于均变论。比如说，煤是植物的
遗体形成的，而石油是动物的遗体变成的。世界各地都常
常发现大片大片的煤田和含油的岩层。说明在这些区域，
动、植物是同时大量死亡、同时被埋藏在地下的。物种形
成后是相对稳定的。"活化石"清楚表明这一点。"活化
石"是指人们先在化石中发现，其后方知至今仍然活着的

生物。银杏 (ginkgo biloba) 和水杉属植物(metasequoia)是中生代(The Mesozoic) 的著名松柏类植物,有完整的化石记录。几十年前才知道,这两类树在中国仍然活着!这些活树与化石相距一、两亿年(按同位素测年法)之遥,两者的性状却无差异。腔棘鱼(coelacanth)也是这样的活化石(见后述)。

中间环节的缺失

一般人都以为,化石为进化论提供了充分依据。其实,达尔文主义的最大困难正是化石的证据。进化论最大的敌人不是宗教领袖而是研究化石的专家们。达尔文发表《物种起源》不久,在德国的一个石灰岩层发现一个动物化石,被取名为"始祖鸟"(Archaeopteryx),兼具爬行动物和鸟类的特征,被认为是由爬行类进化到鸟类的中间类型。进化论者为之雀跃,以为进化论已找到充分的证据。然而,达尔文本人十分清楚,化石的证据显明中间类型的缺失,对他的理论是致命伤。但他推诿于化石记录的不完全。

经过一百多年的努力,科学家们已发现许多保存相当完整的地层,对其中所保存的化石也作了深入而系统的研究,中间类型的化石仍难寻觅。如果动物真是从无脊椎到脊椎动物,从鱼类到两栖类、爬行类,然后再到鸟类和哺乳类这样进化来的,那么中间类型的活物或化石应该随处可见,俯首皆拾才对。如果说达尔文当年尚有借口,那么今天的进化论者面对化石的难题再不能自圆其说了。

更有甚者,像始祖鸟、腔棘鱼(coelacanth)这两种著名的中间类型的化石现已得而复失了。始祖鸟的某些爬行动物的特征(如前肢有爪),已在今天的活鸟中发现。[20]其次,原以为始祖鸟是半爬半飞的;现据其爪的形状,已被认为是一种已能栖息在树上的鸟。[21]第三,中国科学家近年在辽宁省发现了与始祖鸟同期的现代鸟的化石,说明始祖鸟并非鸟类的祖先。[22]由上述发现,始祖鸟已失去鸟的祖先的地位。腔棘鱼化石的骨胳粗壮，而且胸鳍中有小骨；古生物学家推想：一旦胸鳍变为前肢，就可以登陆，变成两栖类了。1938年，渔夫在西印度洋捕获一种鱼，其骨胳与腔棘鱼化石几乎完全一样。然而，它根本没有适应陆地生活的任何生理特征（如肺等）。[23]

不管怎么说，始祖鸟、腔棘鱼多少沾一点"中间类型"的边儿。相比之下，骨胳在外、肉质部分在内的软体动物（如蜗牛、蛤蚌等）是如何翻个个儿变成骨胳在内、肉质部分在外的脊椎动物的，一点线索都没有。由单细胞生物进化到软体动物的证据也找不到，连借口也难寻。

按自然选择理论，适者生存。达尔文说："如果我们看每一种生物都是从另一种不知名的生物传下来的话，那么它的父母及其它过渡期的中间型应该被这新的更完美的新种消灭了。制造新种的同时就消灭了旧种。"[24] 按此，始祖鸟应该比爬行类更进化，而鸟类又较始祖鸟的适应力强。可为什么比始祖鸟原始的爬行类和比始祖鸟更进化的鸟类现在都存活于世，而唯独始祖鸟被淘汰了呢？推而广之，在现今的地球，从最原始的病毒到最高级的人类，各种类型的动、植物都共存着，恰恰中间类型都没有了；在现存的物种中没有，在化石中也找不到。这是进化论违反常理之处。符合逻辑的解释是，这些中间类型的生物也许根本没有出现过。

分子生物学的证据

分子生物学的发展，使人们可以详尽比较生物间的大分子的分子结构。基于进化时间与分子差异成正比的假设，提出了"分子钟"的概念。然而，分子钟并不支持进化的预期。潘伯滔博士说："从人类和猩猩中提炼出来的四十三种蛋白质，用上述的核酸杂交法、免疫法测验、电泳测度法和比较氨基酸排列的方法测量后，所得的结论乃是：在同科(family)不同属(genera)的种(species)中，其遗传距离比猩猩与人类之间的距离还大得多；而猩猩与人类乃是属于两个不同的科。" [25] 细胞色素C (Cytochrome C) 是被人研究得最详尽的蛋白。对不同动物的细胞色素C的氨基酸的差异是否支持进化论,仍有分歧。[26]

综上所述,达尔文的自然选择的假说与事实之间有很多矛盾。随着时间的推移和研究的深入,这些矛盾变得更加尖锐而不可调和。詹腓力尖锐地指出:"在此我要提出一个最基本的问题。既然达尔文主义有这么多问题,进化论又缺乏更理论的构架来取代,为什么我们不重估整个构架?科学家有什么理由绝对确知所有的生物真是从唯一的简单生物开始的呢?" [27]

科学还是哲学?

科学(主要指实验科学)与哲学的一大区别是,科学要求重复求证。达尔文的进化论则更像哲学。钱锟指出:"詹氏引用朴柏分析科学与伪科学方法比较爱因斯坦与达尔文治学的方法。爱因斯坦不顾一切,大胆预测普遍相对论应有的结果。如果预测与实验的结果不符,他的学说就有被推翻的危险。达尔文从起头就没有提出任何冒险性的实际实验。他首先以雄辩解除化石记录并不支持进化的困难。他又依靠人工繁殖以及微进化作为广进化最终极的证据。所以,这门科学从开始就走错了。" [28]

很早就有学者指出,"适者生存"是哲学上的一种"赘述",一种重复。"适者"与"生存"互为因果,因此"适者生存"是合逻辑、打不倒的"真理"。当代达尔文的代言人儒斯(Michael Russ) 1993年在世界最大的科学组织AAAS会议上宣布,经过十年法庭论战,最终承认进化论有不可论证的哲学基础。当时全场一片死寂。[29]

尽管有人不愿意承认进化论有不可论证的前设,但事实的确如此。进化论的推理是:有相似性状就有亲缘关系,但此推理不一定正确。有亲缘关系的生物定有相似性状;但有相似性状不一定必有亲缘关系。正如,亲哥儿俩长得很相像;但长的很相像的未必是亲哥儿俩。李志航博士说："在目前物理学中，所有电子都是一样的。然而有些电子来自早年的宇宙，有些电子在加速器中产生，有些则出自中子的蜕变。所以不能说它们有同样一个源头。"[30]不同生物有相似的器官、组织、结构、甚至相似的大分子或基因，这可以有两种解释：一、它们有亲缘关系；二、并无亲缘关系，但因要适应类似的生态环境。这两种解释都有道理，但都无法用科学求证。且不说现在找不到中间型的生物，即使将来找到了大量中间型生物，进化论充其量也只是一种解释方法或一种可能性，并不能证明其必然性。

七、创造论与进化论

前面我们谈到了许多关于进化论所面临的困难。它只是一个假学，一个未被证明、也无法完全证明的假说。那么，是否因为进化论不对，所以创造论就对了呢？不是。两者并没有这种因果关系。进化论的崛起只是百余年的事，而《圣经》早在三千多年前就毫不含糊地宣告了创造论。只因进化论者大肆宣扬进化论是已被证实的真理，并以此质疑、反对创造论，所以，说明进化论的真实情况，仅是为了消除误解，以正视听。如前所述，人们相信创造论，是因为相信《圣经》是神的无误的启示；同时，创造论也日益在科学研究中展现出它的真实性。前面谈到的宇宙的起源是如此，人类的起源也是如此。人是按神的形像和样式被造、有神的灵的活物。（创1:26-27,2:7）"这新人是照着神的形像造的，有真理的仁义，和圣洁；"（弗4:24）"这新人在知识上渐渐更新，正如造他主的形像。"（西3:10）人有神的形象是指有与神相像的特征。神是独一主宰，所以人有相对的自由意志；神是造物主，人有一定的创造性；神是真理，故赋予人理性；神是公义、圣洁的，于是把他的律法写在每个人心上；神是个灵，所以使人成为有灵的活人，与生俱来就向往永恒，寻求敬拜永生神。这些，是人最独特之处。连无神论者也说，人是"万物之灵"。这清楚表明，人和其它动物之间有截然区别，有本质差异，其间有不可跨越的鸿沟。别的生物不能变成人，人也不可能是由猿猴进化来的。

八、论战的实质

　　既然达尔文的进化论从一开始就面临着如此多的困难，为什么进化论却能冲破西方有神论的强大思想体系破土而出并被广泛接受呢？如果达尔文主义真像前面所分析的那样四面楚歌，为什么许多国家的教科书里仍教授进化论而不讲授神创论呢？这是很多人的疑问，也曾使笔者颇为困惑。不少人以为，达尔文的进化论能如此迅速地风靡全世界，想必在学术上有独到之处，有充分的科学依据。这种疑惑是源于一种误解，以为进化论和创造论之争是学术之争，以为是科学上的新发现才使人们由创造论转向进化论的。其实，进化论与创造论之争不是学术之争，而是哲学、信仰、世界观之争。为了说明这一点，我们需要简略地回顾一下现代科学的发展历程。

　　第五章已谈到，在中古时代，亚里斯多德的理性主义雄踞西方科学界、思想界。对亚里斯多德的宇宙观，周功和牧师是这样描述的："至于宇宙论，亚里斯多德的看法是：宇宙乃由五十五个同心圆球所构成。最中心的圆球是地球，向外依次为水、气、火以及天上星体的圆球。……每个圆球都有灵性，神在最外圈的圆球以外，而产生转动。这样的转动是此圆球对神的吸引的一种反应，带动整个宇宙各圆球的转动。如此，神就是使圆球旋转的终极因。"[31] 中古教会受亚里斯多德的影响，认为《圣经》中的神是宇宙的终极因或第一因，同时相信地球是宇宙的中心。

　　由于哥白尼、伽利略等人的努力，日心说被确立，揭开了以观察、实验为主要手段的现代科学的序幕。这是一个巨大的进步。但是，人们在抛弃亚里斯多德的地心说的同时，把神是宇宙的第一因的观点也抛弃了。虽然在现代科学发展初期涌现出以牛顿为代表的一大批杰出的基督徒科学家，但在现代科学发展的过程中，反对超然因素，站在纯粹自然的立场观察、描述自然的自然主义（或人文主义）的世界观逐渐在科学界占据优势。牛顿时代，人们都相信神是宇宙万物和人的创造者。到达尔文时代，神的创造受到怀疑，生物的来源就留下了空白。因此，试图用物理、化学的自然方法来解释生命之源的各种假说就应运而生。达尔文并不是进化论的第一位倡导者。在他以前，进化的思想已经出现了。进化思想的产生是对神的信仰衰落的结果。池迪克博士(Donald E. Chittick)指出："达尔文曾经历信仰崩溃。有人或以为达尔文是经过多年研究，才接受了进化论。其实，在他对信仰的信心减退的时候，他对进化论的信心才建立起来。进化论被用以弥补否定'创造'后遗留下来的空缺。并不是进化论有什么吸引人的地方，能把科学事实解释得更加合理。进化论只是人摒弃'创造'后，用作弥补空缺的代替品而已。"[32] 达尔文推出进化论的过程正是如此。

前面已经谈到，达尔文在发表《物种起源》时就面对着几个极为严重的困难。第一是化石的难题：寒武纪生命大爆炸和过渡型生物的化石罕见。他本人承认，化石的证据是"最明显的反对我的进化论的最大理由。"他也坦白地说，对此"我不能提供满意的答案"，"自然界好像故意隐藏证据，不让我们发现过渡性的中间型。"[33]

第二个困难是进化所需要的漫长时间。他提出的自然选择假说主张连续、渐进的变化。与达尔文同时代的英国著名物理学家凯尔文(Lord Kelvin [William Thomson])用物理学计算地球的年龄只有一千五百万年到三千万年，不足以令进化论成立，使达尔文很恼火。但凯尔文用物理定律所得的结论，达尔文又无从反驳，故他称凯尔文为

"讨厌的幽灵"。同时，尽管化石的记录支持地球环境突变或灾变的假说，[34] 但达尔文仍接受了与化石证据不符的赖尔的均变假说。因为这不仅与他的连续、渐变的进化假说相似，而且可以提供进化所需的漫长历史时期。第三，创造的证据比比皆是，眼睛就是一个好例子。达尔文承认眼睛不可能由自然选择形成，以至于他发表《物种起源》之后，他一想到眼睛仍感到害怕。

笔者十分欣赏达尔文这种坦诚的态度，丝毫不隐瞒自己的困惑、烦恼和惊骇。正是从他本人的内心表白中，我们可以比较清楚地看到达尔文进化论产生的过程：凭着无神的、要用纯自然的方法阐明生命起源的信心和决心，基于有限的观察，提出进化假说，然后选择性地寻找支持其假说的证据，对不利的证据全然不顾。也就是说，达尔文的进化论主要是源于信仰而非来自充分的科学依据。

池迪克指出："科学的新发现并不会叫人改投进化论，反而是人对哲理和神学的取向，能叫人否定'创造'，由一个世界观跳进另一个完全相反的世界观。""今日，许多人仍未察觉进化论的本质，不认识它属于哲学过于科学范畴。人们先是思想变了，才接受达尔文主义。人们需要一种自然主义的律，解释生命之源，才能逃避超自然的创造论，达尔文主义恰巧能填补这个空缺。"[35] 所以，《物种起源》问世时，解放神学家们表现出比科学家更大的热情。马克思和恩格斯也曾经清楚地指出进化论与信仰的关系："现在我们以进化的概念来看宇宙，再也没有空间容纳一位创造者或统治者了。"[36]

美国是以基督教思想立国的国家。但美国对神的信仰近几十年来在急剧衰退中。寇尔森博士（Charles Colson）尖锐地指出："基督教信仰一直是美国民主政体的道德基础。近至1954年，最高法院还毅然决然地拒绝国家宗教中立化的主张。法官道格拉斯（William O. Douglas）这样说：'我们是一个有宗教信仰的民族，我们政体的创设是基于天地间有最高主宰的大前题。'想不到短短几年之后，法院却出尔反尔，否决了在学校准许祷告之案。不能在课堂正式祈祷固然不能阻止我们随时随地祷告，但这提案却反映了社会的倾向：在国事上，基于宗教信仰的价值观逐渐消失了。在美国政坛上，这个决定是一个很大的震撼，是一个足以引发断层的地震。""至70年代，传统的犹太教与基督教所共有的价值观被忽视的情况有增无减。在政坛上、国事上，宗教被视为落伍甚至是妨碍。最高法院的决策越来越趋向无信仰，甚至公然敌对宗教，1973年的堕胎合法化就是一个反教的高峰。"[37] 和法院一样，美国国家科学院现在仍坚持自然主义的哲学观，致力于"用纯自然的过程来解释一切现象。"科学被视为认识真理的唯一途径。达尔文的进化论被人披上科学的外衣。因此，坚持进化论，教授进化论变成一种有"科学水准"的时尚。由于进化论与学术界流行的自然主义世界观十分投合，科学家和解放神学家来不及对进化论作彻底的了解和慎密的审视便全盘地接受了它，而且以各种权威的方式向大众传播进化论。因此人们以为，在课堂教授的、或写在书上的进化论一定是真理。

其实不然。在笔者的学生时代，不仅进化论被当作神圣不可侵犯的科学，而且学校的课程设置也直接为政治所左右。上大学时，课堂上只能讲授米丘林和李森科的遗传学，孟德尔和摩尔根的遗传学则被冠以"唯心、反动"，一棍子打死。后来中苏关系出现裂痕，李森科的劣迹被揭露，孟德尔的遗传学才得以登上大雅之堂，并立即得到学生们的认同。所以，进化论被写入教科书并不一定表明进化论是真理。

我们一般人所持的进化论观点主要是从老师那里听来、教科书上看来的，并非基于对进化论的立论依据的深入考证。试问，在今天仍相信进化论的人中，有多少人读过达尔文《物种起源》的原文版呢？也许，认真把《物种起源》的中译本从头到尾读过一遍的人也不多。

一般人是如此，研究进化论的专业人士的状况又如何呢？彼得逊(Colin Patterson)是英国自然博物馆的资深古生物学家。该馆出版的进化论简介就是他的手笔。1981年他在美国自然博物馆作了一次演讲。他详细地比较了创造论与进化论，认为两者主要是靠信心接受。演讲中他向在座的专家们严肃地提出问题。他说："你们能告诉我进化论里面有哪一条、任何一条……是你确实知道、完全无误的真理呢？我曾问过自然博物馆地质部的人员，我所得到的唯一答案是完全的静默。我又问芝加哥大学进化形态学讲座的听众，内中有一群著名的进化论学者。等了很久还是一片沉寂。最后有一个人说：'我确知的只有一件——就是在高中课程中不应该教进化论。'"[38]

我同意社会理论学家克斯脱(Irving Kristol)的看法，如果慎重声明进化论是综合各家不同学说、建立在不同假设上的理论，而非不可质疑、完全可靠的事实的话，进化论作为一种科学假说在学校教授是无可厚非的。

几年前，美国阿拉巴马州政府通过一项律法，要在该州公立学校的教科书上加一个通告："警告：这本教科书讨论的进化论，是一些科学家对生物（如植物、动物、和人类）的起源提出的科学上的解释，是一个有争议的理论；当生命首次在地球上出现时，无人在场，所以，任何关于生命起源的陈述应该被当作理论而不是事实。"
[Warning : This textbook discusses evolution, a controversial theory some scientists present as a scientific explanation for the origin of living things, such as plants, animals and humans. No one was present when life first appeared on earth; therefore, any statement about life's origin should be considered as theory, not fact. (to be on textbooks for public schools in Alabama)]

最近，美国堪萨斯州教育局(The Kansas Board of Education)于1999年8月11日（星期三）通过决议：从该州公立学校的科学课程中取消进化论的教授。尽管一些地方的学校仍可能决定教授进化论，但在该州的估评测验(State assessment tests)中不再考进化论。

可是，先入为主的思想很容易被人误认为真理而固守。几年前笔者到一所大学访问并作了一个福音短讲。聚会结束后有一段自由交谈。一位博士生走近我问道："你相信进化论吗？"我回答说："我过去相信，现在不信了。"不想他的反应极为强烈、率直："你连进化论都不相信，我们就没有什么好谈的了。"说完后就走开了。我不禁一阵吁嘘：他是学物理的，我是学生物的，也许我对进化论的了解会比他多一点吧？他为什么不问一问为什么我过去信进化论而现在不信了呢？为什么他对进化论有如此强烈的信心、以致不屑与不信者交谈呢？从他身上我仿佛看到了信主以前的我。

当我们明白了创造与进化之争的实质不是学术之争，乃是两套哲学、信仰系统之争后，如果你现在仍相信进化论，也望存一颗开放的心，认真地把创造论、进化论作一番比较，以便重估自己的观点。只有虚心听取不同观点并作深入思考，我们才能不断修正自己的思想体系，使之一步一步地逼近真理。

基督徒的看法

基督徒对生物起源的看法大体有三种。第一种叫权威创造论或科学创造论，第二种称为神导进化论又被称为进化创造论，第三是微进化论。

持权威创造论观点的基督徒完全按字面解释《圣经》，认为宇宙万物是神在六日内创造的，一日是二十四小时；全然反对任何进化的观点。他们认为宇宙很年轻，地质的变动乃是挪亚时代的洪水所致。莫瑞士博士(Henry M. Morris)所著的《科学创造论》(*Scientific Creation-*

ism）可谓其代表作。[39] 近年来，美国创造研究所
(Institute for Creation Research)的学者们着力研究
Mount St. Helens火山（八十年代曾爆发）和大峡谷
(Grand Canyon)，得到不少支持地球年轻的证据。

《科学创造论》从科学的角度论证进化论面对的困
难，提出许多地球年轻的证据。比如说，有人测定地磁场
正在衰减之中，其半衰期为一千四百年。也就是说，地球
的磁场在一千四百年前是今天的两倍，二千八百年前是四
倍。以此类推，七千年前的强度就是现在的三十二倍。如
果地球的历史有一万年，地磁场的强度就等于一个磁星，
更不用说几十万年前了。科学家们对现代火山的研究也表
明岩石的形成比预想的要快得多。

神导进化论相信神，又相信进化论，认为各类生物和
人是神用进化的方式创造的，相信地球历史远久。

微进化论则介于上面两种观点之间，不像权威创造论
那样拘泥字义，又不全然接受神导进化论的合成进化论。
他们相信神所创造的生物的祖先有可能经过某些有限、微
小的进化过程才演变为今日的种类。钱锟博士是这样论述
微进化论和广进化论（即达尔文的进化论）的："在分类
学的'属'或'种'的层面上，生物是可以有一定的变异
能力的。不同属的植物能杂交，产生新种例证比动物为
多。这是不可否认的事实。以上都是有限度的变异，可以
称为'微进化'……虽然甚么是'种'仍有争辩，但微进
化这样小范围内的改变是事实，是人人都当承认的。"
"广进化需要解释的是整个生物界全面性的大问题。例
如：生命是怎样来的？各大类的动、植物、微生物到底怎
样来的？复杂的器官，如眼睛和翅膀又是怎样来的？……
很多人，包括反对进化论者在内，误以为证实微进化就等
于证实进化、等于证实一切！这种错误一点就破，不应再
犯。"[40]

笔者认为，权威创造论和微进化论有很多相同之处，

即相信《圣经》的记载是完全真实无误的。神导进化论的最大弱点正在于与《圣经》的记载不吻合。《圣经》中明确说神是"各从其类"造的各种生物，是按自己的形象、用尘土造的人类祖先亚当，用亚当的一根肋骨造的夏娃（参见〈创世记〉第1章）。如果人是神用进化方式造的，那〈创世记〉的记载就只能是一个故事或隐喻，这会引起信仰上一连串的问题。这正如潘柏滔在《进化论——科学与圣经冲突吗？》一书中所指出的那样："神导进化论者需要向一个不信的世代证实人是按神的形象造的，同时他们也相信人有原罪，但他们不接受〈创世记〉头几章的历史性，而同意进化论所言人仍是经天演过程进化而来的。他们把〈创世记〉当作隐喻和诗章，这种解释法大大削弱了上述两个基要真理的立场。他们既然否定第一个亚当的历史性，那么成为末后亚当的耶稣在十字架上钉死的历史意义，不也就变得暗昧不明了吗？"[41]

再说，主耶稣再次重申了人是神造的。他说："那起初造人的，是造男造女。"（太19:4）使徒保罗也多次肯定亚当的历史性。他说："然而从亚当到摩西，死就作了王，连那些不与亚当犯一样罪过的，也在他的权下；亚当乃是那以后要来之人类的预像。"（罗5:14）如果置《圣经》这样明确的教训于不顾，非要说亚当是一个虚构的人物，作为一个基督徒，他就应该重审自己的信仰了。

这几种观点中，关于地球的年龄和人类的年龄是一个基本分歧。按同位素测年法，地球有四十亿年左右的历史；人、猿分手大约在七千万年左右，文明人（以用火为标志）也有一百万年的历史。神导进化论和微进化论基本接受这一看法。但权威创造论相信地球年轻，人类的历史仅有一万到几万年。

笔者相信《圣经》的说法，生物是神各从其类造的，不是进化来的。虽然微小的进化，如从野生到驯养所引起的变化，育种学家培育的动、植物新品种等，可能发生，但难以超过"种"或"属"的水平，因而不可能导致进化的发生。至于地球和人类的年龄是年轻还是年老，笔者则持开放的态度，因为《圣经》没有明确记载。

关于年龄，有几点值得提及。第一，〈创世记〉记载，神在六天造宇宙万物。按希伯来文的词意，"天"可指白天、一昼夜或一段日子。另外，《圣经》说，"有一件事你们不可忘记，就是主看一日如千年，千年如一日。"（彼后3:8）所以，〈创世记〉记载了神创造的顺序，而未确切的告诉我们"六天"是多长。第二、由于人类化石稀少而不完整，有时很难确定是人还是猿的遗骸；判断中，研究人员的主观性较强。第三、确定化石、岩石绝对年龄的放射性同位素法，由于一些前设（如衰变的零点、速率，等等）难以准确，其测定的年龄常常大于实际年龄。第四、近年分子生物学家分析人细胞中腺粒体的DNA(mt-DNA)和男人Y染色体上的 ZEY基因，认为第一个男人和女人距今二十到三十万年。[42]

梁裴生博士指出，"人类学家曾经以为人种Homo Sapiens最低限度必在早几十万年前就已出现，但自七十年代以来，学者们几乎一致认为：'人类(Homo Sapiens)大约在四万年前似乎不知从哪里出现。'"[43]

1865年英国科学会发表了一篇由六百一十七人签署的关于宗教与科学的宣言，现存于牛津博德伦(Bodleian)图书馆。其宣言如下：

"我们以自然科学家的立场发布我们对于科学和宗教关系的意见。现在科学界若干人士，因为探求科学真理，从而怀疑《圣经》真理及其正确性；吾人于此，深感遗憾！

我们认为神存在，一方面写在《圣经》上，一方面写在自然界，尽管在形式上有所不同，却绝对不会彼此发生冲突。

我们应当牢记，物理科学，尚未臻于完善，尚在不断改进之中；目前我们有限的理解中，仿佛对着镜子观看，还是模糊不清。

现在许多自然科学的学者，对于《圣经》，不加研究，徒凭其不完善的定律和一知半解，怀疑反对，这种态度，实不能不令吾人为之痛惜。

我们深信，每一位科学家研究自然，其唯一目的，在阐明真理。倘使他们研究的成果，发现《圣经》和科学有所抵触（其实只是对《圣经》的曲解），千万不可轻率武断，以为他的结论是正确的，《圣经》的记载是错误的；而应持客观的态度，平心静气，听神的指示，确信二者必然相符，绝不可偏执成见，以为科学和《圣经》有冲突分歧之处。"

英国科学会的宣言至今已逾百年，现在读起来仍非常亲切、中肯。我们需要做的是，坚信《圣经》，坚信科学和《圣经》决不会彼此相悖；对在进化论或创造论中有待进一步澄清的问题，耐心等待更多的科学发现，正像关于宇宙起源和生命起源的新发现一样。

达尔文与进化论

1809年，达尔文(Charles Robert Darwin)出生于英格兰的近威尔士边界的商业城镇苏兹伯利(Shrewbury)。他有三个姐姐，一个哥哥和一个妹妹。他父亲是一位成功的医生。他五岁时，母亲便去世了。他曾被送到该城的一个学校学习拉丁文和希腊文近七年。因他对语言学毫无兴趣，十六岁时进入爱丁堡大学(Edinburgh University)学医，当时他哥哥伊拉斯莫斯(Erasmus)也正在该校学习。他父亲希望达尔文能继承祖业行医。然而，两年的学习和两次见习无麻醉的手术后，达尔文开始头痛、心悸、翻胃、呕吐和腹泻。出于同情，父亲让他进入剑桥的基督学院(Christ's College, Cambridge)念神学预科，以便将来有一个令人尊敬的职业。经过三年的学习，他二十二岁时通过了文学士(B.A.)的考试，即将成为一名牧师。他特地选择了在乡间的英国圣公会教堂，为的是在牧教之余可以从事他所喜爱的狩猎活动。

如果达尔文成了一名医生或牧师，恐怕世界上没有什么人知道他。命运的安排使他作为官方科学家，后改称为自然主义者或博物学家 (naturalist)，出现在猎犬号 (HMS Beagle)船上，于1831年底开始，进行了五年的科学考察活动。猎犬号船的本来目的是发现和测验海岸地图及寻找有商业价值的矿物。但几年的考察使热爱自然的达尔文有幸看到未遭破坏的自然界：原始热带雨林，各种地层，火山，各种风俗的民族，各种各样的昆虫、鸟类和哺乳动物，每种生物与它们所处的环境完美地契合。不少人猜想，达尔文登上猎犬号时是一位《圣经》相信者，几年的考察生涯才使他抛弃对神的信仰而产生了关于生物进化的思想。这是一种误解。正像前文提到的，达尔文对神的信仰的衰退在先，然后才转信进化。为了说明此点，还要从达尔文的家庭和他所受的教育谈起。

达尔文生长在一个不信的家庭。他的祖父(Erasmus Darwin，1731-1802)是一位著名医生，著有两卷《生理学》(Zoonomia)，是第一位使用"进化"(evolution)一词的人。他说："进化乃是一种更新的过程，生物因着刺激、感受、意志与联想之作用，又因新习性的影响以致获得新肢体，因此生物拥有借着先天固有的活动而改进之功能，而且能将这种改良后的品质一代代遗传下去，直到永远。"[44] 虽然他在达尔文出生前七年就去世了，但达尔文一直对他的祖父非常尊敬。他祖父关于进化的思想对达尔文产生了重大影响。

达尔文的父亲(Robert Darwin)的不信比他祖父更甚。这位身高六英尺二英寸、体重三百二十八磅的魁梧汉子在家里是绝对权威。只要他在场，家里的任何交谈都必须以取悦于他为宗旨。达尔文从家庭接受的信仰就可想而知了。

除了家庭教育外，几年的大学生活对达尔文的思想的形成和发展也具有重要意义。在达尔文时代，牛津大学和剑桥大学都是神学占主导地位的学府，其地球科学仍相信乌雪主教(Archbishop Ussher)的推算，认为地球是公元前4004年被创造的。而达尔文所进的爱丁堡大学却向任何信仰开放，以致于谈不上有什么信仰。在爱丁堡两年中，达尔文结识了几位地质学家、动物学家和植物学家，一起讨论法国生物学家拉马克(Chevalier de Lamarck, 1744-1829)所倡导的渐进式的进化学说。也正是在这个期间，达尔文开始研读他祖父的《生理学》。

在神学预科期间，三门主修课中，达尔文的古典文学和数学的成绩都不好，唯独喜爱英国神学家和哲学家佩利(William Paley)的神学课程。他不仅学了必修的两门课，还阅读了教学不要求的"自然神学"(*natural theology*)。佩利是英国圣公会资深的牧师和作家。他的自然神学观相信，神创造这个世界后就远远地离开，再不与受造物发生任何关系。

几年的大学生涯，达尔文在对神的信仰方面无甚长进，甚至变成了无信仰，为他后来在理性主义和《圣经》两者之间的自由选择开通了道路。

在猎犬号船起锚前几个月，地质学家赖尔(Charles Lyell)发表了他的《地质学原理》(*Principles of Geology*)第一卷，使达尔文有机会在航行中阅读此书。赖尔认为我们今日看到的自然过程是经过漫长的千万年时间缓慢地、静静地逐渐积累而成，即所谓"均变说"。面对瀚浩的自然界，在〈创世记〉 的洪水和赖尔的均变说之间，达尔文凭信心接受了赖尔的均变说，认为地球的演化经历了极长久的年日。在这个大前题下，航行结束回到英格兰后，达尔文一方面撰写有关这航行的记事文章，另一方面大量阅读文献寻找进化的机制。达尔文阅读了Patrick Matthew的著作（发表于1831年）和Edward Blyth的著作（发表于1835年和1837年），从他们文中论及的"自然选择过程"（natural process of selection)中直接受到启示，从而提出著名的"自然选择"（natural selection)的进化机制。

在此后二十年中，达尔文孜孜不倦地从事这部巨著的写作。到1858年，达尔文得知另一位英国科学家华莱士（Alfred R. Wallace, 1823-1913)根据他在马来亚为研究生物区的结果，提出与达尔文相同的看法时，大为震惊。在他的朋友赖尔和英国植物学家胡克尔（Joseph Hooker, 1817-1911)的力促下，达尔文才放弃了这部巨著的写作，于当年在伦敦林奈学社（Linnaean Society）以"摘要"（"abstract"）的名义，与华莱士联合发表了长达490页的理论，引起了轰动。

达尔文在世期间，他的著作共出版六次。他亲眼看到他的最后一版被译成几种主要外国文字。达尔文卒于1882年，葬于威斯敏斯特教堂（Westminster Abbey)。这是英国有名人物国葬的地方。他的墓被安放于大科学家牛顿的墓旁。赖尔与胡克尔也葬于此。

在一些福音书籍中，常常可以看到一些关于达尔文悔悟的故事。有的甚至说达尔文最后认罪悔改、成了基督徒。其中最著名的是关于霍浦夫人（Lady Hope)在达尔文临终前对他的访问。现将张郁岚博士的《到底有没有神？》一书中的有关叙述引摘如下，作个例子。"霍浦夫人与达尔文先生一次晤谈记要。她说，达氏晚年经常卧病在床，见他穿着紫色睡衣，床头放些枕头，支持身体；手中拿着《圣经》，手指不停地痉挛，忧戚满面地说：'我过去是个思想无组织结构的孩子，想不到我的思想，竟如野火蔓延，获得多人信仰，感到惊奇。'他叹了口气，又谈了一些'神的圣洁'，'圣经的伟大'。又说：'在我别墅附近住了三十个人，极需你去为他们讲解《圣经》。明天下午我会聚集家仆、房客、邻居在那儿。'手指窗外一座房子，'你愿否与他们交谈？'我问他说：'谈些什么问题？'他说：'基督耶稣，还有他的救赎，这不是最好的话题吗？'当他讲述这些话时，脸上充满光彩。我更不能忘记，他那附带一句话：'假若你明天下午三点举行的话，我会打开这扇窗子，同时你可知道，我在与你一同唱赞美诗呢！'（译自 *The Shining Light*）" [45]

从这段记述看，达尔文晚年是完全悔改了。但这是否真实，霍浦夫人访问记是否真有其事呢？泰勒 (Ian T. Taylor) 在他所著的《*In the Minds of Men: Darwin and the New World Order*》一书中列举了充分的事实，说明达尔文晚年并无悔意，霍浦夫人是一个杜撰的人物。

按泰勒所掌握的资料，关于霍浦夫人的有关传说可以追溯到1915年，甚至更早一些。他认为霍浦夫人访问记是虚构的，主要基于两点理由。第一，霍浦夫人访问是发生在一个明媚的秋天的下午。这显然与事实不符，因为达尔文去世是1882年的春天而不是秋天！第二，霍浦夫人的访问是否发生在达尔文去世的前一年的秋天呢？即是否在达尔文去世前六个月访问的呢？泰勒认为也不可能。因为从1903年发表的一些达尔文的书信看，达尔文一直坚持他的无神、进化观点，即使在他去世前一个多月所写的一封信里（1882年2月28日），他仍坚持他的无生源观点："如果生命能起源于这个世界，这一极重要的现象一定基于某些自然的一般规律。对于一个有意识的神能否被自然规律所证明的问题是令人困惑的，我一直在思考，但我的思路无法澄清它。" [46]

由此看来，霍浦夫人访问记乃出于虚构。那么，这个故事是谁编出来的呢？泰勒认为很可能是达尔文的遗孀 Emma Darwin。爱玛 (Emma) 比达尔文多活了十四年。Emma 出身于英国圣公会独一神教派的家庭。她素来厌恶达尔文关于人类的道德也是进化来的观点。她在世的日子，达尔文的进化论并没有广泛地被接受。她十分担心人们会认为达尔文觉得属灵的信徒们并不比动物来得高明。所以在达尔文去世后，在达尔文年鉴出版前，她曾让人涂抹掉某些情节，以维护这个家族的好名声。"霍浦夫人"的出现也许是爱玛的这种企望的另一次努力。[47]

　　"霍浦夫人"也许会成为永远解不开的谜，但有一点是十分清楚的；达尔文在他对神的信仰衰退后才形成了进化论思想；进化论是达尔文世界观、哲学观无误的表现，而且至死不变。在自然主义世界观孕育之下，达尔文的进化论应运而生；进化论的称雄又助长了自然主义的势头，对基督教信仰、对《圣经》的权威性提出了前所未有的严重挑战。然而，仅仅过了一百多年，达尔文主义已陷入重重困境之中，无法自拔；而经过数千年的考验，《圣经》却仍巍然屹立。经过否定之否定，人们对神存在的真实性、《圣经》的权威性、耶稣复活的历史性等基督教信仰的基本要素有了更深切、更清楚的认识，使更多的人心悦诚服地俯伏在三一真神面前，并努力去拯救更多的失丧的灵魂。也许，这正是达尔文和他的进化论的历史功绩所在。

注 释

1. Henry M. Morris著, *Scientific Creationism* , Institute for Creation Research, San Diego 1979. 韩伟等译, 《科学创造论》, 美国: 更新传道会, 1991, 页15。

2. 海弗来著, 刘家玉译, 《科学家相信神》, 台北: 中国主日学协会, 1980, 页35-36。

3. 李志航著。科学对基督教的挑战》。台北: 雅歌出版社, 1993。

4. 梁裴生著。《真金不怕洪炉火》。加拿大: 福音证主协会, 1997。

5. Hugh Ross著, *The Creator and the Cosmos*. San Bernardino: Nav Press, 1993. 李伯基译, 《混沌初开》, 美国: 中信出版社, 1998, 页20-21。

6. 同5, 页124-140。

7. 同3, 页28。

8. 同4, 页42。

9. Phillip E. Johnson著, *Darwin On Trial*. InterVarsity Press, Illinois. 钱锟等译, 《审判达尔文》, 美国: 中信出版社, 1994, 页73。

10. 同3, 页37。

11. 同4, 页51。

12. Charles Darwin, *The Origin of Species*, New York: Appleton and Co., 1982, 页143.

13. 同12, 页143. 144。

14. Francis Darwin ed., *Life and Letters of Charles Darwin*, London: John Murray, vol. 2, 1888, 页 273。

15. Michael Behe著, 《 小人国的生物学—生物化学对进化论的挑战》, 钱锟译 (台北: 校园书房出版社, 2007年)。

16. 同9, 页51。

17. 同9, 页54。.

18. 同9, 页50。

19. 同9, 页82。

20. 潘伯滔著，《进化论——科学与圣经冲突吗？》，美国：更新传道会，1987，页91。

21. 《Science》259(the cover page), Feb. 5, 1993.

22. 《Science News》148: 277, Oct. 28, 1995；及《鸟类不是从恐龙进化来的》载于《人民日报》（海外版）1996年11月16日第三版。

23. 李志航等著，《科技与人文》台北：雅歌出版社，1995，页41-42。

24. 同9，页64。

25. 同16，页210。

26. 有的结果表明，细胞色素C中氨基酸成份的差异，与进化树一致，如人和猴之间比人与猪之间的差异小，等等（参见 Sylvia S. Mader, Biology. 1998 (6th Edition), McGraw-Hill, Figure 18. 17）。另外却有结果表明，细胞色素C的氨基酸序列(sequence) 的差异，在鱼、蛙、鸡、鸟等不同类群之间几乎是等距的〔参见Percival Davis and Dean H. Kenyon, *Of Pandas and People.* (Dallas: Haughton Publishing Company, 1996) 2nd Ed., p. 38〕，与进化树不一致。

27. 同9，页82。

28. 同20，页44-45。

29. 同20，页44。

30. 同3，页71。

31. 周功和著，《基督教科学观》，台北：中华福音神学院出版社，1993，页52。

32. Donald E. Chittick著，《针锋相对——创造进化论战的根源》曾文斌译, 香港：天道书楼，1993，页14。

33. 同9，页65。

34. 同23，页178。

35. 同23，页15。

36. Reinhold Niebuhr, ed., *Marx and Engels on Religion.* (New York:Schocken, 1964), p. 295.

37. Charles Colson著, *Kingdoms in Conflict.* Zondervan Publishing House, Michigan, 1987. 《当代基督教与政治》，陈咏编译，台北：校园书房出版社，1992，页14-15。

38. 同9，页21。

39. 同1。

40. 同20，页39。

41. 同12，页251。

42. 同20，页43；及《Science》 268: 1183-1185, May. 26, 1995.

43. 同4，页48。

44. 同12，页30。

45. 张郁岚著，《到底有没有神》载于《认识真理》，美国：使者大陆文字事工部，1996，页69。

46. Ian T. Taylor, *In the Minds of Men: Darwin and the New World Order.* (Toronto, TFE Publishing, 1991)页 . 137.

47. 同46，136-137页。

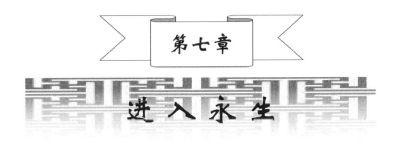

第七章

进入永生

　　前面几章从不同的角度探讨了基督教的信仰，说明它是植根于耶稣从死里复活这一历史事实的、与科学、理智不悖的客观真理。其目的乃是希望尚未相信耶稣的同胞能认罪、悔改，认识耶稣是神的儿子，接受耶稣作个人的救主和生命的主宰，从而进入神永恒的国度，成为神家的儿女。大家会想，我有什么罪呢？我为何要认罪悔改呢？我自己就能主宰自己，何必还要去找一个救主呢？为了把事情说清楚，还得追根溯源，从人的罪性谈起。前几章主要是认识神，这一章则要从认识自己开始。

一、罪的普世性

　　罪的问题是一个不太受欢迎的题目，不像讲"爱"、讲"恩慈"那样悦人耳目，很容易使人反感、拂袖离去。但罪绝不是牧师或传道人为叫人信教、以保住自己的饭碗而发明的。据说一位白人一次到黑人社区发表竞选演说，为了取得黑人选民的认同，他竟脱口而出地说："别看我的皮肤是白的，可我的心和你们一样是黑的！"这虽是一则笑话，却道出了人的本象。

人人都是罪人

　　读过《圣经》的人都能感到神责备人的罪恶的严厉。〈诗篇〉的作者写道："耶和华从天上垂看世人，要看有明白的没有，有寻求神的没有。他们都偏离正路，一同变为污秽；并没有行善的，连一个也没有。"（诗14:2-3）《圣经》最古老的一卷书〈约伯记〉中这样写道："人是什么，竟算为洁净呢？妇人所生的是什么，竟算为义呢？神不信靠他的众圣者，在他眼前天也不洁净；何况那污秽可憎喝罪孽如水的世人呢？"（伯15:14-16）"合神心意的人"、以色列的伟大君王大卫坦陈道："我是在罪孽里生的，在我母亲怀胎的时候就有了罪。"（诗51:5）

新约的作者也毫不怀疑人的罪性。耶稣对法利赛人和文士说："无病的人用不着医生，有病的人才用得着。我来本不是召义人悔改；乃是召罪人悔改。"（路5:31-32）耶稣教训他的门徒时也说："你们虽然不好，尚且知道拿好东西给儿女，何况你们在天上的父，岂不更把好东西给求他的人么？"（太七11）耶稣这种带权柄的教训都是基于一个无可争辩的事实：人人都是罪人。使徒保罗的一句名言是："世人都犯了罪，亏缺了神的荣耀。"（罗3:23）

法利赛人和文士虽反对耶稣，但他们熟读旧约，深知人的罪孽深重。耶稣的爱徒约翰记录了一件很有意义的事。耶稣传道期间，法利赛人和文士不承认耶稣就是旧约中预言的那位弥赛亚（救世主），对耶稣的教训格格不入，处处设法刁难、反对耶稣。

一次他们将一个行淫时被拿的妇女带到耶稣面前，"就对耶稣说：'夫子，这妇人是正行淫之时被拿的。摩西在律法上吩咐我们，把这样的妇人用石头打死。你说该把她怎么样呢？'"约翰一针见血地指出："他们说这话，乃试探耶稣，要得着告他的把柄。"（约8:6）的确，这是文士和法利赛人对耶稣设的一个陷阱。因为按摩西的律法，该妇女应被石头打死。但当时的巴勒斯坦是在罗马人的统治之下，罗马当局规定，犹太人没有私自处死人的权力，一切案件须由罗马政府处置。法利赛人和文士问耶稣如何处理这个妇人，是要把耶稣置于进退维谷的困境。如果耶稣说用石头把这妇人打死，马上就触犯了罗马政府的法律；若耶稣说不用石头打死她，耶稣就背弃了摩西律法。这群人自以为得计，不住地催逼耶稣回答。他们以为这次耶稣无论如何也逃不出他们的圈套了。

没想到，耶稣不慌不忙地只说了一句话，事态就急转直下。耶稣说："你们中间谁是没有罪的，谁就可以先拿石头打她。"（约8:7）此话一出，法利赛人和文士导演的这一闹剧就立刻收场了。约翰的记叙十分生动、细腻。"他们听见这话，就从老到少一个一个的都出去了，只剩下耶稣一人，还有那妇人仍然站在当中。"（约8:9）这个脍炙人口的故事除了再次显示了耶稣的圣洁和无与伦比的智慧外，也深刻地揭示了人的本性。

为什么听了耶稣这句话，法利赛人和文士一个个都走了呢？因为他们知道自己有罪，无法用石头打这个妇人。为什么"从老到少"一个个地走了呢？有人说，犹太人有敬老美德，所以让老人先走，年轻人后走。有人说，不然。年长的法利赛人和文士比年轻人更熟悉《圣经》的教训，深谙自己有罪，故急忙先走开了。不管怎样解释，事实是，除了那个妇人站在原地不敢走、在等待耶稣的宣判外，所有的法利赛人和文士全都走掉了。这生动地阐明了世人都犯了罪的真理。

既然罪的普世性早在新、旧约时代已成为毋需争论的事实，为什么现代许多人对基督教这一教义却相当反感、不承认自己有罪呢？从认识的角度说，这与人们对《圣经》有关罪的教训不够了解、以至产生各种误解有关。

《圣经》中罪的含义

很多人都会理直气壮地问："我不偷不抢，没有杀人、放火，从未被判刑、从未坐过监狱，何罪之有？！"从世俗的观点看，此话是有一定道理的。没有触犯社会刑律、或触犯了社会刑律但未被他人发现、甚至虽然触犯了刑律而出庭受审，但如果自己的律师辩护有方而推倒起诉，都算无罪。人们这里所讲的乃是刑事犯罪（crime），没有犯此种罪的人就不是罪人。然而《圣经》中所讲的罪远较世俗的罪的含义深广。

《圣经》中讲的罪，按希伯来文和希腊文的含义，是"未中鹄"的，或射箭没有射中红心；也就是说，所谓罪，是指人无法完全达到神的道德标准，是对神的标准的偏离。神对人在道德上的要求，集中体现在以色列的伟大先知摩西从神那里领受的十条诫命：耶和华是唯一的神；不可拜偶像；不可妄称耶和华的名；当纪念安息日；当孝敬父母；不可杀人；不可奸淫；不可偷盗；不可作假见证陷害人；不可贪恋别人的房屋、妻子、仆婢、牲畜，并他一切所有的（参见出20:2-17）。

新约的作者指出，"人若知道行善，却不去行，这就是他的罪了。"（雅4:17）在这种意义上，应该做的不去做，是消极地在犯罪，亏欠就是罪。新约作者也指出另一种犯罪的表现，"凡犯罪的，就是违背律法，违背律法就是罪。"（约壹3:4）这种罪乃是人用言行直接对抗神的诫命，是所谓"积极犯罪"，如，不顾许多确据、故意不信神，和一切恶行和不义。使徒保罗尖锐地指出，"他们既然故意不认识神，神就任凭他们存邪僻的心，行那些不合理的事；装满了各样不义、邪恶、贪婪、恶毒，满心是嫉妒、凶杀、争竞、诡诈、毒恨，又是谗毁的、背后说人的、怨恨神的、侮慢人的、狂傲的、自夸的、捏造恶事的、违背父母的、无知的、背约的、无亲情的、不怜悯人的。他们虽知道神判定，行这样事的人是当死的，然而他们不但自己去行，还喜欢别人去行。"（罗1:28-32）

平心而论，谁能说自己与这些消极和积极的罪不沾边呢？达不到神的道德标准的人，虽不一定触犯世俗的刑律，在神眼里就是罪人。

罪性和罪行

为明白罪的问题，必须把罪性与罪行区别开来。罪性(Sin)是人的本性，与生俱来；罪行(Sins)是内在罪性的外在表露。所谓罪性是指以自己为核心的自私心态。人类始祖亚当、夏娃犯罪后，人与神的关系破裂了。从此，人不再以神为中心，而以自己为中心。所以亚当、夏娃的后代都有罪性，无人幸免。人内在的自私，在外在的行为上一定要表现出来，这就是罪行。正像《圣经》所说："私欲既怀了胎，就生出罪来。"（雅1∶15）所以，人并不是因为犯了罪行才成为罪人，乃是因为人有罪性而必然要犯罪。或者说，人不是因为犯了罪而成为罪人，乃是因为人是罪人而必然要犯罪。

人的罪性在孩童时期表现得最为明显。不管长辈如何教育孩子要大方、谦让，孩子们自然而然地总是表现出以自己为中心。别的孩子有了好玩具，他总是哭闹着非要从对方手里要过来自己玩；但当他自己有了好玩具，是很难被说服与别的小朋友一起玩的。桌子上摆上了好吃的东西，孩子们会毫不顾及他人地伸手就去抓。坐滑梯、荡秋千需要排队时，也从不谦让，总是喊着："我先！我先！"……这使父母们常常叹息，要孩子学"好"就像上坡一样费劲，而稍稍管教不严，孩子就会像下坡一样自然而然地变"坏"了。过去我一直不能解释这些现象，现在方懂得这是人一出生就具有的罪性使然。

人的罪性所表现的各种罪行有时是相当令人惊骇和难以理解的。文化大革命发动不久的1966年冬天，在北京发生了这么一件事。当时北京市一所中学的红卫兵怀疑该校传达室的一位老工友是暗藏的反革命分子，但老工友至死不承认。愤怒的红卫兵们把老人拉到室外，剥去他的棉衣、棉裤，让他站在凛冽的寒风中。然后，把一桶滚烫的开水从老人头上浇下去。接着又浇一桶凉水。就这样，一桶开水，一桶凉水反复地浇，直到老人死去。据说最后他的肉皮都脱落下来了。其实，在那个年代，这种事情是屡见不鲜的。但不知为什么，这件事给我留下极深的印象。记得当时我听到这种事时不禁打了个冷颤。我实在想不透为什么一群年仅十几岁的中学生竟能干出这等残酷的事来。

1968年春天，我所在的大学也爆发了大规模武斗。虽然对武斗的发生早有预感，但当武斗真正发生时，我和许多人仍然被血腥的残杀惊呆了。清醒过来之后我们才急忙奔出校园去拦阻汽车，以便把受伤的同学运送到附近的医院求治。我们一批批地运送着伤员，他们一个个血迹斑斑。我清楚地记得，其中有一位同学的左眼被打伤，眼球几乎脱出眼眶；另一位同学的肝部被长矛刺中，流血如注……见此情景，我的心越缩越紧，也不知道当时哪里来的那股劲，一刻不停地往返于学校和医院之间，从午夜一直忙到第二天早上八、九点钟才回到自己的宿舍。我的室友见我一夜未归都急坏了，还以为我惨遭不幸了呢。

这事件已过去三十多年了，但当时的情景仍历历在目，就像昨天刚发生的事。我曾一遍又一遍地问道，都是同学，仅仅因政治观点的不同，为何就有人能如此狠心地向对方大打出手、大动刀枪呢？

上面谈的是比较特殊的例子。就整体而言，文化大革命像一个人生大舞台，每个人都无可幸免地淋漓尽致地表演了一番。如果说在和平时期，每个人都有一付面具，使自己的本性在众人面前可以深藏不露或忽隐忽现的话，在那场历时十年的动荡、风暴之中，在不知道明天将会发生什么事的人人自危中，为了自身的利益，或为发迹走红，或为生存的权力，人人都脱去了伪装，赤膊上阵了。上至国家领导人，下至平民百姓无一例外。有真善美的闪光，更有假恶丑的劣行。趋炎附势、望风使舵、造谣惑众、诬陷贤良、落井下石等竟屡见于上下级、师生、同事之间，甚至在夫妻、父子、母女、亲朋之间，闹得天昏地暗。在这个层面上说，文化大革命的十年经历，可说是了解人的罪性的一本绝好、悲烈的教材。

作为罪人之一，笔者当然也不例外。在那一场劫难中，我虽自认为没有干过多少伤天害理的事，但为了表示自己"紧跟"、"革命"，也说过不少违心的话，做过不少违心的事，至今回想起来仍羞愧、悔恨不已。

人有犯罪的天性并不是说人每时每刻都在犯罪或每个人都犯一切罪。人有时也有善行，如见义勇为、助人为乐、拾金不昧等等。傅来恩(Leslie B. Flynn)在《人是什么？》一书中指出，"有些神学家形容人的天性为'完全败坏'。相信新闻记者和警察能证明这一点。……它不是说每一个罪人都没有良知，也不是说每个人都有倾向犯任何一种罪，或人不可能有任何善行（例如帮助生病的邻居，捐款给联合国基金会等）。有些罪犯还自愿被当作医学上的实验品；而不良帮派的人可能对自己养的小动物温柔无比。一位醉汉被人发现倒在爱丁堡(Edinburgh)的人行道上，他手中仍紧紧抓着一个玩具娃娃，那是他买来送给他生病的小女儿的。显然，我们每个人里面，都混合着善与恶。"[1]

我曾读过一本小说，作者曾是到东北某生产兵团插过队的女知识青年。她书中的主人翁是部队的一位营长。一次营区的森林失火。这位营长不顾个人安危，多次冲入烈火把困在火中的知识青年一个一个地抢救出来，他自己却被烧得遍体鳞伤。营长受到部队的通令嘉奖，也成为知识青年心目中的英雄。但这位营长后来却被枪毙了。因为他以后利用各种手段奸污了许多女知识青年。事发后，他被押上军事法庭。

小说的作者在《跋》文中问道，"我应该怎样认识、评价这位营长？为什么善与恶、美与丑这样完全对立的东西会如此鲜明地同时集中在这一个人身上？！"这一沉重的问号也长久印在我脑海里。现在我才慢慢明白了，何止这位营长呢，其实，我们每个人身上都像这位营长一样混合着善与恶，只是善与恶的强度、对比度和表现形式各不相同罢了。神的话千真万确："时常行善而不犯罪的义人，世上实在没有。"（传7:20）这就是世上每一个人的光景：有时做好事，有时做不好的事；当众做好事，背地作不好的事。任何人无法只作好事而永不作不好的事。这是《圣经》所揭露的人人都是罪人的真实状况。

人内在的罪性一定会表现为外在的罪行。但人的罪性在何种场所、以什么形式表现出来却要受主、客观条件的影响或制约。客观条件主要指社会的法律。有人说，人并不怕犯罪，乃是怕犯罪的后果。对触犯刑律所带来的恶果的惧怕，使人的罪性不敢轻易表现出来。一旦社会律法的运作受阻，许多平日受尊敬的人可能立刻胡作非为；许多看似诚实的人也可能趁火打劫。这就是为什么在非常情况下，如地震、台风、水灾等发生时往往都需要实行军事戒严的原因。

1975年河南省驻马店地区的板桥水库大堤决口，一个个村庄被大水夷为平地，铁轨经大水冲击，竟被拧成麻花状。被大水冲到安徽省、又从安徽省活着跑回来的就逾万人。各级政府紧急动员起来救灾抢险。当时我正在河南省洛阳地区工作。

在救灾中出现了不少可歌可泣的事迹，也确有人趁人之危、为非作歹。一位干部与一名妇女同被困在一个高地上。在与世隔绝中，这干部便放肆起来。面对一片汪洋，无助的妇人只好任他反复强暴，直到被人救离险境。有一名抢险队员划着一条船、手里拿着带铁钩的长竹竿，见人见物就钩住救上船。可当被救人的双手扶着船帮要上船时，这位抢险人员见被救人手腕上戴着手表（当时手表是贵重物品），于是他把对方的手表捋下来归己。因怕对方事后告发，抢了手表后他不让被救者上船，反而狠心地再把对方按进洪水中。他如法泡制，得了数块手表却害了数条人命。

另一名抢险队员见一名少女从上游冲下来，正大呼救命。他见这女子相貌姣好，便对女子说："我可以救你，但我把你救上来后你得跟我过活。"女子听此荒唐要求一时不知如何作答。这位队员见她不允，竟见死不救，任她被水冲走。前面这两人事后都被枪毙了，最后这名队员是被就地正法的。这名少女顺水冲下一里多地后幸被一名战士救起。上岸后这位少女一直哭泣，战士得知真情后怒不可遏，由女子领着去找那个队员。找到后，这战士把该人拖到一边，当场开枪打死。

大家也许会奇怪，这只是一名普通士兵，何故敢擅自开枪杀人？是的，在正常情况下，判死刑、执行枪决必须履行很多严格、繁杂的法律程序。但在非常形势下，普通士兵就被赋予"先斩后奏"的生杀大权，否则不足惩治邪恶、维护社会平安。傅来思一针见血地指出，"在文明的伪饰之下，深藏着的是人类的败坏。"[2]

人的罪性如何表现为外在的罪行也要受主观条件的影响。有的人对良知比较敏感，有的人则麻木、迟钝；有的人看重名誉、脸面，唯恐遭人非议；有的人则不在乎他人如何议论，只要能得到头利就行；有的人眼光比较长远，信奉"小不忍则乱大谋"，不愿为蝇头小利而损害自己的远大前程；有人则目光如豆，"今朝有酒今朝醉，明朝无酒喝凉水，"只图眼前一时快活等等。由于这些主观因素的差异，人的罪性的表现方式及程度也随之而异。这就是为什么小孩的罪性最易表现出来的缘故。小孩子不懂得什么"前程"，不知"人言可畏"，不计任何"后果"，他们想什么就做什么，把内心表露无遗。然而，对成人来说，主、客观因素虽可在一定程度上左右内在罪性的外在表露，但对内在罪性却不能产生任何影响。人的这种罪性或私欲是人的本性，生而有之，根深蒂固，无法自己消除掉。正如《圣经》指出的，"人心比万物都诡诈，坏到极处。"（耶17:9）

如何判断是否有罪？

很多人认为自己没有罪，除了没有弄清楚《圣经》关于罪的含义、把罪只等同于世俗的刑事犯罪以外，还因为他们对如何判断自己是否有罪不够明晰。

○ **判断的标准** 判断人是否有罪的标准不应该是人的世俗的标准，而应该是神的圣洁的标准。用世俗的标准，有时很难判断。因为每个人身上都混合着善与恶，而且私欲的侧重点也各有不同。有的贪生怕死，有的贪恋女色，有的唯利是图，有的则热衷名誉。有人坦露无遗，有人则隐晦难测。这就难以比较，说谁比较好，谁有罪而谁无罪。何况，世俗的标准是相对的，不时在变化之中。二十年前，在大陆犯奸淫罪是最能让一个人身败名裂的了，可现在，婚前同居却日见普遍。在"性解放"的国家，非法性关系成了小事一桩，使人心安理得了。

再则，即便有人表现出的道德水准比另外一些人高一些，但仍不可能除掉私心，不可能不犯罪。若用世俗的标准，虽我们明明知道自己并非无辜，常有闪失，有见不得人的念头、行为，但却仍不时以"比上不足、比下有余"自我安慰。耶稣对这种普遍存在的"自以为义"的骄傲心理持尖锐批判的态度。耶稣向那些仗着自己是义人，藐视别人的，设一个比喻，说："有两个人上殿里去祷告：一个是法利赛人，一个是税吏。法利赛人站着，自言自语的祷告说：'神啊！我感谢你，我不象别人，勒索、不义、奸淫、也不像这个税吏。我一个礼拜禁食两次，凡我所得的，都捐上十分之一。'那税吏远远的站着，连举目望天也不敢，只捶着胸说：'神阿，开恩可怜我这个罪人！'我告诉你们：这人回家去比那人倒算为义了。因为凡自高的，必降为卑；自卑的，必升为高。"（路18:9-14）这个法利赛人的外在的道德水准可能比这个税吏高，但在神的眼中反不看为义。因为此人同样达不到神的要求且又毫无自知之明。

　　我们判断是否有罪，只能用神的标准。神的标准集中体现在前面谈到的十条诫命。人不论怎样努力修行，由于自私的核心无法根除，皆无法达到神的标准。对此，《圣经》也有生动的论述。"耶稣出来行路的时候，有一个人跑来，跪在他面前，问他说：'良善的夫子，我当作什么事，才可以承受永生？'耶稣对他说：'你为什么称我是良善的？除了神一位之外，再没有良善的。诫命你是晓得的，不可杀人，不可奸淫，不可偷盗，不可作假见证，不可亏负人，当孝敬父母。'他对耶稣说：'夫子，这一切我从小都遵守了。'耶稣看着他，就爱他，对他说：'你还缺少一件，去变卖你所有的，分给穷人，就必有财宝在天上，你还要来跟从我。'他听见这话，脸上就变了色，忧忧愁愁的走了，因为他的产业很多。耶稣周围一看，对门徒说：'有钱财的人进神的国是何等的难哪！'"（可10:17-24）

　　每当读到这段经文我都被震动。除《马可福音》外，其它福音书的作者也记载了这件事情。这个向耶稣求问永生之道的人是一位少年官和富人。耶稣对人的败坏向来是毫不留情、严加鞭笞的。但这次似乎是例外。当耶稣听这位少年人说他从小就遵守了一切诫命时，"耶稣看着他，就爱他"。可见这位少年人有相当高的道德水准，以至赢得了耶稣的喜爱。然而当耶稣要他变卖自己所有的，分给穷人，并要他跟从他时，少年人就不能遵从了。他听见耶稣的这一吩咐后，"脸上就变了色，忧忧愁愁地走了。"

　　《圣经》的记述常常是这样生动、细腻、深刻。作者没有说明这少年人的脸色是怎样变的，为人们留下了思考的余地。我想，当这少年刚来到耶稣面前时，由于有钱、有德、受人好评，一定是容光焕发、神采奕奕的。当耶稣谈到诫命，而他告诉耶稣他从小就遵守了一切诫命时，可能颇为自鸣得意。当耶稣用爱眼看着他时，这少年一定喜形于色，以为自己无疑可以承受永生了。然而，听到耶稣说他"还缺少一件"时，他必定一脸困惑：我不是一切都做得很好了吗？还会缺少什么呢？最后，耶稣要他变卖所有、分给穷人的命令更使他先惊愕、后犹豫，最后变为忧愁。

这位少年人离开了耶稣。他不是"嗤之以鼻"地拂袖而去，也不是"怒容满面"地扭头便走，而是"忧忧愁愁"、步履迟缓地走了。为什么？因为他内心陷入难于取舍的痛苦挣扎之中。他渴望求永生，也相信耶稣能指引他得到永生，否则他不会跪着求问耶稣；然而他又贪恋自己的钱财，贪恋世俗。他相信耶稣说的是真的，只要按耶稣的话去做就可以积财宝在天上，而且可以承受永生；但他难以按耶稣所说的话去做。他多么希望永生和世界可以兼得！然而当他只能取其一时，他思想发生激烈争战。他清楚地知道，不照耶稣的话去行就得不到永生，不跟从耶稣就没有永生。可惜在世俗私欲的捆绑下，他身不由己地、满心不舍地、一步一步地离开耶稣走了。

"原来体贴肉体的，就是与神为仇，因为不服神的律法，也是不能服。而且属肉体的人不能得神的喜欢。"（罗8:7-8）这个少年反映了人类的光景，血肉之体的欲望根深蒂固，使人们难以服从神。按世俗的标准，这个少年人是比我们许多人都更有道德的"好人"，但按神的标准，他仍是一个不能得神喜欢的不义的罪人。

前面已谈到，神的标准就是十条诫命。耶稣深刻地指出了十诫的精髓所在。"有一个人是律法师，要试探耶稣，就问他说：'夫子！律法上的诫命，哪一条是最大的呢？'耶稣对他说：'你要尽心、尽性、尽意，爱主你的神。这是诫命中的第一，且是最大的。其次也相仿，就是要爱人如己。这两条诫命，是律法和先知一切道理的总纲。'"（太22:35-40）这两条看似简单，却是极难做到的。

首先说"爱神"。如果至今不承认有神，或虽承认有神，但不承认耶稣是神，或虽知道耶稣是神、却不敬拜他，这种人当然谈不到"爱神"。即使接受耶稣作为个人的救主，开始爱神了，但是真要做到"尽心、尽性、尽意"地爱神又谈何容易呢。我们可以在一时一事或较长时间地、在较多事上顺服神，但人对神的信靠、顺从总是断断续续的，难以做到每时每刻、永永远远尊神为大、一生一世爱神、顺服神。

我国圣贤孔子也只是说，"己所不欲，勿施于人。"即自己不愿的东西不要强加给别人。这是对的，但是消极的。而耶稣要我们"爱人如己"，要像爱自己一样主动地去爱别人。这是更高的要求。记得当年在查经班讨论时，一谈到耶稣有关"要爱你的仇敌"，"有人打你的右脸，连左脸也转过来由他打"（太5:38-44）等教训时，非常不理解。我们过去所遵从的是"人不犯我，我不犯人；人若犯我，我必犯人"的原则。如果任人欺辱，还要反过来去爱他们，岂不太有失个人的尊严了吗？后来，我们慢慢明白了耶稣所说的不是要我们去爱人的恶行，乃是爱有恶习的人；我们的忍让并非姑息迁就，乃是要用爱心去感动对方弃恶从善。

然而，道理是明白了，却仍然无法做到"爱人如己"。有时我们会深陷于一己的事务之中，以至无暇他顾，不能去关心、帮助他人。有时我们也会去爱别人，但往往只能爱那些爱我们的人或那些对我们的爱有回报的。这种回报不一定是什么实质的报偿，但起码是一声"谢谢"或一抹感激的眼神，表明对方知道我们在爱他。可是如果我们真心去关心、帮助一个人，并为之付出了很大的代价，对方不仅不感恩，反而以恶相待时，我们就无法忍受了，会火冒三丈，痛恨此等人竟如此恩将仇报、不近情理。我们也许找机会回敬他一下，让对方知道我们并非智慧低下、任人愚弄之辈；我们也许从此与之断绝往来，"惹不起，还躲不起"吗？！无论如何，我们难于与这类人作朋友了。虽然事后也许还会在有事时帮他一把，但这只是在大面儿上过得去而已，爱心却没有了。

我本人就有这种亲身遭遇，使数年的同窗之谊化为乌有，并从此天南地北，各奔前程。不期几年后又被调到同一个地区工作，常常见面。我虽未寻机报复，但与他极少交往，形同路人。按世俗的标准，我的姿态算不低了。

耶稣教训门徒说："只是我告诉你们这听道的人，你们的仇敌，要爱他，恨你们的，要待他好；咒诅你们的，要为他祝福；凌辱你们的，要为他祷告。""你们若单爱那爱你们的人，有甚么可酬谢的呢？就是罪人也爱那爱他们的人。你们若善待那善待你们的人，有什么可酬谢的呢？就是罪人也是这样行。"（路6:27-28,32-33）我们常常觉得，耶稣对门徒的要求太高了，高到苛刻的程度了。谁能做得到呢？！

只有比较，才能分出真伪、高低。耶稣不仅这样要求门徒，他自己就是这样做的。现在让我们来看看耶稣的爱。耶稣本是无限荣耀的神，为拯救沉沦的世人，不惜降世为人，自己过着贫困的生活，四处传讲天国的道理，要人们悔改、回归，多次行神迹奇事，治病赶鬼，解除人们的痛苦。但犹太人却反目相待，虽找不出他有任何过犯，仍怂恿罗马巡抚使耶稣惨遭钉十字架的酷刑。如果我们处在耶稣的地位，恐怕再通达的人也难免要对犹太人的倒行逆施义愤填膺了。出乎意料的是，当耶稣在十字架上经受剧烈的痛楚时，面对那一群大声咒诅他的犹太人，他却对父神祷告说："父啊，赦免他们！因为他们所作的，他们不晓得"（路23:34）。神的爱是何等长阔高深！"为义人死是少有的；为仁人死，或者有敢作的。惟有基督在我们还作罪人的时候为我们死，神的爱就在此向我们显明了"（罗5:7-8）。这种爱是世人无法相比的，是人间没有的；它只能来自天上，来自神。有耶稣这面镜子，谁敢说自己已经达到了神的"爱人如己"的标准了呢？！

○ **罪性与罪行并重**　　深藏在人思想隐密处的罪性，不仅他人看不见，甚至会向自己掩饰。但神是鉴察人心的。〈希伯来书〉的作者深刻地指出："神的道是活泼的，是有功效的，比一切两刃的剑更快，甚至魂与灵，骨节与骨髓，都能刺入、剖开，连心中的思念和主意都能辨明。并且被造的没有一样在他面前不显然的；原来万物，在那与我们有关系的主眼前，都是赤露敞开的。"（来4:12-13）

1995年是伦琴发现X射线一百周年。《中国科学报》（海外版）1995年12月25日发表了张能静的文章〈X射线的发现者——伦琴〉，其中写道："1895年12月，伦琴向'德国维尔茨堡物理医学学会'提交了自己的工作报告'关于一种新射线'。几周之内消息传遍了世界——人们为一种射线能看到自己的骨骼、腑脏感到震惊和畏惧。美国在得知这项成果的第四天就用X射线为一个病员找到了子弹在体内的确切位置。也是在美国，新泽西州很快通过一项今天读来令人捧腹的法律：禁止在观剧望远镜中使用X射线，以保护少女的衣装不被看透。"X射线的发现不仅引发了二十世纪初的物理学革命，而且在哲学、认识论等方面也有深远意义。伦琴当之无愧地成为诺贝尔物理学奖的第一位得主。

但我引用上面这一段话，主要是说明人们对暴露自己所感到的恐惧。然而，神的鉴察比X射线更可畏。神可以把我们的魂与灵剖开，把我们的心思、意念都辨明。主耶稣的教训真比两刃的剑更锋利："你们听见有话说：'不可奸淫。'只是我告诉你们，凡看见妇女就动淫念的，这人心里已经与她犯奸淫了。"（太5:27-28）当耶稣再来时，每个人一生中的心思、言行都要面对面地对神作出交待。"人所作的事，连一切隐藏的事，无论是善是恶，神都必审问。"（传12:14）

明白了《圣经》中关于罪的含意后，谁敢说自己一生的行为无可指摘，自己的心思意念洁白无秽呢？谁能说自己无罪呢？"我们若说自己无罪，便是自欺，真理不在我们心里了。"（约壹1:8）每个诚实的人都应该能面对自己是一个罪人的事实。

人的罪性从何而来

人的罪性虽是无争的事实，但对人的罪性的根源却众口不一，长期争论不已。进化论者说，人是由动物进化来的，因而人身上必然残存着动物的本性，即为生存而斗争的兽性，并认为这是人的罪性的来源。因为人也是动物，为保证自己生存的权力，必然会保护自己而与他人争斗。按这种观点，人的罪性乃是符合情理、天经地义的。但这种论点是站不住的。首先，它立论的基础（人是由动物进化来的）是缺乏根据的。我们在第六章已有较详细的讨论。人不是由动物进化来的，而是神亲手所创造的。其次，人的罪性何止是因为生存竞争呢？人在温饱有余之后，仍往往表现出对名、利、权力的贪得无厌；人在自己通达以后，仍常常会对那些于自己的生存毫无威胁的人生出嫉妒、狡诈、残忍。这些都不是用人的动物性能够解释的。

更多的人认为人的罪性是后天的，与教育有关。我国历来有荀子的"人性恶"与孟子的"人性善"之争。孟子主张"人之初，性本善"，认为人的恶性乃是后天的环境造成的。这种观点被普遍接受，"孟母三迁"的故事也因此被广为流传。不仅我国如此，西方也有类似看法。随着现代科学的兴起和工业化的推进，人们的物质生活和精神生活都发生了巨大变化。十九世纪的西方呈现一派经济繁荣、国泰民安的祥和气氛。很多人，包括不少基督徒，对世界的前途都抱着十分乐观的态度。当时人们普遍认为，只要不断提高生产水准、发展经济，使人人可以生活得更好，只要大力普及教育，使人人能分辨善恶，人类社会就可日臻完善，人的罪性也将随之根除。然而，二十世纪先后爆发的两次世界大战使人们目瞪口呆，战争中暴露无遗的人性的凶残、暴虐，把人们的美好憧憬打得粉碎。

人们物质生活的改善、提高，并不会使人们的精神生活、道德水准自动升华。教育使人明大义、辨是非、知法守法，能在一定程度上降低犯罪率，但却无法改变人们的罪性。教育、知识可能使人们行事小心谨慎、恪守社会法律，但这只是在压制人的罪性或使罪性更加巧妙、更加隐蔽地表现出来。气候一适宜，这些罪性立刻会爆发出来。不久前在一本书中看到一则故事。一个来自一个有吃人习性的部落的年青人到美国求学，完成大学学业后又回到自己的部落。几年后，他的一位同学从美国去探望他，发现他又恢复了食人习惯，非常惊愕，百般不解地问道："难道在美国的多年教育对你的生活习性没有发生任何影响吗？"他却微笑着回答说："当然有影响啦！我现在吃人肉时已改用刀、叉了。"

很多人都以为，只要有改革社会的良方，人的罪性就会逐渐消除。但是，现实正好相反。据说有一次《泰晤世报》举办征文比赛，征文题目是《现今世界的最大问题是什么？》不少人投去了洋洋洒洒的大部头文章，但有一个人的文章只有一句话："编辑先生，当今世界的最大问题是我。"一语道破，入木三分。是的，当今世界的最大问题乃是人心不轨。如果能把爱己之心变为爱人之心，小到家庭、朋友之间，大到民族、国家之间，一切问题都可以迎刃而解了。

在人类的历史长河中，虽有许多志士仁人、改革家应运而生，有过无数可歌可泣的奋斗和牺牲。然而当他们登上权力的宝座时，过去深藏不露的罪性开始蠢蠢欲动、逐步表露甚至恶性发作，于是开始蜕化、沉沦，重蹈其改革对象的覆辙，进而被新的一代革新者所推倒、取代。如此往复不止，令人兴叹不已。并非都是改革的宏图不可取，而是实行改革的人的心灵不够纯洁，无法将改革进行到底。社会改革固然可以带来一些暂时和比较表层的好处，但不能触及人心。人的罪性不除掉，人类社会就无和平繁荣、长治久安之望。

人们逐渐悟到，人的罪性是先天的、而不是后天形成的，也不能用人为的方法除掉。人的罪性的根源，在《圣经》中有清晰的论述。在神创造的第六日，"神说，'我们要照着我们的形象，按着我们的样式造人，使他们管理海里的鱼、空中的鸟、地上的牲畜，和全地，并地上所爬的一切昆虫。'"（创1:26）"耶和华神用地上的尘土造人，将生气吹在他鼻孔里，他就成了有灵的活人，名叫亚当。"（创2:7）尔后神又用亚当的一条肋骨造了亚当的妻子夏娃。亚当、夏娃被造时是完美的、圣洁的，因为"神看着一切所造的都甚好。"（创1:31）。亚当和夏娃被神安置在伊甸园负责修理、看守。神明确吩咐亚当说："园中各样树上的果子，你可以随意吃，只是分别善恶树上的果子，你不可吃，因为你吃的日子必定死！"（创2:16-17）

可是在魔鬼的引诱下，夏娃和亚当悖逆神的旨意，偷吃了禁果，被逐出伊甸园。他们与神断绝了交通，带来了灵性的立即死亡和肉体的必将死亡。这种灵性和肉体的死亡延及全人类，使亚当和夏娃的后裔无一例外地变成有罪的人。"这就如罪是从一人入了世界，死又是从罪来的；于是死就临到众人，因为众人都犯了罪。"（罗5:12）

人类始祖的罪性的产生乃源于对神所赋予的自由意志的滥用、对神的旨意不顺服。始祖的悖逆，使人与造物主的交通中断，灵性枯竭，从此陷入以自己为中心的境地不能自拔。他们的子孙一出世就具备利己的私欲，具有罪性。这不是说，因始祖犯罪，神要诛连九族，把罪名强加在其后代身上，使之"背黑锅"，乃是因为始祖的死亡的灵性代代相传。自私的核心使每个人必然要犯罪而成为罪人。如果一定要问是"人性善"还是"人性恶"的话，可以这样说：神造人时，人性是善的，但人偷吃禁果之后人性则变恶了；对始祖的后代，对我们每个人来说，一出母腹就有犯罪的倾向，或者说人性是恶的。

二、天堂和地狱

一次，一位慕道朋友把我叫到一旁，困惑地问道："基督教多数时候讲神的爱，可有时又讲天堂、地狱。这不是又哄又吓，胡萝卜加大棒，软硬兼施，逼着人信吗？"看着他真诚的表情，我无不同情地说："我完全理解你的意思。但我也只能坦白地告诉你，天堂和地狱是真实存在的。"

生命不灭

按照唯物主义的观点，人死如灯灭，人肉体死亡后，生命亦随之结束。笔者在《神州时报》上看到一篇署名文章〈死的幽默〉，从墓志铭看东西方文化的反差，新颖而生动。文章指出，与东方人"青山有幸埋忠骨"的庄重相比，西方式的碑文则显得轻松俏皮。比如，德国著名创作家费希特1993年去世时，送葬仪式很隆重，但墓碑上只有两个字："剧终"；法国钢琴演奏家拉姆斯弥留之际嘱咐他的学生在空白的大理石墓碑上刻一个金色的休止符；英国体育俱乐部献给前高尔夫世界冠军的花圈上写着："唯有这一次入洞，是没有奖杯的"；瑞士工商界为原著名建筑家杰克逊所立的墓碑上写着他生前常说的一句话："实用面积，十尺有余！"美国一位黑人母亲为其十四岁的"打工仔"题写的碑文是："收工！"这些墓志铭的确反映了东西方文化的差异。

但是我想，如果这些碑文仅仅是表示人死后便停止了在现今世界上的一切事业、劳作的话，是挺形象的；但若这些"剧终"、"休止符"表示的是人的生命的永远结束，就值得商榷了。因为人的灵魂不死，肉体的死亡只是人的生命由一种形态转变为另一种形态而已。

几乎所有的文化都包含生命不死的信仰。傅来恩写道："已故的美国总统第一夫人罗斯福伊琳勒(Eleanor Roosevelt)在她的一篇专栏里写道，'我在环球旅行中所遇见的人，几乎每一个都相信死后仍有生命。'""1976年，盖洛普(Gallup)民意测验结果显示，有百分之六十九的美国人相信死后仍有生命，这个比例从1948年以后一直维持不坠。"[3]

人的一生太短暂了。即使一位极有成就的人的一生所做的事也相当有限。所以苏格拉底说，如果死后没有生命，人生的价值、意义都无从谈起。而且，当一个人的学识日渐丰富，品格日臻成熟时，却已到了晚年，到了生命的尽头。如果死后没有生命，就太费解了。犹如一位雕塑家呕心沥血几十载，雕成一尊近于完美的人像后，却又突然把它打碎、扔掉一样。

当今世界充满着不公平，常常是作恶的人一生飞黄腾达、安享长寿，虔诚的人却一世颠沛劳苦、英年早逝。如果死后没有生命、死后没有审判，就没有任何正义和公道可言。

可喜的是，《圣经》中有明确的关于生命不死、死后有审判的教导。"按着定命，人人都有一死，死后且有审判。"（来9:27）旧约中有不少见证生命不死的记载。新约中，耶稣则多次谈到永存的生命、审判之日、天上的奖赏和地狱的刑罚。有人统计过，耶稣所讲的三十六个比喻中，就有三分之一是与将来神的审判有关的。当然，死后有生命的最有力的证据乃是耶稣被钉死后第三天从死里复活。

《圣经》中有关灵魂不死的记载也为现实生活所证实。在第一章中笔者引述了罗林斯在《死——怎么回事？》一书中关于心脏病人灵魂出窍的记载。去年我又得知几位朋友也曾有类似的经历。最新的一个见证是我不久前听到的。当时我正飞往德州的达拉斯市。我的邻座是一位美国牙科医生，利用学校放春假的机会到德州度假一周。她告诉我，她生第一个孩子时，因婴儿体重超过十磅，而且头特别大，发生难产。她突然发现自己离开了自己的躯体上腾，并看见一大群医生、护士围在她病床四周忙碌。她听到一个声音说："Don't worry. You will be all right."（"别着急，你一切会好的。"）然后她发觉自己又回到了躯体中。事后她问医生、护士和家人，知道并没有人向她说过这句话。我听了她的故事后很兴奋。这是我亲自见到的"灵魂出窍"的第一个见证人。我问她："我是否可以向他人分享你这经历？"她回答说："当然可以。这是完全真实的。"

天堂和地狱

生命不死，灵魂不灭，那么人在肉体死亡后会到哪儿去呢？答案很清楚：不是进天堂就是去地狱，别无选择。一般圣经学者认为，天堂或地狱是主耶稣再来审判世界后人们的最终归宿。主耶稣再来以前，基督徒和非基督徒肉体死亡后，其灵魂分别暂时到乐园或阴间。

天堂是一个真实的地方，是使徒保罗所说的"第三层天"。他曾被神提到那里。（参见林后12:2-7）有人认为，环绕地球的大气层是第一层天，群星聚集的地方是第二层天。第三层天是天堂，是神的家。天堂究竟什么样子？〈启示录〉用碧玉墙、珍珠门和黄金街等来描述天堂的美好，但天堂的实际情况是我们现在难以了解的。按《圣经》的记载，有几点是比较明确的。在天堂里"不再有死亡，也不再有悲哀、哭号、疼痛，因为以前的事都过去了。"（启21:4）

天堂是圣徒聚居的地方。我们不仅可以与我们所怀念的、在基督里睡了的亲人相见，而且可以与旧约和新约中的圣徒、历代教会的伟大领袖和来自各方、各国、各民族的信徒亲切交通。天堂是圣洁、快乐的地方，是众子民敬拜、事奉神的地方，是享受与神的同在、有满足的喜乐和永远的福乐的永恒之境。天堂不是虚构或幻想，而是真正的地方。在最后的晚餐上，主耶稣以亲切而肯定的语气对门徒说："你们心里不要忧愁；你们信神，也当信我。在我父的家里，有许多住处；若是没有，我就早已告诉你们了；我去原是为你们预备地方去。我若去为你们预备了地方，就必再来接你们到我那里去；我在那里，叫你们也在那里。"（约14:1-3）

地狱的存在象天堂一样真实。《圣经》多次谈到地狱，是永受责难的地方，是神倾倒怒气之地，黑暗、痛苦、哀哭切齿之处，是永刑之地。天堂和地狱无法相通，但天堂和地狱都会持续到永远。地狱是极度阴森、恐怖的。很多人不愿意想它，甚至不愿意别人提及它。但地狱的存在是真的。所以耶稣在世时曾多次论及地狱。耶稣受难前给门徒的最后教训，再次讲到末后的审判，被咒诅的人要进入那为魔鬼和他的使者所预备的永刑里去，而义人要往永生里去（太25:41-46）。地狱纵然可憎、可怕，却是每个人都必需面对的。

三、人犯罪的后果

"罪的工价乃是死。"（罗6:23）人犯罪的结果，使死亡和痛苦进入人类。生活水平、医疗水平的不断改善，人的平均寿命可以不断增长，但死亡是无法避免的。按着定命，人人都有一死。肉体的死亡固然可怕，然而人犯罪的最严重的恶果乃是世人与神的关系的断绝。

亚当和夏娃偷吃禁果被神逐出伊甸园后，虽然又活了许多年才死去（亚当活到九百三十岁），但他们的灵命在吃禁果以后立即就死亡了。他们吃了禁果后马上开始躲避神。与神关系的中断就是人的灵性的死亡。

也许有人一时还认识不到其严重性。他们想，我不认识神，心中没有神，不也活得好好的么？神是宇宙万物的源头，是生命的源头。人如果和神分离，就成了无源之水、无本之木，人几十年的短暂生命还有什么意义呢？人与神隔离，就意味着在肉体死亡后，人的生命要永远进到那与光明、喜乐、圣洁相隔绝的地狱中去。这是永远的刑罚，是没有终结的死，《圣经》称之为"第二次的死。"（启21:8）

常有朋友问，如果神真希望我们认识他，他直接向大家显现一下，我们不就都信了吗？是的，神巴不得让大家有机会面对他。然而，人无法面对神。除了造物主与被造之物的人在知识、智慧、时空方面的难以想象的巨大差异外，神与人在道德属性上的不兼容是人不能面对神的另一个原因。神是光明、公义、圣洁的，而活在罪中的世人却陷在黑暗、不义和污秽之中。"义和不义有什么相交呢？光明和黑暗有什么相通呢？"（林后6:14）

《圣经》中那些得见神的荣耀的先知们无不自觉罪孽深重、无地自容。先知以赛亚年青时看见坐在宝座上的神时就说："祸哉！我灭亡了！因为我是嘴唇不洁的人，又住在嘴唇不洁的民中，又因我眼见大君王万军之耶和华。"（赛6:5）使徒约翰年老时被放逐在拔摩岛，见到天上的异象，写下了《圣经》最后一卷书〈启示录〉。当他见到复活得荣耀的主耶稣时，他说："我一看见，就扑倒在他脚前，像死了一样。"（启1:17）古圣先贤尚如此，我们一般世人面对神就更无法存活了。

罪带来无可挽回的、永远的隔绝，是与神这唯一的真正生命的断绝，是属灵的死，是最为可怕的、永远的死亡。耶稣对他所选召的十二个门徒训示道："那杀身体不能杀灵魂的，不要怕他们；惟有能把身体和灵魂都灭在地狱里的，正要怕他。"（太10:28）世人如果在今世故意拒绝耶稣这位真神，到末日就会永远灭亡。

耶稣说："所有犯罪的，就是罪的奴仆。"（约

8:34）人犯罪的另一个恶果是为自私所困、被罪所捆绑。所谓作罪的奴仆，就是在罪的奴役、辖制之下，没有不犯罪的自由。许多人酗酒、抽烟，许多人吸毒、生活放荡。他们并非不知自己的恶习有害，也不是不想改邪归正。然而多少次下决心，就多少次故态复萌。

林治平著的《舞台》，⁴ 记载了十几个生命的真实故事，其中有些是吸毒的青少年。看到当事人的叙述，对吸毒的危害才有了较深入的认识。现将一位受害者的自述摘录如下。"最初食白粉时，心里仍自负，以为别人会上瘾，自己就不会上瘾。就算上了瘾我说要戒就可以即刻戒掉，不像这班又瘦又弱的道友。于是我就食了第一口白粉，这个毒钩从此就紧紧地钩住我。这十几年来所过的可谓是非人生活。虽然有人的躯壳，但却好像行尸走肉一样，全无理性。那时我人生的最终目标便是白粉。……为了白粉我不惜挺而走险，不择手段地搵钱。当我有力气时便拿刀去打劫，去抢，当我无力气时，便拿家中的物品去卖。……我食白粉，妈妈好伤心，其它的家人则当我不存在。只有妈妈常常流泪劝我。难道我真不想戒吗？真的想食一世白粉吗？其实，我内心很痛苦，屡次想戒，但都失败。在出监或离开戒毒所之前，我何尝不曾立下大志，出去后再不吃白粉，做一个好人，赚钱，过正常生活，孝顺父母。但好真实的一句话：'立志为善由得我，只是行出来由不得我。故此，我所愿意的善，我反不作；我所不愿意的恶，我倒去作。'（罗8:18-19）使我思想到人根本没有力量，人是软弱的。屡次在出监后，又再上瘾，家人对自己已灰心冷淡，连自己也觉得自己没希望得救，将来不是打白粉针打死，便是给警察打死，或者老死监房。"这极形象地勾划出人在罪的奴役下的凄惨光景。

吸毒问题使香港当局十分头疼，各种措施都采用了，却收效甚微。后来一位叫陈保罗的牧师创办了福音戒毒所，"不靠药物，不凭己力，只靠耶稣"，使一批又一批吸毒者绝路逢生，彻底地戒掉了毒瘾，并获得了神所赐的永远的生命。这不仅使冷眼旁观者刮目相看，而且香港当局也心悦诚服，拨专款帮助陈牧师扩建福音戒毒所。

诚然，一般人所犯的罪并非像杀人、吸毒等这样大，其后果也不那么严重。但每个人受罪捆绑的程度却和吸毒者没有两样。有人作金钱的奴隶，有人作名利的奴隶，有人作事业的奴隶；有人权欲熏心，有人沉溺色情，有人长于心计，有人苦毒、争竞。我们并不是不想改，但立志行善由得我们，行出来却由不得我们。我们都陷在罪中无力自拔。

罪还使人难于和他人相处。不是轻看别人，就是嫉妒别人。平时尚能友好相处，利害关系发生冲突时却难于相让。我来美国以前曾听人说，东方的嫉妒和西方的嫉妒不一样。东方的嫉妒是："你好，我就千方百计把你拉下来，不让你好"；西方的嫉妒则层次较高："你好，我要加倍努力赶上你，比你更好。"

赴美十几年我才有了自己的体验。美国一般人之间的利害冲突（如晋级、加薪、住房等）远不如国内那么尖锐，所以人际关系远较国内简单。然而，当个人利害发生冲突时，西方的嫉妒若不比东方的嫉妒变本加厉的话，起码是毫不逊色，也是无所不用其极。这乃是人的罪性所致，东方和西方没有本质差别。个人间如此，集团、国家间亦如此。一切战争、斗殴皆出自个人或集团的私利。只有以抑己代替扬己，才能化干戈为玉帛。

总之，自从始祖悖逆神后，世人就陷入罪中不能自拔。人们试图与罪抗争，却无法取胜。有人说，人只能在大罪和小罪之间选择，却不能弃罪从善。世人在罪中的情况就像一个人溺于水中一样。怎样挣扎都是徒劳，必须有他人的抢救才能上岸。只有对自己的罪性有了清楚的认识，我们才渴求帮助；只有了解到我们无力自拔，我们才需要一位救主。深爱世人的神为我们预备了摆脱罪污的救恩，差遣耶稣降世为人，成为拯救人类的救主。

四、神伟大的救恩

著名的〈约翰福音〉3章16节集中表达了神拯救世人的伟大救恩："神爱世人，甚至将他的独生子赐给他们，叫一切信他的，不至灭亡，反得永生。"神爱按他的形象所造的人类。人犯罪与神隔绝后，神仍深深地眷顾着世人，要把他们从罪恶和死亡中拯救出来。

怎样救呢？神是圣洁的；污秽的人不能面见他。神是公义的，"万不以有罪的为无罪。"（鸿1:3）因此，人只有悔改认罪、改邪归正才能重新回到神的国度。旧约时代，神与以色列人立约，只要遵守十条诫命，就能得神的喜悦。然而事实证明，被罪奴役的世人无论如何努力、挣扎，都不可能完全地、永远地遵循神的诫命。神要以此封住世人的口，表明活在罪中的人无法靠自己的行为得救。

所以到新约时代，神用了新的拯救方法，让他的独生子取了人的样式，无辜被定罪，将世人的罪都归到他一人身上，代替众人在神面前受审判，作了世人的替罪羔羊。他流的宝血将一切信他的人的罪洗净，得以称义，成为永生神的儿女。使徒保罗说："你们得救是本乎恩，也因着信，这并不是出于自己，乃是神所赐的；也不是出于行为，免得有人自夸。"（弗2:8-9）这就是神的救恩，是一切相信耶稣的人白白得到的恩典。一切相信耶稣的人将得到永远的生命；不信耶稣的人将在永远的死亡中沉沦。

只要一个人承认自己有罪，愿意悔改，相信耶稣是神的儿子，为世人的罪被钉死，三天后复活，升天了，因而愿意接受耶稣作他个人的救主和生命的主宰，这人便成为一名基督徒，得到了神的救恩。我们常常听到"重生"、"得救"、"称义"、"成圣"这些说法，它们是神的救恩的具体内容。

耶稣说："人若不重生，就不能见神的国。"（约3:3）按字面解释，重生就是再生一次。人从母腹出生，得到了属血肉的生命。当我们接受耶稣作自己的救主时，神就把生命赐给我们，让圣灵永驻在我们心中。也就是说，神又生了我们一次，使我们得到了永远不会朽坏的生命。所以彼得说："愿颂赞归与我们主耶稣基督的父神，他曾照自己的大怜悯，借着耶稣基督从死里复活，重生了我们，叫我们有活泼的盼望，可以得着不能朽坏，不能玷污，不能衰残，为你们存留在天上的基业。"（彼前1:3-5）

世人都犯了罪，本都要受到神的审判，灭亡在永远的刑罚里。而耶稣替罪人死，使一切相信他的人的过犯得以涂抹，罪过得到赦免，不再灭亡反得永生。这就是得救。

"神的义，因信基督耶稣加给一切相信的人，并没有分别；因为世人都犯了罪，亏缺了神的荣耀；如今却蒙神的恩典，因基督耶稣的救赎，就白白的称义。"（罗3:22-24）人相信耶稣后，神就不再看他是罪人而看他是义人、是自己的儿女。人从罪人变成义人的这一身分的改变，叫做"称义"。

"我们凭这旨意，靠耶稣基督只一次献上他的身体，就得以成圣。"（来10:10）当一个人接受耶稣后，不光洗净了外面的罪行，同时得到了神赐的生命，本性发生了变化。开始从世俗区分出来，成为圣洁，这叫"成圣"。

所以，重生、得救、称义和成圣是人信耶稣后所得到的救恩的四个方面。罪得赦免、脱离永死是得救；接受神的生命、作一个新造的人是重生，从罪人变成义人是称义；将自己从世俗分别出来归于神则是成圣。人一相信耶稣，就立即得到这四方面的救恩，并无先后次序之分。但是，信主的时候，我们虽也像重生和得救一样，一次就得着了义人和圣人的地位和身分，但在实际生活中称义、成为圣洁则需要一生不懈的追求和长进。

信耶稣不光是追求善行，乃是要得到生命，得到从神而来的永远的生命。信耶稣不是只洁净外表，而是要改变人的内心。只有敞开心门接受耶稣、借着圣灵的进驻，有了神所赐的永远的生命，人从里到外的脱胎换骨的改变才有可能，才能"活出"而不是"做出"耶稣的样式来。信耶稣得生命，这是基督教最超越别的宗教的地方。

五、好人不信耶稣也要下地狱吗？

"一个作了很多坏事的人，只要一相信耶稣，就能上天堂；而一个人一生中作了许多好事，仅仅因为不相信耶稣，就要下地狱。耶稣岂不太武断、基督教岂不太不公平了么？"这是许多慕道朋友心中的结。

这个问题可以从两方面来看。虽然从人的眼光看，世人有"好人"、"坏人"之分，但每个人都是罪人。人们犯罪的方面、方式、程度各有不同，但人的罪性却无本质差别。因此在神看来，世人都犯了罪，只有"较好"的罪人和"较坏"的罪人之分，而没有"好人"与"坏人"之别。

其次，不信耶稣的人要下地狱并不是神把他们推进地狱而是他们自己要去的。"因为神差他的儿子降世，不是要定世人的罪，乃是要叫世人因他得救。信他的人，不被定罪；不信的人，罪已经定了，因为他不信神独生子的名。光来到世间，世人因自己的行为是恶的，不爱光倒爱黑暗，定他们的罪就是在此。"（约3:17-19）上文谈到耶稣如何处理那位被法利赛人捉到的行淫的妇女。当法利赛人自知有罪，不敢拿石头打她，并一个一个地全走出去以后，"耶稣就直起腰来，对她说：'妇人！那些人在哪里呢？没有人定你的罪么？'她说：'主啊，没有。'耶稣说：'我也不定你的罪，去罢！从此不要再犯罪了。'"（约8:10-11）想要审判人的法利赛人却首先被耶稣审判。犯了奸淫罪的妇女反而没有被耶稣定罪。这妇人犯罪，证据确凿。不论如何处置，她都无话可说，只有低头伏法。

但耶稣却出乎常人意料地宽恕了她。同时,耶稣并没有放纵这位妇人,而是严肃地劝诫她"从此不要再犯罪了"。主耶稣公义、慈爱的形象呼之欲出!这位妇女很可能在耶稣大爱的感召下从此远离恶行,弃旧图新。她很可能从此跟从耶稣,得到永远的生命。这正是耶稣降世的目的。

既然如此,不信耶稣的人为何又会被定罪、要下地狱呢?很多人都以为,不信之人的罪是耶稣加给他们的,作为不信他的惩罚,然后把他们赶到地狱里去。这是因果倒置的误解。

不信者的罪不是耶稣加给他们的,是他们原本就有的。耶稣曾庄严地宣告说:"我就是道路、真理、生命;若不借着我,没有人能到父那里去。"(约14:6)"我是世界的光;跟从我的,就不在黑暗里走,必要得着生命的光。"(约8:12)世人都有罪,生活在黑暗之中。相信耶稣乃是使人洗净罪污,进入真理、圣洁,脱离黑暗进入光明,得到永恒的生命。拒绝耶稣,人就仍生活在黑暗之中,只能与神的永恒永远隔绝,这就是地狱的光景。所以耶稣说:"光来到世间,世人因自己的行为是恶的,不爱光倒爱黑暗,定他们的罪就是在此。"

我的一位美国老师前几年在一次例行身体检查中,医生发现他的前列腺似乎有些变大。他本人毫无不适的感觉。医生为了慎重起见,仍取样作了活检。结果发现前列腺已发生癌变。这位老师遵医嘱,在病情确诊后第二天就作了切除手术。治疗很成功,至今没有复发。

现在,癌症是人类生命的巨大威胁。常常当人们有了症状去检查时,病情已到了中、后期,已有扩散,难以根治。直到现在,癌变的原因并不清楚,除了切除、放疗或化疗外,并无更有效的办法。所以,人们,尤其步入中年以后,每年作例行的身体检查是极为重要的。

如果一位医生告诉一位体检者,他已被确诊患了癌症,所幸还是早期,癌细胞尚未扩散,只要立即作手术,即可根治，否则则有生命危险。我想，即使该人心中惊惶，但定会与医生配合作手术。他恐怕不会说："医生，你怎么这么武断！我非得听你的话动手术才能活，不听你的话，不作手术就要死？！"因为他知道癌变是致死的原因，医生是在帮助他从癌症中夺回生命。

灵命的情况亦是如此。很多人都不知道或不愿意承认自己有罪。耶稣告诉我们，我们每个人都有罪，而罪是造成我们与神隔绝、进入永刑、永死的病因。所以，按着世人的本相，人人都有一死，死后且有审判；审判后应下到地狱中去。但神爱世人。耶稣不仅指出世人的病症是罪，而且给世人带来了神的救恩。神的药方是，只要真心悔改、接受耶稣为个人的救主，人的罪就被耶稣的宝血洗净了，病就被根治了，人不再死亡、下地狱，反而要上天堂、得永生。无论是何种类型、部位的癌，只要是癌，不治都会导致死亡。同样，只要有罪，不论大小、轻重，如不被耶稣的宝血洗净，都会使人走向永远的死亡。所以耶稣来并非是把"无辜"的人推到地狱里去，而是要赐给罪人一条逃离地狱的永生之路。

如果有人要下地狱，是他自己选择要去的。有人说，"地狱的门是从里面关上的。"神爱世人，为之预备了救恩。但神同样给人选择接受或拒绝救恩自由。亲爱的朋友，你选哪一个呢？

六、临终时才信耶稣岂不更好？

有人说："我计划等到临死时再信耶稣。这样，今生今世我可以随己意尽情地享受生活，死后又能进天堂，岂不两全其美？"从世俗观点看，这是左右逢源，面面俱到。然而，这种计划的结果并非如预想的那样美妙。

真信徒还是假信徒？

一个真正相信耶稣的人，首先要认罪悔改，从以自己为中心的私欲中解放出来。信了耶稣后，神要把信徒的"个人第一、他人第二、神第三"的道德观念完全颠倒过来，变成"神第一、他人第二、个人第三"。

把"进天堂"作为信耶稣的动机之一是无可厚非的。谁不愿意不下地狱而上天堂呢！但如果把自己进天堂作为信耶稣的唯一动机就不可取了。因为这仍是一种自私的动机。耶稣说："不是你们拣选了我，是我拣选了你们，并且分派你们去结果子，叫你们的果子常存。"（约15:16）神拣选我们成为基督徒不仅是为了我们自身的利益，乃是要我们去传福音，让更多的人相信耶稣、进天堂。

如果一个人仅仅满足于自己得到神的爱和帮助，满足于自己能进天堂，而不尽力去传福音，让更多的人得到神的爱、让更多的人能进天堂，是不符合神的心意的。因为神爱世上的每一个人，不愿有一人沉沦，乃愿人人都悔改、得救。这种仅满足于个人得救、不为主耶稣作工的人不一定被神悦纳而能进天堂。

在临终时真正悔改、得救的人是有的。但这种事前预谋好，仅为了自己能进天堂而在临终前才信耶稣的人，绝不可能真正认罪、悔改，因而是与天堂无缘的。

耶稣警告说："凡称呼我'主啊、主啊'的人，不能都进天国；惟独遵行我天父旨意的人，才能进去。当那日必有许多人对我说：'主啊！主啊！我们不是奉你的名传道，奉你的名赶鬼，奉你的名行许多异能么？'我就明明的告诉他们说：'我从来不认识你们，你们这些作恶的人，离开我去吧！'"（太7:21-23）口里说自己是基督徒或从事传道、赶鬼、行异能的不一定是真信徒。假传道、赶鬼、行异能之名，行利己之实的人都不能进天国。只有遵行神的旨意，爱神、爱人如己的人才与天国有分。

是真信徒还是假信徒，他人难以判断，他人也不宜论断。但神和他本人都十分清楚。将来面对神时都会作出裁决。傅来恩意味深长地说："有人说，天堂里有三件事令人惊奇：看见一些我们以为不会上天堂的人；发现我们所期待的某些人不在那里；发现自己在那里"[5]。

现代人的难处

筹划着临终时才信耶稣的人以为今生今世按自己的意思去生活会快乐无比。这种观点与现实生活正好相反。美国作家马克吐温曾经说过，人从摇篮到坟墓的几十年中，一件有绝对意义的事是寻求内心的平安。这是他对人生的深刻洞察。现代人的难处就在于内心没有平安。

无法把握明天，焦虑愁烦，是现代人的难处之一。我们常常说，除了自己以外，什么也靠不住，主张个人奋斗。但我们不得不承认，许多事情却不是自己能把握得住的。对赴美学生、学者来说，从入学、邀请通知书到出国签证，从资格考试到论文答辩，从第一份工作的面试到日后的各种变动，成败难卜，多少时候我们是在忐忑焦虑的等待中度过的啊！

人生既短暂又漫长。但纵观一个人的一生，关键的往往只有几步。一步之差，人生迥异。我们经常觉得被推到人生的十字路口，不知下一步往什么地方走，瞻前顾后、举棋不定，深感自己智慧不够用，洞察力不够强。我们多么希望能有人为自己指点迷津，帮助我们做出正确的决策。

中国俗语说，"天有不测风云，人有旦夕祸福。"今天似乎还是样样不缺，明天就可能变为一无所有。我的不少朋友，凭着自己的聪明才智、勤奋刻苦，在美国各行业中都干得相当不错了。有的已成为高级主管和经理，有的常常受到上司的嘉奖。当他们觉得可以稍稍吐一口气的时候，做梦也想不到裁员会裁到他们头上！一切顿失依托。

工作的变故、婚姻的危机、亲朋的离世或自己健康的衰退，往往突然临到，使我们手脚无措。正像《圣经》说的那样，"不要为明日自夸，因为一日要生何事，你尚且不能知道。"（箴27:1）尤其在当今社会，节奏快、变化大、竞争强，我们时时在为生存、生活而挣扎、奋斗，缺乏安全感，内心自然没有平安。

不能寻着生命真谛，心灵饥渴、空虚，是现代人的难处之二。以色列的伟大先知摩西在〈诗篇〉90篇中写道："我们一生的年日是七十岁，若是强壮可到八十岁；但其中所矜夸的，不过是劳苦愁烦，转眼成空，我们便如飞而去。"（诗90:10）寥寥数句，道尽人生。

虽然人的一生各不相同，有的通达、有的坎坷；有的显赫、有的平淡；有的富有；有的贫穷；有的长寿，有的早逝；但有一点是相同的，人生是寻梦。每一个人都有一个自己编织的美妙的梦想，并一步一步地、一年一年地、一生一世地为实现这个梦而努力地奋斗、挣扎着。

人们常常在想，等我越过什么关口或取得什么成功后，那时将是多么美好啊！正是这种对未来的向往支持着我们不避艰辛、不顾烦劳地一站又一站地、紧张地追赶着人生的列车。然而，我们也发现，梦想实现的过程似乎又是希望破灭的过程。取得某一成功或达到某一预定的目标所带来的欣喜、欢乐是如此地短暂，马上就被新的压力、愁苦所取代。

我来美后的经历也是这样。当博士生时，因为一个学期只有两个多月，往往从第三个星期开始，各门考试就接踵而来。考试是一锤定音，考砸了连补考的机会都没有。我一共要修十五门课。如果其中有三门是"C"，就要卷被子走人，不仅奖学金要告吹，而且将永远没有资格在该校拿学位。其压力可想而知。我全力应付各种考试，不敢有半点松懈。到期末，各门课的期终考试到了，学期的论文也到期限了，我常常在期末都要连着熬几个通宵，放假后连睡两三天补觉。当时我常想，什么时候把课修完，没有任何考试就解放了。

当我终于修完全部课程和通过了连续三天闭卷笔试的博士资格考试后，确实轻省了几天。可惜好景不长，论文实验的压力马上扑面而来，想到要定期拿到实验结果、写出论文和通过答辩，轻松感早就消失得无影无踪了。

现在，从我取得博士学位至今已十几个年头了。从博士后到教职，各阶段性目标相继达到了，也实现了"五子登科"（帽子、车子、妻子、孩子、房子），然而并未感到轻松和满足，仍承受着各方面的、难以尽述的压力。在我信主前，心灵深处更有一种无可言状的惆怅和空虚。

我想，许多人都会有类似的感受。刚买的一部新车，我们会爱护备至，但过不了几年，车开始出毛病，车体开始出现锈斑，我们也就不在乎它了。从一套公寓搬进一幢房子，开始会感到相当宽敞、舒适，可过不了多久就习惯了，再无新鲜感了。当自己的论文变成印刷体时会激动一阵，可多发表几篇后，就感到平淡了。

没有钱不行，但有了钱又带来新问题：多余的钱如何处置？存银行，利率太低；炒股票又担风险；真正"发"了，又担心被谋财害命。难怪，芝加哥的富人区是需要心理治疗的人最多的区。不少人追求成名，可多少名人却又渴求着能过普通人的正常生活！在人生中，与忧愁、烦恼相比，人的喜乐太短暂和微不足道了！

那么，人生的意义究竟是什么呢？中国人，尤其是知识分子，大都用一个人对社会的贡献来衡量人生的价值，强调"立德"、"立言"、"立功"。认为如能为社会留下点什么，就不虚此生。然而在人类历史中，真正有资格做到这"三立"的恐怕只有极少数人。按此标准，绝大多数人的人生又有什么价值可言呢？再者，即使那少数在历史上留下了印迹的人，他们是否真能体察人生的价值呢？

所罗门是以色列历史上最显赫、最富有的国王。他在位四十年，把以色列建设为当时中东最强大的国家，并令普天下的王来求见和进贡。他的财富无数，一切饮器都是金的，银子多如石头，他还有一千妃嫔侍候。可这样一位国王在年老时回顾人生的时候却发出了"虚空的虚空，虚空的虚空，凡事都是虚空"的深深叹息。

希腊的亚历山大大帝虽席卷欧亚大陆，称雄一世。后染疾而终，年仅三十余岁。据说临死时他吩咐部属在他的棺材的两侧挖两个洞，让他的两只手从棺中伸出来，以便告诉世人，像他这样的伟人，离世时也是两手空空的。

《圣经》说，人"怎样从母胎赤身出来，也必照样赤身而去；他所劳碌得来的，手中分毫不能带去。"（传5:15）一切功名利禄都会在时间的长河中渐渐褪色，而且终将归于乌有。我们中华民族也深谙此理。

张弈在《离亭燕》中这样写道，"多少六朝兴废事，皆入渔樵闲话。"当年那些英雄业绩，到头来只不过成为渔夫、樵夫闲言碎语的话题而已。《红楼梦》的作者曹雪芹借〈好了歌〉极深刻地道出了人生的空虚。"世人都说神仙好，唯有功名忘不了；古今将相在何方？黄冢一堆草没了。""世人都说神仙好，唯有金钱忘不了。终朝只恨聚无多，积到多时眼闭了。"句句震撼人心。

有人说，人生的难处在于：得不到，失望；得到了，绝望。还有人说，如果你想最深地伤害一个人，就把他想要的世间的一切全都给他。这样，对方就毫无希望可言了。这些话乍一听觉得离奇，但细细品嚼却滋味无穷。

为什么人会这样呢？原来，"神造万物，各按其时成为美好；又将永生安置在世人心里。"（传3:11）人是按神的形象造的，神将他的灵植在人的心中。因此，人生来就有对永生的向往和渴求。然而，世人奋斗所得，没有一样东西具有永恒的价值，故内心深处总是空虚。法国著名科学家巴斯噶将此称为人心中的"神形空虚处"，除了神的灵外，世间一切东西都无法将它填满。认识神以前，这种空虚感折磨着每一个人。

难于面对死亡，内心惶恐，这是人生的另一大难处。按唯物主义观点，有生就有死，人死如灯灭，是顺乎自然的事。但当死亡真正来临时，多数人皆不能泰然处之。有人说，人是唯一知道自己要死、又不得不死的高等动物。人百十年的寿命确实太短暂了。

步入中年后，日子过得更快。有时快得都叫人心里害怕。大家都知道，北京大学聂元梓等人于1966年5月25日贴出的那一张大字报是文化革命的前奏。大字报贴出后当天的情景在我脑子里还非常清晰，就像昨天才发生的事一样。可是，从那天到现在，三十三年已经逝去！真叫人难以相信。三十三年，一个人的一生能有几个三十三年呢？多数人连三个都没有。

"人过三十，天过午。"信主前，我不愿意过生日。过生日不仅是长了一岁，更是老了一岁、少了一年。常有"来日不多了、来日可数"的感叹。奋斗半辈子，刚想喘口气，却不知老之将至。内心的惆怅、空虚，笔墨难以形容。

苏轼的《念奴娇.赤壁怀古 》是相当气势磅礴的。然而，诗人在最后却无不忧戚地写道："多情应笑我早生华发。人生如梦，一樽还酹江月。"因为火烧赤壁中的风云人物周瑜二十几岁即官拜中郎将，而苏轼写这首词时正官贬黄州作团练副史，而且已经近五十岁了。

读到这类诗词，我常有共鸣，甚至黯然泪下。乃同命相怜矣。不仅如此，随着年龄增长，身体素质也开始下降，时有病痛。还常疑神疑鬼，怕身患绝症。不时感到死神的逼近。医药、科学的进步和生活水准的提高，人的平均寿命可以延长，但仍不免有一死。人渴求永生却苦于无门。

信耶稣就是永生

由于人的种种难处，加上罪的捆绑，人无法凭己力冲破痛苦的网。以为随自己的心意去生活便能心满意足的想法是不现实的。还有人说，"基督教强调的是死后的永生；我所追求的却是在死之前如何使今生快乐。"是的，不信主的人事业有成、婚姻和谐、富裕通达也不乏其人。但一个敢于诚实面对人生的人却无法否认在这种成功、和谐和富足的光环之下，掩藏着的是充满挂虑、痛苦挣扎和饥渴的心灵，只是他人不一定知晓而已。按世人的本象追求来的各种快乐（包括罪中之乐）是转眼即逝的，随之而来的是更深的空虚和不尽的忧虑。

此外，以为永生是人死后的事，乃是一种误解。前面已经谈到，信耶稣是要得到神赐给的新的生命。当一个人认罪悔改、接受耶稣做个人的救主时，神的圣灵就永驻其身。信徒便与永生的神相连接，就有了永生。正如《圣经》所教导的，"认识你独一的真神，并且认识你所差来的耶稣基督，这就是永生。"（约17:3）所以永生从一个人相信耶稣的时候就开始了。基督徒不仅有在肉身死亡后进入天堂、与神同在的荣耀的盼望，同时也有平安、喜乐、丰盛的今生。

主耶稣恳切地呼召说，"凡劳苦担重担的人，可以到我这里来，我就使你们得安息。"（太11:28）又说，"不要忧虑，说：'吃什么？喝什么？穿什么？'这都是外邦人所求的；你们需用的这一切东西，你们的天父是知道的。你们要先求他的国，和他的义；这些东西都要加给你们了。"（太6:31-33）耶稣的门徒们根据他们的切身体验劝戒大家："应当一无挂虑，只要凡事借着祷告、祈求，和感谢，将你们所要的告诉神。神所赐出人意外的平安，必在基督耶稣里，保守你们的心怀意念。"（腓4:6-7）"你们要将一切的忧虑卸给神，因为他顾念你们。"（彼前5:7）我们虽不能掌管明天，但有这位全知、全能的宇宙万物的主宰在前面指引，我们的内心岂不会大感平安么？

相信耶稣后，我们便成为神的后嗣，生命注入了永恒，心灵真正得到满足。我们知道在地上的短短百十年远不是生命的全部，就不会拼命抓住名誉、金钱、权势等不放，而能真正超脱、淡泊，去掉许多烦恼。在逆境中，基督徒"深信无论是死，是生，是天使，是掌权的，是有能的，是现在的事，是将来的事，是高处的，是低处的，是别的受造之物，都不能叫我们与神的爱隔绝；"（罗8:38-39）在困苦中，基督徒懂得，"我们这至暂至短的苦楚，要为我们成就极重无比永远的荣耀"（林后4:17），使我们得到安慰和力量。有人说得好，基督教信仰不是用来解释苦难，而是用来承载苦难的。这样的生活才真正是喜乐的。

主耶稣说："复活在我，生命也在我；信我的人，虽然死了，也必复活；凡活着信我的人，必永远不死。"（约11:25-26）基督徒明白，肉体的死亡不是生命的结束，而是另一种生命形式的开始；死亡是一扇门，通向更丰盛、美好的境界。因此，基督徒能坦然面对死亡。有一次，我们的儿子突然对我说："只有基督徒才真正懂得什么叫'视死如归'。"他悟出的道理很对。很多人都说"视死如归"，可"归"到哪里去呢？基督徒清楚知道，他们将归到主耶稣在天上为他们预备的家。与前面谈到的墓志铭相比，基督徒的生死观更加超然、深刻和机智。

傅来恩在《人是什么？》一书中有两个例子。"波那尔(Andrew Bonar)有一次将他的《利未记注释》送给司布真(C. H. Spurgeon)，司布真从这本书受益不少，于是又将这本书寄还给波那尔博士，请求他将他的签名和相片附在书内。波那尔不久之后寄还这本书，并附上一个条子，'亲爱的司布真，这里是我的书，并附有我的亲笔签名和相片。如果你愿意再多等一小段时间，我就会比相片上更好看一些，因为我将要去见他，那时我就会像他。'""著名的《圣经》教师艾因赛（Harry Ironside）有一次说，他不需要昂贵的墓碑，他只要一块空白的牌子，上面写着，'靠恩典得救，得到更新和修补之后再出来。'"[6]

1996年3月份发行的《主爱中华录音事奉中心·中国基督徒作家基金会通讯》第三期上，这两个机构的创建人雷兆轸夫妇冲破传统的阻力，将他们的遗嘱公开刊登出来，决定把遗产的绝大部分奉献给这两个机构。雷妈妈还写了《我的遗嘱附录》，感人至深。现将全文录后，以飨读者。

"一、我回天家后，我身上任何一部分还能用的，请用来帮助需要的人。先是基督徒，后是一般人。然后将剩下的烧成灰。决不要按人间遗传，有什么向'遗体告别'。

二、我的骨灰，最好撒在我住的房子前后松树旁。因为那是很好的骨肥，而且方便。我一生在此房住得最久，从建筑、维修，一直到我回天家，都有我的爱和关怀。但如果要来的接班人不喜欢，也可将我的骨灰装在普通玻璃瓶内，用强胶封住。千万不要买特别的骨灰盒，太贵了，又没意思。等有人回大陆游玩，顺便可带到张家界国家公园，撒在风景最美的地方。张家界在湖南长沙附近，那是我人间的故乡。我这样做，是要免去占人间一席可用之地。旧约虽有亚伯拉罕买地葬撒拉，但新约就完全没有提这样的事了。

三、我走后，希望不要有任何悲伤的情绪，反而要快快乐乐。如可能，请举行一个'欢送雷妈妈回天家的布道大会'。我争取录好我最后一次传福音的讲道录音。如没有，就请牧师传福音，或任何弟兄姐妹作见证，救灵魂。那才是最合神心意的大事。

四、在欢送会上，只在我相片下放一盆鲜花。如有任何人送礼，请将钱奉献给"主爱中华录音事奉中心"和"中国基督徒作家基金会"，帮助救国救民，建立天国的事业。谢谢大家的合作！"

亲爱的朋友们，基督徒们所展示的人生观、精神风貌不正是我们所渴求的吗？为何非要等到临终前、而不是现在就接受主耶稣呢？

七、有的基督徒也不怎么样！

常听到朋友这样批评道："有些基督徒的表现还不如非基督徒呢！我何必要成为基督徒？"是的，有些基督徒确实不怎么样。这样的基督徒在生活中缺乏见证，以致使一些朋友追求真道的心冷淡下来。他们将来在神面前是要作出交待的。作为基督徒，我们应常常省察自身，是否活出了基督的样式，非基督徒朋友能否从我们的言行中受到激励？

但对慕道朋友而言，某些基督徒的表现不应当成为自己相信耶稣的障碍。基督徒也是人，也是罪人。一个人成为基督徒并不是他各方面都比别人好，只是他承认自己有罪、愿意悔改、愿意耶稣主宰他的生命而已。一个基督徒已得到神所赐的新生命，是一个罪得赦免的人。但基督徒仍生活在世俗之中，同样面对各种诱惑和试探。一个基督徒灵命长进的快慢，主要取决于他对神的顺服程度。因此，基督徒不是十全十美的。他们有软弱、失败之处也在情理之中。但从总体来看，基督徒的道德水准是高于非基督徒的，这也是事实。只定睛于少数基督徒的表现容易出现偏差。何况，基督徒还有真有假呢！

另外，是否要做一个基督徒，应基于对耶稣基督的认识。一位基督徒作家中肯地指出："历代以来，教会并非无辜，一切的罪恶和失败，一切牧师、神父所行的策略，所施的迫害，所发的宗教狂热，都使教会蒙受耻辱。但不可否认的是，基督教依然保有创教者的特性和榜样，这才是真正更新力量的源头。"教会近两千年的历史中，确有不少失误，也经历了中世纪的黑暗时期。直到今天，一些名传道人的丑闻被曝光也时有发生。但基督教并没有衰败下去而是不断成长。其根本原因是基督徒所跟随的耶稣基督是真神。作一个基督徒就是和这位真神建立个人的关系，得到神的生命，进入永恒。如果因为少数基督徒的不佳表现，延误，甚至因而放弃了自己与永生神和好、回到神的国度的机会，岂不是因小失大、太可惜了吗？

八、现在太忙了！

有时在我们邀请朋友们参加查经班或教会活动时，对方会谢绝说："现在太忙了，实在抽不出时间。"有的说，等毕业后，有一份较稳定的工作后再说；还有人说，等将来退休后，有空再好好研究研究基督教。他们这样说，可能是推托之辞，也可能真是这么想的。

要说忙，确实大家都很忙，在美国尤其这样。但基督教信仰不是茶余饭后的消遣品。基督徒并不是比他人更闲暇才作基督徒的；相反地，根据我的观察，基督徒往往比非基督徒更忙。他们能挤出时间来追求真理、传扬福音，是因为他们深知基督教信仰对自己和每一个人的极端重要性。一个人再忙，每天总会有一点时间看看报章、杂志，看看电视，与朋友们聊聊天或做一点休闲活动。如果我们把信仰问题摆在这一切的后面，自然排不上队。如果把信仰问题往时间表的前面排，时间就挤出来了。

但要把信仰摆在重要位置，首先要了解它的重要性。只有参加一些有关活动或自己读《圣经》后，才有可能懂得其重要性。否则，一个人很难有时间思考信仰。这就形成了一个负循环。所以，笔者劝朋友们可以咬着牙，硬挤出一点时间去了解基督教，开始一个良性循环。

一天只有廿四小时，做这事就不能做别的事。在这个意义上说，追求信仰与自己的日常活动在时间上是矛盾的。但从另一方面看，时间是神创造的。〈诗篇〉的作者说，"求你指教我们怎样数算自己的日子，好叫我们得着智慧的心。"（诗90:12）《圣经》还说："敬畏耶和华是智慧的开端；认识至圣者，便是聪明。"（箴9:10）可能大家都曾迷路过，夜间迷路更使人心里不安。越迷路越走得快，东突西撞，都无暇冷静下来辨别一下方向。当我们没有认识神时，我们忙于应付各种事情，但常常事倍功半，浪费了许多时间。

我们认识了神这位宇宙的创造者、更多地了解他的心思意念后，我们一定可以有更多的智慧和更深的洞察力，可以事半功倍，提高时间的有效率。所以，追求基督教信仰并非浪费我们的时间，而是为了更好地使用神给我们的时间。

九、做基督徒会失去自由吗？

有的朋友担心，作了基督徒后就得读经、祷告、参加教会各种活动，凡事须察看自己的一举一动是否符合《圣经》，而且还得向他人传福音，这岂不是被束缚、捆绑住了吗？这种担心是可以理解的，我们也曾如此担心过。但作为过来人，笔者可以告诉大家，这种担心是不必要的。

自由不等于随心所欲。上面已谈到，人随心所欲地做事几乎是不可能的。我们说一个人做事"驾轻就熟"或"游刃有余"，或说某人的艺术造诣已达到"炉火纯青"的境界，是指他们掌握了所从事的工作的规律，完成了从必然到自由的飞跃。所以，只有循规律才有自由，正如火车必须在铁轨上奔驰，轮船、飞机一定要按既定的航道、航线行驶一样。所以耶稣说，"你们必晓得真理，真理必叫你们得以自由。"（约8:30）一个人只有进入神所启示的真理，才能脱去罪恶的捆绑，获得真正的自由。

成为基督徒后，有了新的生命，一个人的人生观、价值观都变了。很多人一心盼望着去查经班、去教会做礼拜，并十分愿意把福音传给未信的朋友们。这一切活动都显得那样自然和心甘情愿。在信主以前视这一切为负担和约束，信主以后，这些事却化为生活的一部分，情不自禁地会满怀喜乐地去做，因为神把我们彻底改变了。

十、一切都有把握了才能信吗？

不少慕道朋友有追求的心志，经常参加查经班，对基督教也有了许多了解，但容易陷入一些没有清楚答案的问题中，并认为只有把一切疑问都弄清楚了，才能信耶稣。这种想法并不坏，但却做不到。《圣经》问世已两、三千年了。但其中很多问题，如三位一体、预知与预定等问题至今弄不清楚。因为人的知识、智慧有限，正如保罗所说："我们如今彷佛对着镜子观看，模糊不清，到那时，就要面对面了；我如今知道的有限；到那时就全知道，如同主知道我一样。"（林前13:12）

另外一些问题（如神为什么首先拣选以色列而不拣选中国作他的选民？）是属于神的主权问题，我们作为受造之物也无法搞明白。然而神知道人的有限，他怜悯我们，所以《圣经》中把救恩的道理讲得非常清楚、明白，各种背景的人都可以懂得。只要愿意相信耶稣，人就能得救。

要把一切问题都搞清楚了才信，就等于不信。因为把一切都搞清楚是不可能的。人人所能够理解的神的救恩的道理，已足以成为相信耶稣的根基了。

根据不少人的经验，如果我们能时时把握住耶稣复活这一事实，能时时记住我们（受造之物）与造物主的极巨大差异，能时时站在我们受造的本位，很多疑问就迎刃而解或自动消失了，有助于我们从牛角尖或迷宫中走出来。

前几年，笔者主张大家，尤其是知识分子，把问题搞清楚点后再信。这样，根基比较坚固，一旦相信耶稣后就不易摇摆。但几年的经历使我的观点有所改变。我现在主张，无论是因为心灵顿悟还是因为疑问得到基本解答而相信耶稣都很好。神是很奇妙的。无论从哪一种渠道进入他里面的，他都会帮助、改变我们。

像笔者这样经由理性思辨相信耶稣的，神会让我在感性上经历他的同在，知道他是又真又活的神。因心灵顿悟而信耶稣的人，神却会让他们在知识上、理性上更多地认识他，使其信仰有根基，并能把福音传扬出去。

1992年当我妻子和我准备受洗时，我们的大孩子也表示要受洗。我考虑到当时他只有十三岁，问他是否可以等长大些，心里更清楚些再受洗。但他说他清楚了，于是我们三人一起受了浸。此后，他随我们参加查经班和教会活动。我们并未在信仰的知识上专门帮助过他。

几年前一位博士生来参加我们查经班，提出很多疑问。虽经大家解答，他仍满心狐疑。查经结束后，他一下子把我们的儿子叫住了："你这么小也信耶稣？你能不能对我说说你为什么要信？"当时别的人正和我说话。我不知孩子能否回答，但又不便于立即走过去助阵，只好留一只耳朵听他们的对话。没想到，我们的儿子一、二、三、四、五、六，一口气向对方说了一大套理由。那位博士生听得一楞一楞地，并说："啊，还有点道理。我得好好想想……"（这位博士生现已是主内弟兄了）。

这事使我很得安慰。从哪个途径信耶稣并不重要，重要的是要信耶稣。现在我甚至觉得，心灵顿悟、心头一热便信耶稣的更好。因为这样相信后，以后虽然可能会有摇摆，但他们已进入了神的国度，神会帮助他们的。走理性思考这条路，似乎显得稳固、坚实一些，然而这条路的危险在于，所有的思考或挣扎都发生在相信耶稣之前；万一不能相信耶稣，仍不能与天国有份，一切就变为徒劳。

另外一些朋友已基本上接受了基督教的信仰，但心里总存在着一些疑惑。他们已相信到80%，90%，甚至99%。但仍然觉得没有十分把握，因此长时间犹豫徘徊、裹足不前，内心充满了挣扎。经和不少这样的朋友深入交谈后，我认为问题的症结在于，他们的认知完全停留在理性和科学的层面上，缺乏一个信心的飞跃。

前几章已经论述过，基督教信仰是客观的，因而与理性、科学没有根本矛盾；但人的理性和科学都很有限，单凭理性和科学是无法找到神的。神是个灵，所以寻求他要用心灵和诚实。在理性和科学思辨的基础上，必须凭信心跳跃去和神建立关系，才能建立信仰。

他们的难处就在于跨不出信心的一步。他们说，他们缺乏一种感觉，也渴望神能向他们显现一下，以便下最后的决心。也就是说，要一切眼见了或五官感觉到了才能相信。但眼见为实就不需要信心了。

可是《圣经》十分强调信心的重要。"人非有信，就不能得神的喜悦；因为到神面前来的人，必须信有神，且信他赏赐那寻求他的人。"（来11:6）〈约翰福音〉中记载了耶稣复活后曾向十个门徒显现，当时门徒多马不在场。事后十个门徒告诉多马说耶稣复活了，但多马却说："我非看见他手上的钉痕，用指头探入那钉痕，又用手探入他的肋旁，我总不信。"多马坚持眼见为实。当耶稣再一次向多马及门徒显现时，多马才相信了。此时主耶稣对多马说："……不要疑惑，总要信"，"你因看见了我才信，那没有看见就信的，有福了！"（见〈约翰福音〉20章）

〈希伯来书〉的作者对信心的定义是："信就是所望之事的实底，是未见之事的确据。"（来11:1）谈到信心不凭眼见，不少人都感到困惑：如果我们不确知是真的，如何能信呢？以为建立信心是很难的。

其实，我们每天都在凭信心生活，没有信心会使人寸步难行。我们搞科学研究，首先要凭信心相信自然现象有固有规律可循；在课堂听讲，也是凭信心相信老师讲的都是对的；敢于坐在教室里也是凭信心相信教室不会倒塌。

谁对教室屋顶的可靠性每天去考察呢？我们也只是凭信心相信有关管理人员是尽心在维修、护理教室而已。若朋友说他刚到一家餐馆吃了价廉味美的晚餐，我们也欣然前往，发现果然名不虚传。但在就餐前我们并没有去分析化验该餐馆的食物是否有毒，而完全凭信心相信朋友不会存心骗我们。这样的例子还可以举出很多。

为什么在信耶稣时，我们就不能运用信心了呢？何况我们对耶稣的信心并非盲目，而是有深厚根基的呢。耶稣的复活是无法推倒的历史事实，显明耶稣是神。《圣经》的很多特点表明它是神的话语。神借着大自然和人心的道德律也启示他的存在。千百万基督徒，其中也许就有你的亲人、朋友，都以他们的亲身经历，同证耶和华是又真又活的唯一真神。这些就是我们信耶稣的"实底"和"确据"。难道这么多的事实还不足以让我们在理性和科学的基础上凭信心跨出最后一步——相信、接受耶稣么？一旦跨出这一步，就能感到神的真实了，神的存在就不再是理论问题了。

在出埃及、进迦南时，神为以色列人将红海和约旦河水分开，使他们安然渡过。分红海时，耶和华先将红海分开，以色列才下到红海之底通过。分约旦河时就不同了。神吩咐抬约柜的人要先站到河里去。当他们的脚一入水，河水便分开了。也就是说，以色列人要凭信心先站到河里，河水才能分开，是信心在前，神迹在后。今天也是如此，凡事将信心摆在第一位，感觉就一定会跟上来的。朋友们，凭信心飞跃相信耶稣吧！绝不会错的！

十一、愿意相信，但觉自身条件还不够

有些朋友赞同、欣赏基督教的信仰，也愿意成为一个基督徒，但觉得自己还不怎么够格，想再等一段时间，或等把《圣经》通读一遍或使自己的言行更符合《圣经》的要求后才作基督徒。这种想法是完全可以理解的，因为他们视基督教为神圣。既然加入别的世俗组织都需要自身具备各种良好条件或资格，想必基督教更是如此。从世俗的观点看，这种想法是合情合理的。就像我们要请朋友到家里作客，总要事先把家里收拾利索才便于迎客，否则是对客人的不尊敬。作父母的大凡都有体会，如果夫妻都在外工作，家中有两三个小孩子，那整个家里一定是杂乱无章的。常常是有客人来访，才能促使全家老少齐心合意立即作一次大扫除、大清理（虽然客人一走，又天下大乱）。既然作基督徒是要请圣灵进驻，使我们的身体成为圣灵的殿，我们自然愿意先把内心打扫干净后再请圣灵进来。

但基督教信仰不同于世俗的传统。基督教信仰强调因信称义、因信得救，不靠人的行为。做基督徒的唯一条件就是愿意相信耶稣，接受耶稣为自己的救主和生命的主宰。此外没有任何附加条件。因为信耶稣是要得到神赐的生命。如果没有这个新生命，我们自己的一切努力、修养都只是搽脂抹粉这类表面工夫，无法使心灵更新。只有得着了神赐的生命，我们才能从里到外地把自己打扫干净。所以主耶稣说："看哪！我站在门外叩门；若有听见我声音就开门的，我要进到他那里去，我与他、他与我，一同坐席。"（启3:20）耶稣所呼求的，不是要我们自己拼命打扫自己的屋子，而单单是要我们开门。不管这屋子有多脏乱，只管开门！一旦耶稣进来后，他就能帮助我们尽快地把屋子的每一个角落都打扫干净。朋友们，现在就敞开心门迎接耶稣吧！

十二、天国近了，别再迟疑！

还有些朋友不仅自己持久地参加查经班，而且还常常带自己的朋友去查经班或教会，甚至向别的朋友介绍福音，帮助解答有关的信仰问题。用他们的话说，他们已经信了。他们认为，反正已经信了，至于什么时候决志，什么时候受洗，慢慢再说，等一等也无妨。从表面看，这些朋友与基督徒没有什么不同。实质上却差异很大。基督徒已进入神的国度，而这些朋友虽已站在天国的门口，甚至可以透过大门的窗口看见天国里面的景色，但却仍在天国的外面。基督徒在门内，这些朋友在门外，似乎彼此的气息都能感觉到，伸手就可以相互触摸。然而，门里门外的咫尺之差，却是永生和永死截然不同的境界。

"耶稣对信他的犹太人说：'你们若常常遵守我的道，就真是我的门徒。'"（约8:31）"有了我的命令又遵守的，这人就是爱我的；爱我的必蒙我父爱他，我也要爱他，并且要向他显现。"（约14:21）耶稣还说："凡在人面前认我的，我在我天上的父面前，也必认他。凡在人面前不认我的，我在我天上的父面前，也必不认他。"（太10:32-33）耶稣的这几段话清楚表明，基督教信仰强调的是信徒和耶稣之间的个人关系。相信不只是知道，更包含信靠、顺从和热爱。相信耶稣是道成肉身、为成就神对人的救赎计划而受死、复活的神的儿子固然很好，但仅此还不能使人成为基督徒。只有相信耶稣是神并愿意跟随耶稣、把自己生命的主权交给耶稣的人才是基督徒。决志作基督徒乃是一个人对耶稣的委身。没有这种委身，就与神没有关系。

好比一个人生了病，医生给了他一种特效药。他反复研究，把该药的化学成分、作用机理、疗效、服法等搞得一清二楚。可是他就是不吃这种药。他和药没有建立关系，药是药，他是他，药再好也治不了他的病。信仰也如是，不与耶稣建立个人关系，对神了解再多，《圣经》读得再熟也无用，人仍活在罪中，与天国无份。所以，决志信耶稣并不是一种形式，而是进入神的国度的唯一途径。

有人说，"认识了耶稣，决志就是水到渠成的事了；晚两、三个月再决志也为时不晚。"此话有一定道理。但就我的所见所闻，"等一等"、"慢慢来"有可能带来严重后果。

先知以赛亚呼叫说："当趁耶和华可寻找的时候寻找他，相近的时候求告他。"（赛55:6）不是说神会远离我们而去，而是指世人可能受到各种试探和撒旦的攻击，使我们的心远离神而去，我们的罪成为阻隔而寻不见神。耶稣在撒种的比喻中说，种子"落在荆棘里的；荆棘长起来，把它挤住了。"耶稣对此解释道："撒在荆棘里的，就是人听了道，后来有世上的思虑，钱财的迷惑，把道挤住了，不能结实。"（太13:7, 22）

据说画家达文西在画"最后的晚餐"时，先找了一个形象俊美、脸上有天使般光彩的年轻人作模特儿画耶稣。当他把十一个门徒画好后，若干年已经过去了。最后他又找一个神态诡诈、凶恶的人作模特儿画卖主的犹大。他怎么也没想到这两个模特儿竟是同一个人！罪恶的熏染已使这位昔日的好青年面目全非了。我认识一对年轻夫妇，当他们新搬到我们所在的城市时，恳切地寻找教会，使我们很受激励。他们几乎每周都准时来查经班，我们也常去探访他们。在我离开那个城市时，他们几乎要决志了，但他们想再等一下。后来我有机会回到那个城市布道，特地打听他们的消息。不料，教会的同工们告诉我，自从这对夫妇拿到绿卡后就不来教会了；同工们去请，他们脸上还浮现出嘲讽的笑容。我听后很难过。他们以为有了绿卡就有了依靠了，就可以自己把握自己的命运而不需要寻求神了。这只是幻想。我盼望他们能早日重新回到神面前来；但是，也许他们永远失去机会了。

还有些朋友本来也可以决志了，但他们没有决断，日后或因对一段经文发生疑问，或者被周遭或自身的苦难所困惑，他们慕道的心也慢慢冷却下来。虽然基督徒也会受到试探，也会软弱、跌倒，但他们已进入了神的国度，神会看顾他们到底。但那些已经来到神国门口的朋友，只是因为一时的迟疑没有跨进神的国度，而后因种种原因又背道而驰，离天国越来越远，委实令人痛惜！

生命的脆弱也不允许我们迟疑、徘徊，否则可能永远失去机会。很多时候，死亡会在意想不到的情况下骤然来临。我家居住的城市的一个颇受欢迎的电视新闻男主播，几年前突然病逝。头天晚上我还在收看这位身强力壮的主播的新闻播放，第二天就说他去世了。开始我以为我听错了。后来才知他因突发一种罕见的心脏病而死，还不到五十岁。

我的大孩子念高中时的副校长深得学生的爱戴。1993年12月他在校务会上还在畅谈学校的远景规划，不想三天后的下午两点多钟，当他正走在教学大楼的走廊上时，被从校外混进来的一个神经不正常的人连开三枪，击倒在血泊中，在送往医院途中就停止了呼吸……。全校师生举行了隆重的悼念活动，很多人痛哭失声。这两位都正值金黄的中年。我不清楚那位男主播的信仰，但我确知这位副校长是基督徒，心中才得了不少安慰。

耶稣呼召说，"天国近了，你们应当悔改。"（太4:17）现在正值世界末日，主耶稣随时都有可能再来审判世界，使一切信他的进入永生，一切不信者则要受到永刑。我们现在买了各种保险：医疗保险、汽车保险、房屋保险、人寿保险等等，使我们的生活更有保障。但是，朋友们，你对永生投了资、买了保险了吗？如果主耶稣明天就来审判世界，你准备好了吗？

注 释

1. Leslie B. Flynn著，*What Is Man?* 钟越娜译,《人是什么？》，美国，活泉出版社，1986，页67-68。
2. 同1，页68。
3. 同1，页88，91。
4. 林治平著,《舞台》。台北：宇宙光出版社，1993。
5. 同1，页123-124。
6. 同1，页110，103。

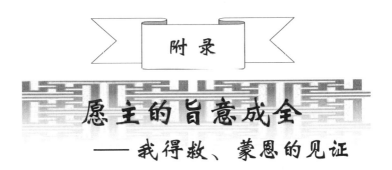

附录

愿主的旨意成全
—— 我得救、蒙恩的见证

　　神对人的拣选是独特的，基督徒信主的经历各不相同。有的以感情为前导，信主自然、迅速。有的则需克服重重理性障碍，长期思考、挣扎。我属于后者。我旅美九年后，才接受耶稣为我个人的救主和生命的主宰，回归正途。

　　我1982年从北京赴美攻读博士学位。不少牧师曾登门传道。作为一个自然科学工作者，我坚持无神论，与之激烈争辩。他们开化不了我，往往以赠送《圣经》为结束。几年后，我已有各种版本的《圣经》七、八本。但我从未认真看过，也不参加任何查经活动。

迎向朝阳

　　1991年上半年，我在一所大学的研究工作告一段落，开始找新工作。以此为契机，事情开始发生变化。那时是在美国找工作比较困难的一年。我先后发出百余封申请信，迟迟未有结果，妻子和我都有些焦急。恰在此时，我们所在大学的中文查经班的周令仪姊妹(Leo)邀请我妻子参加查经。她本不想去，但对方一连几个星期来电话诚恳相邀，碍于情面，她最后同意去试试。不想，一去就被吸引住了，从此她每周查经不误。查经班的弟兄、姊妹为我找工作的事祷告。我去克城进行工作面试的头天晚上，原天津音乐学院副教授徐可立、王国庆夫妇特地来家为我祷告。我虽不信，但觉得祷告有益无害，未加反对。没想到，第二天去面试途中，奇妙的事情发生了。

克城离我的住处有二百英里。第二天早晨我独自驱车前往。当我驶上一段笔直的高速公路时，突然满目金光闪耀，阳光洒在路上、车上，车里、车外一片金黄，持续了四、五分钟，我十分惊惧。我开车已八年多，曾多次迎着朝阳开车，从未遇见这种景象。忽然间，"求你保守里程全家，用阳光照耀他们的道路"的话语闪现出来。啊，这不正是头天晚上朋友在我家祷告时说的吗？！我顿有所悟，心里一阵火热，情不自禁地默祷道："上帝呀，难道您真是在向我显现吗？如果是，就求您保佑我面试成功。假如我得到这个工作，我就信您……。"

面试很顺利，在激烈竞争中，我如愿地得到了克城这份工作。我妻子也意外地找到了一份理想工作。我该相信上帝了吧？没有。因我心存顽愚，刻变时翻，没有履行信主的诺言。

敞开思想

到克城后，我妻子和孩子每周去大学区附近的中华克里夫兰查经班。每次我开车送他们到教堂后，自己去实验室。查经结束后，我再去接他们。有时去早了一点，查经还未结束。出于礼貌，我只好坐下来听听。看见他们对《圣经》逐字逐句地学习、理解、谈心得，酷似当年的政治学习，我觉得可笑。听到他们口口声声称自己是罪人，并断言世人都有罪时，我相当不快。我工作认真，待人诚恳，克己助人，一直赢得人们的尊重。扪心自问，何罪有之？虽思想抵触，我仍不时为工作、生活中的问题暗自祷告。祷告后，问题都迎刃而解，使我一次又一次地感到一种暗中助我的超自然力量的存在。我产生了想了解基督教的念头，开始提问题，但很多回答不能使我满意。有人说，"应该先信起来！只要信了，你就会感到上帝的存在。"对"先信起来"我颇为反感。对我还没有认准的事，怎么可以"先信起来"呢？对我的打破沙锅问到底，有朋友说，"如果你能相信上帝，全世界的人都可以成为基督徒了。"我虽不时参加查经，但满心狐疑。这种状况持续了好几个月。

一次，查经查到〈马可福音〉第9章，一个人求耶稣为他儿子治病。"耶稣对他说：'你若能信，在信的人，凡事都能。'孩子的父亲立时喊着说：'我信；但我信不足，求主帮助。'"这段经文引起大家共鸣：信主，但信得不足。我为孩子父亲的诚实、恳切态度所动，开口暴露了自己的"活思想"："我对耶稣至今半信半疑，这是由我的特定身分决定的。我是一个知识分子，是一个经过文革的知识分子，是一个勤于思考、崇尚个人奋斗的知识分子。"见大家投来的惊异目光，我索性"倒"个痛快。"从认识论看，在原始社会，人类的认识能力低下，被各种自然现象震慑，于是把打雷、闪电、地震、山洪等当作火神、地神、山神等顶礼膜拜。随着生产力的发展及人类对自然的深入认识，人们逐步抛弃了神的观念。因此，有神论是知识低下阶段的产物，无神论是认识上升到高级阶段的必然结论。"我的潜台词是：像我这样一位在国内受过高等教育、又在美国获得博士学位的人，去搞迷信、拜上帝不是太可笑、太不光彩了吗？

文革开始时，我正在文革漩涡中心的北京大学就读，目睹了文革的全部过程。我全身心投入，但被对立派绑架、毒打后发配到内蒙，后又辗转于河南农村、煤矿、机关，直到1978年才重返学术生涯。整个国家的满目疮痍、个人身心的深刻创伤，使我下决心不再去崇拜任何人、事。好不容易从对人的迷信中醒悟过来，我怎么可能又去崇拜一个洋偶像呢？只有我真正相信的，才可能成为我的精神支柱。我有自己的事业，能用所学为社会服务，尽力助人。我内心充实，不需要别的精神支柱。宗教信仰只不过是无知老妇和心态软弱者的拐杖。生活经验告诉我，一切得凭个人奋斗,别的什么都靠不住。我慷慨陈词,甚至引用了"国际歌"的歌词:"从来就没有什么救世主,也不靠神仙皇帝……全靠我们自己救自己。"大家对我的发言议论纷纷,我却不予理会。

与我的高傲、自负相反,我说完后,查经班负责人、医学院的唐兴礼教授十分谦和地对我说:"你的这些问题并不奇怪,我们初信主时也遇到过,解决这些问题的唯一办法是多学习。对《圣经》、基督教有较多了解后再决定取舍也不迟。"我觉得他的话很有道理。他是教授,尚如此谦卑;我一个博士后,有什么可骄傲的呢?既然《圣经》中有答案,不妨去找找看。从此,我除每周参加查经外,还向团契弟兄、姊妹借书,又从宾州和加州的福音书店订购了一批参考书,希望从中寻求答案。不看则已,一看就被强烈地吸引住了。这些书把我带进一个我从未涉猎过的广阔领域,在我眼前展示出属灵世界的奇特画卷。我如饥似渴地贪婪地吸吮着。我手不释卷,每天到深夜。疑团逐渐消失,心里慢慢亮堂起来。

意外发现

过去我一直认为科学与宗教完全对立,然而当我得知前三个世纪,三百名伟大科学家中百分之九十二的科学家,其中包括我所崇敬的牛顿、法拉第、欧姆、焦尔、孟德尔、巴斯德等,都信神时,我大感意外。当代许多著名科学家、宇航专家、诺贝尔奖金得主都是基督徒的事实,使我觉得自己顿时矮了一大截,高傲、自负的心开始谦卑下来。我头脑中关于科学与宗教,无神与有神的根深蒂固的概念发生动摇。我感到对这些重大问题有重新思考、认识的必要。我素以无神论者自诩,可是,我是无神论者吗?此名称应该指那些对有神论和无神论做过系统的比较、研究而信仰无神论的人。我没有做过这样的研究,仅仅是盲目地把无神论的结论接受下来而已。我够不上无神论者,只是一个道听途说、自认为无神的人。

另外，我向来推崇小心求证、逻辑推理、实事求是的科学态度。可是，我对待基督教的态度科学吗？这一反思是我参加查经后开始的。每当带领查经的人要大家翻到某一卷某一章时，我就不安，因为我根本不知道《圣经》各卷的编排顺序。问别人吧，觉得丢人；只好自己前后乱翻一气，自然是找不到。最后还得别人主动来帮忙，我极为尴尬。过去我没有研究过基督教，却断言基督教愚昧、无知，这正反映出自己的武断、无知；我没看过《圣经》，甚至连《圣经》的目录都未读过一遍，就认定《圣经》不符合科学，这只能说明我有先入为主的理性偏见，不能用科学的态度对待《圣经》。

到底有没有神

我一直是个好强的人，自以为是多，自以为非少；但我能知错就改，不文过饰非。对我来说，首当其冲的问题就是：到底有没有神？只要看看宇宙万物，答案不难找到的。

我们的地球是个好例子，如果地球稍小，或稍大，都没有现在这样的大气层。它与太阳的距离若稍稍改变，地球不是太热就是太冷。月球以独特的方式形成，它的存在，影响了地球大陆和海洋的形成。地球自转轴的倾斜度，恰使大地有四季之分……。这一切是如此精确、完美，很难相信是偶然形成的，必是一个智慧的造物主的精心设计和刻意创造。大天文学家开尔文(Kelvin)穷一生之力研究天文数理，他的结论是，"不相信有神的天文学家，一定是痴子！"

水又是一个突出的例子。由于它的许多独特性质，水在生命过程中起着极重要的作用，没有水就没有生命。大多数物体都是热胀冷缩，唯独水是例外，低于4°C后，反而膨胀，所以冰块是浮在水面。否则，海、河、湖、沼在隆冬会全部冻实，水中生物将无法生存。对于水的这种奇特性质的合理解释，只能是造物主的匠心。

生物界更是奇妙。绿色植物的光合作用不仅为地球上的动物制造了食物，并释放出生物所必需的氧气；而生物呼吸对排出的CO_2则是光合作用的必需原料，多么巧妙的配合！生物体的复杂、协调、奇妙更使人叹为观止，使人很难相信生命是由无机物产生和随意进化来的。虽然分子生物学正突飞猛进，但要在试管里制造一个活细胞仍是遥遥无期。即使有一天在实验里造出了生命，它肯定是睿智设计、严谨控制和辛勤劳动的结晶。它所证明的，是创造论而不是进化论。

过去我一直视自然规律是自有永有，亘古无限的，是宇宙万物的"第一因"，一切思索到它面前就停止了，它成了我心中的"神"。但越来越多的科学证据表明，宇宙不是永恒的，有其开始和结束，因而必定是受造的，宇宙中的一切规律也必是被造的。自然规律与别的律法一样，必须靠权威确立，靠权威实施、运作，其自身没有思想、意志。那么，自然规律从何而来？是什么力量保证它的正常运作？在无神论思想的束缚下，人们有意或无意地回避着这些问题。每一位诚实正直、努力追求真理的人对这些问题的探索，很容易动摇无神论的根基，逻辑地导出超越自然的神创造宇宙万物的结论。

灵性世界

随着急救技术的进步，对因突发心脏病而暂时死亡的病人的挽救率日趋提高。这使得美国心脏科权威罗林斯(Maurice Rawlings)有更多的机会亲耳听到被他挽救过来的病人诉说死后的经历。死者都有灵魂出窍、见到早期谢世的亲人等共同经历。有的灵魂到了美丽的乐园，有的则被置于阴森之地。这些见证使罗林斯极为震动。他更有意识地收集这方面的资料，最后写了一本书，中译本叫《死—怎么回事》。1991年圣诞节晚上从教堂回家后，我继续读这本书。作者的身分、地位和所提供的第一手资料，使我对此书内容的真实性深信不疑。我从小听到许多关于灵魂不死的故事。对此我一直没有定见。不信吧，亲友们的亲身经历是那么栩栩如生，而且他们没有必要编瞎话；信吧，在理性上又与我的信仰相悖。我只好采取"信则有，不信则无"的含糊态度，竭力回避。面对罗林斯的书，我不能不正视灵性世界的确实存在了。有灵魂上天，就有灵魂下地狱。我后背不禁一阵发冷。

正在这时，一位朋友从外州挂来长途电话，谈到神的事时，她说她信。1991年她父亲病危时，她无法回大陆探望，内心十分痛苦。她不断祷告，求上帝让她见父亲最后一面。后来她梦见父亲来看她了，几天后就传来父亲去世的消息。当她在国际长途电话中向她母亲描述他父亲走时的穿戴仪容时，她母亲非常惊讶。因为她梦中见到的与实际情况完全相同！神确实垂听了她的祷告，满足了她的要求。刹时，一位又真又活的神彷佛就站在我面前，我对他产生了前所未有的崇敬和畏惧。那天晚上祷告时，我身不由己地第一次双膝下跪……。

超越科学

相信有神后，科学与宗教的关系就容易理解了。我以前认为科学至上，科学方法最可靠，凡科学方法不能验证的事皆不可靠。现在我已明白，科学不是万能的，科学方法是有限的，科学是发现物质世界的真理的一条途径，对非物质的属灵世界则鞭长莫及。

我以前只认为基于客观事实的科学发现是真实可信的，对神的存在等这一类必须靠信心接受的事存疑。我现在才意识到，人的生活、学习、工作没有一样是不靠信心的。我们吃饭，要相信买来的东西无毒；我们乘车，得相信司机及汽车保险、可靠；我们上课听讲，首先要相信老师讲的是真理。不靠信心，我们寸步难行。就科学本身而言，在研究之前，我们必须要假定宇宙是有规律的、可以认识的。这个假定只能凭信心持守。历史常常捉弄人。我这样一个以科学家自居，蔑视基督教的人，怎么也没有想到，我们现今遵循的科学方法竟是由基督教倡导的！古时希腊人坚持多神主义，认为宇宙是浮动紊乱、不可能加以系统研究的。而基督徒则相信宇宙由独一的真神创造，是有规律和可以认识的。

当我了解到基督教改革运动对西方工业革命和现代科学的巨大的、历史性的影响时，我痛感自己所坚持的科学与基督教绝对对立的观点的片面、无知。神创造了宇宙及一切规律，科学研究则是去认识这些规律。在这一点上，神的创造和科学研究是和谐的。只是，与神的大能相比，人类的认识能力是很低下的，仅可以认识神向我们显明的极少一部分。而且，科学研究只能解释规律，却无法知道为何会有这些规律，这些规律是如何被创造和护持的。因此神的创造是远远超越科学的。然而，当人们在热烈地祝贺、奖赏在认识自然规律中取得成就的科学家时，却常常把创立并守护这些规律的神冷落一旁，甚至他的存在也被武断地否定。这实在有失公正。而那些集有神论者和科学家于一身的人则是最勤奋、最睿智和最有成就的精英。"追随上帝的思想"，也许这正是许多科学巨匠成功的秘诀。

美国国家航空及宇宙航行局(NASA)太空研究院的创始人泽斯杜鲁(Robert Jastrow)写过一段深富哲理、新人耳目的话："对于一个靠理性的力量而生活的科学家而言，这故事的结局像是恶梦。他一直在攀登无知之山，并且快要到达巅峰。他攀上最后一块石头时，他竟受到一群神学家的欢迎，他们已在那里恭候无数个世纪了。"

《圣经》六十六卷书分别由四十多个作者写成，历时一千五百多年。作者中，上有君王、宰相、先知，下有渔夫、牧羊人、税吏。尽管作者们时空阻隔那么巨大，但整本《圣经》意思连贯、前后呼应、浑然一体。耶稣在世时的品德自承、所显的各种神迹和受难三天后复活的历史事实，清楚表明他是神的儿子。耶稣的复活是基督教信仰的基石。剑桥大学学者魏斯科(Canon Westcott)说："实际上，把所有的证据集合起来，我们大可以说，历史上没有任何一个历史事件比基督复活有更充分、又更多样的证据。除非你先存成见，认为这一定是假的，不然，没有任何事物可以使我们认为复活缺乏证据。"耶稣能从死里复活，说明他是神，他也必能实现他的许诺。叫一切信他的人从死里复活，得到永生。

在这个基础上，我接受了基督教信仰。我们的神曾访问过地球，亲自向人们显示了神的公义、圣洁、大爱和大能，亲口向人们讲授了天国的真道。因此，基督教的信仰是建立在客观事实的基础上的，这一基础是基督教与其它宗教的分水岭。虽然许多道理我还不明白，如三一神的深刻内涵，世界为什么有这么多的苦难、不公和恶行等等，但这不妨碍我接受基督教信仰。

深刻的变化

信主后，借着神所赐的生命，我内心世界发生着深刻变化。信主前，从表面上看，我的精神生活是积极向上和充实的；但内心深处空虚只有我自己知晓。几十年前，我第一次参观北京天文馆后，面对浩瀚的宇宙，地球如沧海一粟，人类是那么渺小；一个人的能力之低下，生命之短促，几乎等于零。一种从未有过的、近于绝望的空虚和失落紧紧地攫住我的心，令我终生难忘。步入中年后，光阴流失之快更令我害怕。虽然口头上说，有生就有死，是自然规律，没有什么可怕的；但一想到人死如灯火，想到我的身体或被火化，或被埋在地下腐烂时，我内心惆怅、空虚不已。我拼命工作，一方面想更多地实现自己的人生价值，另一方面忙碌使我无暇思虑死亡。白天忙忙碌碌、充满生机，夜阑人静时，无名的空虚常常袭上心头，辗转难寐。这种空虚是金钱、地位、成就、家庭无法填补的。每当我读到"人生如梦，一樽还酹江月"、"多少六朝兴废事，尽入渔樵闲语"的词句，读到《红楼梦》的〈好了歌）或听到一些惜春、怀旧的歌曲时，我的心弦都会被强烈拨动，以致潸然泪下。

现在，知道人从何而来，将向何处去，明白了人生的真谛。自己虽渺小得像一粒砂子，但在上帝的眼中我却是重要的，他用重价救赎了我，亲自拣选我做他的儿女。一旦与创造宇宙万物的神联系在一起，生命就注入了永恒，内心的满足感难以笔墨，空虚、惆怅的情愫一扫而空。有了永生的盼望，我不再惧怕，敢于坦然面对死亡。对基督徒来说，死亡是增加而不是减少，是充满而不是倒空；死亡只是一扇门，将通往更丰盛、更崇高的境界。如果说重生、得救那天是我的第二个生日的话，我的第三个生日就是我心脏停止跳动的时候。在那一天，主将接我回天家，在天父的宝座前，我将前所未有地活跃着。

长期来，我清醒地意识到，在一个人既短暂又漫长的人生旅程中，最关键的往往只有几步。这几步走对了，人生会光彩夺目，一步之差也许铸成千古恨。鉴于这种认识，我一方面加强自身的修养，提高辨别真伪、洞察生活、驾驭生活的能力，同时，结交几个志趣相投、生死相依的朋友，以便在关键时候彼此提携，作出正确的决断。信主前，我还以"人生叵测路漫漫，坦诚相依共挽澜"的诗句与挚友共勉。这道出了我的心愿，也显示了我的不安，同舟共济当然比孤军奋战好，但我们都是凡夫俗子啊！"你要专心仰赖耶和华，不可依靠自己的聪明；在你一切所行的事上，都要认定他，他必指引你的路"（箴3:5-6）。这是千百万基督徒的共同体验，我也有切身的感受。有又真又活、全能全善的神同在，我不再为明天忧愁，平安、喜乐之感油然而生。

信主后的另一个变化，是思想逐渐从世俗情欲中解脱出来。我虽信奉"知足者常乐"的人生哲学，对金钱、物质无过多追求，但我却全力追求事业的成就，以期实现自己的人生价值并得到社会的首肯。我自视是个正直的人，但怨恨、忌妒、自私的心理并未彻底根除。我愿意助人，但只心甘情愿地帮助那些能对我说声"谢谢"的人。如果有人认为我就应该帮助他，或"恩将仇报"，我会很不痛快，并从此离他而去。信主使我有了属灵的亮光，对物质世界的一切更加淡泊、超脱，眼界开阔了，心胸宽广了，世俗烦恼开始减少，平安喜乐与日俱增。

在大陆时，一直被要求改造世界观、人生观，我不甚得要领，收效不大。今天，我的立场才真正改变了，由属地国度子民的立场转变为属天国度子民的立场。立场一变，观点、方法、人生观、世界观皆变。过去，孤立地上仰望穹苍，满目迷茫，悲戚哀叹人的卑微渺小；今天，偎依主旁鸟瞰宇宙，万物井然，由衷赞美神的无比大能。过去，在属世情欲捆绑中苦苦抗争，饱受烦恼挂虑熬煎；今天，回归真神，踏上通达之途，在属灵智慧光照下渐渐长进，满怀希望，等候主的再来。

立下心志

重生得救后，我的价值观和人生目标，悄然地发生变化，传福音、救灵魂的负担越来越重。全时间事奉的念头时隐时显。我曾先后向几位科技专业人员出身的牧者讨教。他们说，全时间事奉神，不是单靠自己的热心，更要有神的呼召。只有神特别拣选的人，才能全时间事奉他。他们一致劝勉我：首先，要"将身体献上，当作活祭"（罗12:1），积极参与事奉；同时，安静在主面前，等候他更清楚的带领。我同意他们的意见，也知道我还没有预备好。当时我所向往的是：做一名热心传福音的科学家，而不是一名全时间的传道人。后来我阅读了鲍乐基(John Pollock)著的《翻天覆地一使徒——保罗新传》，被保罗多采多姿、多苦多难的一生，和他"以认识我主基督耶稣为至宝"、"丢弃万事，看作粪土，为要得着基督"的崇高属灵境界，强烈地震撼了。我跪在神面前，热泪纵横，不能自禁。我第一次在神前立下心志，如果神拣选我全时间事奉他，我就放下科研工作，去当传道人。

不久，1993年春天，"主爱中华录音事奉中心"的雷妈妈有事来克里夫兰，顺便来看我们。那是我们第一次见面。她鼓励何明治弟兄和我，去她家传福音。于是，我们教会几位弟兄姊妹，就组织了一个音乐布道团去了。那天，她请了一百多人在她家聚会。辛城教会(Cincinnati Chinese Church)的吴继扬牧师也去了。那是我第一次站讲台传福音。在那次音乐布道会中，有十分之一的与会者决志信主。大家欢欣雀跃。第一次外出布道的我，更是被福音的大能所深深激励。这次布道的负责同工何明治弟兄，向我们教会汇报时，高度评价了我的布道。弟兄姊妹纷纷说："里程有布道的恩赐。他做全时间传道人，只是时间早晚的问题了。"不久，吴继扬牧师推荐我到1993年中西部夏令会，主讲"从怀疑到信仰"的专题，也很受欢迎。我怀着喜悦的心情，等待着神要我全职事奉他的呼召。

倍受护佑

然而，神却突然在1993年夏天，把我带领到威斯康星医学院(Medical College of Wisconsin)。开始，克城教会的弟兄姊妹希望我们留下，我们全家也不愿意离开。但祷告的结果，觉得神要我们到威州(State of Wisconsin)去。我去面试时，在一旅馆住下，立即打电话寻找当地的华人教会。当天就找到米城中华基督教会(Chinese Christian Church of Milwaukee)的王常明牧师。他听完我的简短介绍后，高兴地在电话中对我说："我们为你到这里来已祷告好几年了！"我颇为诧异："您从来不认识我呀！"王牧师说："我虽然不认识你，但我们为这里的医学院，能来一个比较年长的大陆基督徒这件事，已向神求了好几年了。现在，神听了我们的祷告，把你差派来了。"我心里一阵发热，知道这是神要我来威斯康星医学院工作的印证。

一切进展十分顺利，短短两个多月，我们就举家由克里夫兰搬到米尔沃基市(Milwaukee)。由于时间紧迫，我们来不及卖掉在克城的房子，只好委托一位房屋经纪人代卖。为随时准备有人去看房子，我们不仅保持房内的水、电、煤气，而且还得雇人定期剪草坪。加上每月的房屋贷款和现住公寓房租，我们的经济负担很重。但因我们知道米米城是神的旨意，全家人心里都很平静，相信神一定会帮助我们。感谢神！他从不失信。我们搬来米城仅半个月，克城的房子就完全按我们要求的价钱和交接时间，顺利成交。我们只在传真的文件上签了几个名字，没回克城，就把房子卖掉了。我们全家衷心感谢神，迅速地去掉了后顾之忧，让我们能很快全身心地投入新的工作和教会的事奉。

到米城半年多以后，我们开始买房子。我们的目标在一个学区较好、房产税较低、中国人比较集中的地区。我们希望客厅和厨房大一点，以便开放家庭传福音。几个月后，我们找到一栋这样的房子。不仅地点好，房子的质量也好。唯一不理想的是，后院有一个游泳池，跳水区深达九英尺。我虽喜好游泳，但担心万一邻居的孩子不经许可，进池游泳被淹，我们要负法律责任。权衡利弊，只得忍痛不买这房子。我对家人说，以后不要再提这幢房子了。不想我的妻子和儿子仍不时提及，使我心中烦躁。一次主日崇拜，王牧师念了一节经义："若不是耶和华建造房屋，建造的人就枉然劳力；若不是耶和华看守城池，看守的人就枉然儆醒。"（诗127:1）这一经句，我过去曾读过多次，却从来没有像那天那样，震动我的心弦。是呀，我们买房子一个重要原因，就是要为福音开放家庭。为什么不问问神的旨意，就自己决定取舍呢？如果这是神给我们预备的，我们不想要也得要；不是神为我们预备的，我们想要也要不了。当天晚上我与家人分享我的心得，我们共同为此事祷告，求问神的心意。

当晚我祷告说："主啊，一想到这栋房子的游泳池，我心里就不平安。如果这栋房子是你赐给我们的，就让我今夜心里有平安。明天我就马上找房产经纪人，再去看这房子。"结果，一宿好觉，第二天心里也不再烦躁。于是，我马上打电话给房产经纪人，提出要再去看那栋房子。不想对方说："这样的房子非常抢手。我几次劝你再去看看，你就是不肯。现在都过了一个月了，恐怕已卖掉了。"不过，他同意再去打听一下。我想，如果是神为我们预备的，就不会卖掉。不一会儿，房产经纪人回话说："房子还没卖掉!"我们全家立即前往看那栋房子。

这次看得很仔细。我们对房子本身很满意。再到室外看游泳池时，才发现游泳池四周，有半人高的铁栅栏，两道门都可以上锁。经纪人说，如果有人不经许可，进池游泳，出了事故，一定是他翻越铁栅栏，是有意私闯民宅而不是误入。因此，你们不会负任何责任。我心中的负担一下子去掉了，马上就出了买价。当天吃晚饭时，我妻子说："我们好像和一千五百号有缘。"大家不解其意，她接着说："我们第一次看中、但没谈成的那栋房子是1500号；今天的这栋是1555号。"儿子听了后，十分有把握的说："这栋房子是我们的了。"我们更觉惊奇，"为什么呢?"他说："这些天我一直为买房子的事祷告。有一天夜里我做了一个梦，听见有人反复对我说：'不是六，是十六。'我醒来后，把做的梦全忘了，只是这两个数字印象很深。现在听我妈说这两个门牌号，梦中的两个数字又跳出来了。您们看，1+5+0+0=6；1+5+5+5=16！"我们听了，都相信这是神为我们选定的房子了。只是我们出的买价偏低，免不了还要与卖主磋商几个回合。没想到，当天晚上就得到卖主回话，按我们给的买价一次成交了。我们衷心地感谢神!一些知情的朋友也情不自禁地问："是不是真有神在帮助他们?"1994年秋天，我们搬进新居时，正好我的岳父、岳母从国内来探亲。二老在圣灵感动下，几个月内，先后决志信主。不久，教会为来探亲的老人们建立了松柏团契，由二老接待，每周四上午在我们家聚会。在干牧师的带领下，马英超伯母、李英道伯伯等齐心协力，团契办得有声有色，深受老人们欢迎。二老回国后，聚会地方虽几经迁移，但团契一直蒙神祝福。几年来，已有约五十位伯父、伯母决志信主，受浸归主。朴实、纯真的见证，催人泪下。

始吃粗粮

搬到米城的第一年，我们各方面蒙主看顾，一切尽都顺利。然而，正如我妻子在见证中所说的那样："为了锻练我们的信心，神不能老是让我们喝奶，也得让我们学着吃干粮和粗粮了。"从1995年春天开始，科研和事奉的矛盾在我身上日益尖锐起来。信主后，科研工作只限于白天；晚上和周末我都用于事奉。从1994年初开始，除了参加我们教会和查经班的事奉外，我还经常应邀到别的教会布道。神对我参与的事工非常祝福。但与此同时，科研工作却进展缓慢。这固然是因为投在科研上的时间，不如信主前那样多了；但更奇怪的是，以前在克城做得很好的一些实验，也重复不出来了。想尽办法也查不出原因。我感到有超然力量在阻止我的研究工作。我每天跪在神面前，恳切祷告："主啊，求你保守我的科研工作顺利进行，这样我不是可以有更多的时间、更专心地事奉你吗？"但长久的祷告，未蒙应允。我很羡慕那些既忠心事奉神、专业工作又顺利的弟兄姊妹。但我也知道，神对每个儿女的旨意，各不相同。我不敢奢望他也允许我科研和事奉，都顺心顺意。是神在关闭科研的门，要我全时间事奉他吗？我一遍又一遍地求问神。

我虽已立下心志，愿意全时间事奉神，但神如果阻止我科研的进展，强迫我全时间事奉他，我想不通。不少人是在事业的巅峰时期，或专业工作取得成就时，急流勇退，全时间事奉神的，为神作了美好见证。如果在科研工作面临困难时，去当传道人，岂不是羞辱主名么？所以我一面苦苦求神为我的科研工作开路，一面在不减少事奉的前提下，开始在科研工作中加班加点。那时，我每天在实验室工作十二小时左右，晚上回家吃了饭，又立即投入事奉，直到凌晨一、两点。我当时自作主张：如果神要我全时间事奉他，首先得让我在科研上划一个圆满的句号。我这样一连拼了好几个月，科研无大起色，我已心力交瘁。我耳边不时响起神的话："你们要休息，要知道我是神。"（诗46:10）。我挣扎道："神啊，科研工作没有大突破，我如何能休息呢？"我知道这样拼下去的后果，但又不愿善罢干休。我求神给我一个印证："神啊，如果我这样拼搏不合你的心意，就请你拦阻我吧。"

神的管教

神很信实，拦阻随即到来。1995年夏天，我的右腿开始疼痛，被诊断为坐骨神经痛。多次求医，病情却日趋严重。8月中旬一天晚上，我已无法坐下，只好跪在桌前写完《游子吟》中〈进化论与创造论〉一章，就彻底倒下了。上身不能直立，否则右腿会痛得无法忍受。我被救护车送到医院，吃药打针，在医院住了七天，病情不见好转。只好又用救护车把我送回家，卧床静养。

静卧使我头脑冷静下来。在这以前，我从未因病住过一天医院，常以此自夸。这次，一住就是七天，而且治不好。人真渺小无用呀，怎能与神较劲儿呢。雷妈妈闻讯，除来电话安慰我外，还特地寄来一大批录音带，供我在静卧时的灵修之用。其中，有江守道弟兄的讲道录音。他说："我们不问是祸是福，只问是不是神的旨意。如果是神的旨意，祸也是福；如果不是神的旨意，福也是祸。"他以摩西为例。摩西在埃及王宫生活了四十年，后因打死一名埃及人，逃往米甸牧羊四十年。神借着摩西闯下的杀人之祸磨练他，使他从血气方刚、不可一世的皇太子，变成柔和谦卑、自认一无所能的牧羊人。神才使用摩西，让他担当了带领以色列人出埃及的重任。因为拣选摩西是神的旨意，祸反变成了他能够事奉神的福气。如果摩西无此杀人之祸，他将会继续生活在王宫里，也许会继承王位，享尽荣华富贵；但可能因贪恋王宫的生活，而拒绝神的差遣。这样，他在王宫的福分，反而可能成为不顺服神的罪和祸了。

江守道弟兄的证道，解开了我的心结。在自己的专业工作取得成就时，顺服神的呼召，进入全时间事奉，是荣耀神；如果神用对专业工作关门的方法，让我全时间事奉他，也是荣耀神。遵循神的旨意就是荣耀神。我前一段时间那样拼命地干，是希望科学研究取得相当成就后，再转入全职事奉。这在表面上是为了荣耀神，实则是为了荣耀自己。因为我很怕别人误解我在科学界混不下去了，才去当传道人。这将是对我人格的极大侮辱，是无法忍受的。然而，作为一个门徒，首先要学习的最重要的功课，是如何明白和顺服神的旨意。一旦认清了神的旨意，就要照办，不能有任何先决条件。在全职事奉之前，科研工作是否要划一个句号，要看神的旨意，我不应强求。这样也许会引起人的非议。但作为神的仆人，我所看重的，是神对我怎么看，而不是人对我怎么想。神采用什么手段，是他的主权。弄清楚神的旨意、并绝对顺服，才是我的本份。

奇妙医治

内心平安了，肉体的痛苦却未解除。当时我只能躺卧，不能站也不能坐。上身直立就会引起剧痛。必须去卫生间时，我只能手脚并用，在地上爬行。家人看在眼里，痛在心里。几位曾患过类似疾病的朋友，劝我安心休息。他们估计，我至少需要四至六个月的卧床静养。教会众弟兄姊妹和我全家都切切地为我祷告，求神医治。有一天，我妻子祷告时，感到许多天一直绷得紧紧的心，一下子有了平安。她觉得神已经答应了我们的祷告。就在那天晚上，我们教会"松柏团契"的李英道伯伯打电话来，说他和他女儿绮灵想来看望我。李绮灵姊妹是一位针灸师，擅长头皮针。当时我和她并不熟识。她被圣灵感动要来为我扎针。但李伯伯挡驾说："里程在医学院工作，怎么会相信你在他头皮上扎几针，就能把他的腰病治好呢？"绮灵被圣灵再三催逼，坚决要来。李伯伯只好说："让我先打个电话试试，只说去看看，不说扎针。去了以后，见机行事。"第二天上午，李伯伯、李伯母和绮灵就来我家了。寒暄之后，绮灵问我："你相信中医吗？"我说："相信。我姨父就是一位很好的中医。"她马上又问："我替你扎扎针好吗？"我说："好啊！"听我一口答应，她和李伯伯、伯母都十分高兴，立即把早准备好的针灸器具，从汽车里取了出来。

在头皮上扎了几针后，绮灵问我："你是不是可以下床走走？"我以为听错了，她又问了一遍。我非常吃惊："这怎么行？我上身根本不能直立呀！"但见她那样沉稳、自信，我只好咬着牙挣扎下床。在双拐的帮助下，我居然走了几步，疼痛已可以忍受。她调节针刺的方向和深度后，我竟能把拐杖丢掉，独自在卧室缓慢地走动起来。大家一阵惊叹、欢呼。事后听我妻子说，那天李伯母一进门，就信心十足地对我岳母说："今天就让他站起来！"从此，绮灵每天来，为我扎针，同时为我配制汤药。

当时，正逢我们教会举办第二届福音营，张健昌医生和我是讲员。绮灵为我扎针的第三天，教会弟兄开车送我到福音营。我拄着双拐在会上作见证。原想最多能站立十几分钟，不料我竟站着讲了一个多小时。当我到了福音营地，同工们见我来了，没有任何异样的表情。我问他们："我病这么重，今天能来参加聚会，实是我自己未曾料到的。怎么你们一点也不感到惊奇，好像我准能来似的？"他们笑着说："我们一直为你的康复切切祷告。我们知道神一定会让你来！"这样，躺了二十多天以后，我就奇迹般地站起来了。我们全家对绮灵和她的父母十分感激，不知如何才能表达我们的谢意。绮灵却极诚恳地说："不要谢我，应该感谢神。是神借着我的手医治了你。"是的，"主所爱的，他必管教，又鞭打凡所收纳的儿子。"（来12:6）神用这次疾病管教我，要我完全放下自己，不管荣耀或羞辱，单单仰望他，依靠他；停止凭血气挣扎，安静等候他。当我顺服了他的管教后，神立即用大能的手医治了我。这是主的怜悯，也是主的旨意，他还要用我。"来罢，我们归向耶和华！他撕裂我们，也必医治；他打伤我们，也必缠裹。"（何6:1）啊，至圣至荣、可颂可畏的神！病愈后的一年多时间里，我努力求问神的旨意。神清楚地让我知道，他要我放下专业工作，全时间事奉他。

心中异象

信主几年来，神放在我心里的异象越来越清楚，就是要向在北美的中国学生、学者及其家属传福音。中国地大物博，人口众多，文化悠久。随着改革开放，中国的经济全面腾飞，国民经济正以百分之十左右的年增长率突飞猛进。越来越多的人相信，二十一世纪将是中国人的世纪。中国福音事工，对人类的和平、幸福和建立神的国度，都有举足轻重的作用。中国的福音运动，近几十年来，已有可喜的蓬勃发展。然而，由于特定的文化背景和历史条件，中国的福音事工，仍任重道远。当前，出现了一个非常奇特的现象，我完全相信这是神亲手作成的。即从八十年代中期开始，成千上万的中国学生、学者涌入北美。有资料显示，现在北美的中国大陆移民，已超过一百万〔详见《生命季刊》第一卷第一期〈创刊号〉第51页，1997年3月〕，其中尚未包括持非移民签证的学生、学者。这些人中，已有一部分成为神的儿女，但绝大部份人，还没有机会听到福音或还没有决志信主。如果这一批中国学生、学者多数能决志信主，并且灵命上不断进深、扎根，在《圣经》的真理上不断得到造就，他们将成为中国乃至世界福音事工的精兵。

从1994年开始，我常应邀到美国各地传福音。相同的文化和科学背景和信主前在理性上的长期挣扎，使我能深切理解慕道同胞的心态、困惑和拦阻；帮助他们冲破无神论和唯物主义等先入为主的思想体系，认识理性至上、科学至上的人文主义世界观的危害，为认识真神清扫道路。同时，待收禾田的广大和同胞们对真道的渴慕，一次又一次地激动着我的心。因我只能周末外出布道，又希望多传递福音信息，所以聚会的程序，总排得满满的。除周五晚上聚会外，周六是密集布道。常是一天两三堂，有时多至四堂。从早上到晚上，连续作战。就这样，参加布道会的人仍很多，听得仍很专心，很少有人打瞌睡或中途退场。聚会前后或吃饭时，慕道朋友总是热切地和我讨论各种信仰问题。一位朋友告诉我，为了能听福音，他周六早上五点钟就进实验室干活，然后赶来聚会，一直到晚上十一点，毫无困意。还有朋友说，他们周六本来在餐馆打工，为了听福音，他们向餐馆请假。餐馆老板不解地问："你们去教会，要给他们钱（指奉献）；你们到我这里来，我给你们钱。你们还到教会去干什么呢？"但他们却坚持要来教会。只有神的爱和他的福音，才有如此巨大的吸引力。

各教会的牧师、同工，为爱护讲员的身体，总是提醒大家，让讲员有适当的休息时间，不要像挤橘子汁一样，把每一滴都挤干。但我外出布道，几乎每一次都这样被挤榨着。注视着一双双执着、困惑、充满饥渴的眼睛，面对着一个个机智、失迷、发自内心的问题，我无法拒绝，也无权拒绝。每次聚会我都竭尽全力，心甘情愿地被挤、被榨。我恨不能把我所领受的道，立即让每一位慕道友都领受。这样，不仅在聚会期间体力透支，聚会后几天，身体也非常软弱，甚至生病。但同胞们从主的道中得到的满足和信主后的喜悦，汇成一股强大的力量支持着我。过去，我想以科技报国。我的目标是带一个能与国际抗衡的高水平的实验室回国，为国争光。但我现在明白了，没有对神的敬畏和对人的爱，一个民族、一个国家就没有希望。把福音传给同胞，才是我对祖国最好的报效。现在，神借着我带领一个人归主，比我发表一篇学术论文更令我高兴、满足。而且，其喜悦欣慰之情，经久不衰。以我一己的生命换取更多人的生命，是一本万利的事啊！长期来，我视科学研究为自己生命价值所在。现在，我对科研的执着和兴趣却一点一点地被神拿掉。只有神能改变我的生命。神让我有机会参与北美的福音事工，深知尽快向在北美的同胞传福音的重要性和迫切性，同时看到了禾田的广大和工人的短缺。我传福音的担子一天天加重，投入的时间一天天加增。不论我科研工作顺利与否，放下科研、进入全职事奉，已是我的必由之路。

夫妻同心

　　全职事奉是否是神的旨意，夫妻同心是重要印证。神如果感动我全职事奉，也一定会把同样的感动放在我妻子的心中。因为，如果没有妻子的理解和支持，全职事奉是无法实现或难以持久的。感谢主，我的妻子、儿子和我同一天受洗。妻子也在医学院工作。下班以后，她包揽了购物、烹调、清洁、管账和子女学习等全部家务，使我有时间和精力在工作之余，投入神的事工。每逢我去远处布道，总是她到机场接送。没有她的同心，就没有我的事奉。神借着我所结的果子，起码一半是属于她的。以前，我曾几次向她谈及关于我全职事奉之事，她都没有吭气。我知道，她不是反对，而是有顾虑。两个孩子尚小，我们还要付买房贷款，国内又有老迈的父母和多病的亲人。我若放下医学院的工作，全家的生计怎么办？这是十分现实的问题。我何尝不考虑这些呢？我曾明确地向她表示："如果神呼召我全职事奉，他就必有供应，让我们能赡养老人、抚育子女。在没有完全明白神的旨意之前，我一定不会置家人于不顾，贸然去当全职传道人。"我一直在祷告中等待。1996年初，有一天，她突然主动对我说："等事情安排好，你有些空闲时，去修一些神学课程吧，好准备全职事奉。"我几乎不相信自己的耳朵。我知道，神的时间到了，是该把全职事奉提到议事日程上的时候了。

长者共识

从那个时候起，我开始就全职事奉问题，广泛地听取各教会牧师和弟兄姊妹的意见。与前几年相反，现在他们几乎众口一词："你应该出来了！"有的说："我一直在为你早日全职事奉祷告。"有的还说："自从我第一次听你讲道，就认为你应该全职传福音。"但也有少数弟兄姊妹认为："你以科学家的身份传福音，比以传道人的身份传福音的效果会更好。"此话不无道理，而且也曾是我的想法。对无神论背景、迷信科学的知识分子来说，同样一句话、同样一个信息，从科学家口里讲出来，往往使他们觉得有更高的可信度和更强的感染力。但几年的事奉经历使我懂得，传道人的恩赐、背景和身份，对传道的效果固然有一定影响，但根本起作用的却是我们传的道。福音事工中起决定作用的不是传道的人，而是我们所传的神。"被神的灵感动的，没有说耶稣是可咒诅的；若不是被圣灵感动的，也没有能说耶稣是主的。"（林前12:3）"我说的话、讲的道，不是用智慧、委婉的言语，乃是用圣灵和大能的明证，叫你们的信不在乎人的智慧，只在乎神的大能。"（林前2:4-5）栽种的和浇灌的，都算不得什么，因为赐生命和叫他生长的，是神。而且，在栽种和浇灌中，与众弟兄姊妹在松土、撒种、邀请、祷告、组织等方面的长期预工，和繁重的跟进工作相比，我的布道工作只是其中很小一部分。摆正了人与神、自己和弟兄姊妹的关系，心中便释然了。我的任务是依靠神的大能，尽力做好布道工作。至于禾田何时收割、由什么人收割，就是神的事了。因此，每次布道前我都恳切地在神的面前祈祷，求神洁净我，给我智慧。我只须尽心竭力、放胆传扬他的福音，相信神的话决不徒然返回。我由科学家变为传道人，不会妨碍我传福音的效果，因为我只是神的一个器皿而已。

我由衷地感谢各教会的牧师和弟兄姊妹们，长期地用爱心和祷告托住我。特别是王常明牧师和雷妈妈，以他们四十年服事主的丰富经历，与我有多次详尽、深入的分享。既重视灵命和信心，又顾及生活、经济等各个层面，切合实际，细致入微，充满爱心，使我受益匪浅。我们米城教会的长、执同工，和弟兄姊妹们，也从各方面表示对我的理解和支持，鼓励我踏上全新的人生旅程。

环境开路

1996年5月11日我参加全美小儿科年会后，回到家里。刚一进门，我八岁的女儿就对我说："爸爸，告诉您一个VERY VERY SAD的消息……"原来，李绮灵姊妹因癌症复发不治，于5月10日被主接去，年仅四十六岁。几个月前，她为我治病的情景，历历在目，现在却先我们而去。虽知只是暂时别离，心中仍充满悲伤。人生苦短啊！突然，一个非常清晰的声音从我心底响起："你既立志全职事奉我，那还迟疑什么？难道你要等到行动不便、思想迟缓的垂暮之年，才全职事奉我吗？"我被这声音吓了一跳。我不敢肯定这是神在对我说话，但我的心变得异常宁静。我对神说："主啊，我愿意全职事奉你。现在就着手，不再迟延。"

全职事奉的第一步该怎么走呢？有的教会邀我去牧会。"基督使者协会"的周大卫牧师和"海外校园"的苏文峰牧师，也分别鼓励我到他们机构工作。经过长时间的祷告，得到许多印证后，神把我带到"中国基督徒作家基金会"和"主爱中华录音事奉中心"。这两个机构是俄亥俄州的雷兆轸医生和雷妈妈基于"十年树木、百年树人"的异象创立的。他们几十年与主同行的传奇经历，生动地见证了我们所信仰的又真又活的神。他们为主完全摆上、彻底奉献的见证（详见该机构的《通讯》），感人至深、催人奋进。他们是我所崇敬的长辈。我的主要任务是布道、培灵和从事科学与信仰等方面的写作。这既符合我心中的异象，又能充分利用我已有的科学知识。《圣经》的教导、我内心长久的感动、夫妻的同心、属灵长者的共识和环境的开路，加上一些只能意会、难于言传的感动和印证，都同证一个异象：作全时间传道人，是神对我特定的旨意。

完满句号

几年来，我先后担任克城中华福音教会的执事，米城中华基督教会的执事和长老，同时常应邀于周末外出布道。除担任美国中西部夏令会、冬令会、"使者协会"美南福音营和美东福音营等特会的讲员外，还到过美国几十个州的数十个华人教会和团契主领福音聚会。此外，我也参与《海外校园》和《生命季刊》的文字事工。我的第一本护教书《游子吟——永恒在召唤》，现已由《海外校园》丛书出版发行。更奇妙的是，腰疾愈后，我停止了个人的血气拼搏，专心仰望神。那些曾久攻不下的科研难点，竟不翼而飞，使我的研究工作也步入坦途。一年多来，我已有一系列的五篇研究论文，相继在国际学术刊物上发表。另外一、两篇论文正在撰写之中。现在，美国、法国、德国、西班牙和日本等国的科学家，已纷纷来函，索取我论文的单行本。这些，都超过了我所想所求。当我放弃先决条件顺服神后，在我即将进入全职事奉时，神却奇妙地用他大能的手，为我的科研工作，划了一个完满的句号！

很多弟兄姊妹都问我："为什么在信主后的几年中，你会跑得这么快？"我只能回答说："是神的怜悯。"我本是骄傲、愚拙之人，是神的大能教我学习谦卑，是圣灵开启了我属灵的眼睛，是主耶稣的宝血洗涤了我的罪污，是神借着属灵长辈不断引导帮助我。没有神的救赎之恩，我不过是一撮尘土。从初信到全职事奉虽然只有短短几年，但回顾我的前半生，我深深地相信，神早已作了长期的预工。神一次一次地启示、等待，一步一步地牵手引领；我却不住地左顾右盼、瞻前顾后、裹足不前。这哪里是我自己努力在往前跑呀，分明是神的手在扶着和拖着我向前走！

恒久靠主

即将进入全职事奉，我处于人生重大的转折点，心潮难平。我是一个务实的人，不善憧憬。属灵长者们告诉我，全职事奉是一条艰辛又蒙福的路。我对此深信不疑。但对此刻的我来说，艰辛似乎显得更为现实和具体。从挣取工薪的计划经济到福音养生的信心生活，困难不难想象。如果只有我们夫妻二人还好说，但现在儿子刚上大学，女儿还在读小学，更有老人需要瞻养。我十分敬仰戴德生在中国传道时的信心，但又感到高不可攀，望尘莫及。从领取工资到募集生活费，不单是经济问题，也是对人格的严峻挑战。庄祖鲲牧师在1996年年底举办的第十届美东福音营中，曾就此分享过他的心路历程。我颇有同感。我也是自命清高之人。现在带职事奉，不仅奉献时间、精力，也奉献金钱；说话办事，理直气壮，尤甚顾忌。全职事奉后，却不得不手心向上，仰赖各教会弟兄姊妹的爱心和施舍。那时，我是否就得看别人的脸色行事呢？弟兄姊妹知道我的疑虑后，安慰我说："你不是依赖弟兄姊妹的接济而是仰望神的供应。"张佳音教士的话更加锋利。她说："我们已立志将身体献上，当作活祭。献为燔祭的，要先把皮剥掉，然后把肉剁成一块一块的。所以我们已没有皮了。不需顾及颜面了。"他们说得都很对。是的，如果仰望主耶稣为人类所付出的，我们的自尊、脸面实在不足挂齿。但我也深知，从知道真理到能够完全放下个人荣辱，绝非朝夕之功，需经过长期磨练。另外，放弃我追求几十年的科研事业，我能习惯吗？人到半百后，方进入一个全新的领域，我能不负主托么？虽全职事奉的心志已坚，但千丝万缕的顾虑犹存。我缺乏叱咤风云的气魄和藐视万难的勇气，是一个软弱的人。我之所以要走上全职事奉的道路，不是因为这条路更容易走，也不是我认为这条路会更成功；而是，因为我已经清楚地知道，是主要我走这条路，并确信在这条路上，始终有他的同在。无论前面道路通达或坎坷，我已下决心走下去；不管面对何种诱惑或试探，我都要靠着主夸胜。唯愿主的旨意成全。

即将进入全职事奉，撒旦魔鬼也百般破坏、阻拦。这一年多来，各种困难接踵而至。有的还能推测原因，更多的令人百思莫解。不时捉襟见肘、疲于应付。从今年一月下旬到现在，不到两个月时间内，我的岳父和我的姐姐先后离世。悲哀排浪般地压来，使我难于喘息。雷妈妈等属灵长辈们提醒我，这些可能是灵界争战的表现。使我在纷乱的表象中冷静下来，全心仰望主。得到祝福时，我们大多会感谢主，但很少问为什么。面对难处时，我们很少感谢主，却常问为什么。有些有答案，有些却没有答案。尤其〈约伯记〉记载的那种灵界争战的背景，是我们今生无法明白的。雷妈妈对我说，她曾几次拜访过蔡苏娟姊妹。蔡苏娟几次对她说："我们绝不要问神为什么。第一，我们没有资格和主权。第二，我们绝不可埋怨。埋怨就是不信。不信就是大罪。出埃及时，以色列人不断埋怨，导致四十年漂流。整整一代人，都死在旷野；只留下有信心的迦勒和约书亚二人，带领新一代进入神的应许之地。这是何等严重的教训。"这番话令人铭心刻骨。不管何事临到我们，我们都要坚信，神掌管一切。没有神的允许，任何事都不会发生。任何事情的背后都有神的旨意。因此，要"立定心志，恒久靠主"（徒11:23）。在全职事奉这条路上，一定有许多我不明白的事情发生，我将不再问为什么，只专心仰望、儆醒、定睛在主身上。

　　我是从理性、科学入门相信神的。信主后，神让我亲身经历了他的同在。我开始品尝主的慈爱、严厉、大能和信实，领略在主荫下的恬静、平安、喜乐和甘甜。在我心目中，他不再是理念之神，而是可敬可畏、活灵活现、与我们休戚相关的真神。我本是卑微、不配之人，蒙主怜悯、恩待、拣选，让我在神国的事工上有份，这实在是莫大的福气。无论是生是死，我都是主的人。不管是祸是福，总要跟主走。主啊，你有永生之道，我们还跟从谁呢？神若帮助我们，谁能敌挡我们呢？阿们。

里　程

1997年3月14日

（原载"主爱中华录音事奉中心"、"中国基督徒作家基金会"的《通讯》第六期。现稍作修改发表于此。）

此见证落款日期，1997年3月14日，是值得纪念的。1997年2月6日上午，我与我原所在的医学院的有关负责人面谈后，我打电话通知雷妈妈：我在医学院的工作到当年6月底结束；从1997年7月1日起，我就可以开始全职事奉了。雷妈妈先喜后忧。高兴的是，我参加基金会工作的日期终于确定了；愁的是，我们全家将来的生活费还有问题。

几年前，神把建立"中国基督徒作家基金会"的异象放在雷妈妈心里。为了确认这一异象，她向神求两个印证：第一，派一位合适的全时间同工；第二，基金会的免税号码要被批准。

2月6号上午确定了我全职事奉的日期，第一个印证已显明；但基金会的免税号码还未获批准。不想，当天下午，邮递员送给她一封信。她拆开一看，竟是基金会的免税号码批准书！她向神求的两个印证，神在同一天都给她了。雷妈妈跪在地上放声大哭：感谢神的信实，悔恨自己的小信。她随即打电话给我，告诉我这一消息，相信我到基金会事奉是神的旨意。同时，她要我尽快写一篇自己得救、蒙召的见证，让更多教会和弟兄姊妹了解、认识我，以便在各方面支持我。

我心里也很感动，决定立即动笔写见证。可是放下电话后，我又犹豫了。因为，我虽来美已十多年，因种种原因，我移美事宜尚未办妥。我申请永久居留的最后一步早在1996年初已到米城移民局了。原说只需两、三个月即可面试、拿到绿卡。可是，一直等到了1997年2月，连面试的消息都没有。我的H1签证到1997年7月就到期了。如果那时仍拿不到绿卡，我就必须离开美国一年，才能重新申请入境。所以，我觉得最好等收到面试通知后，再写见证比较稳妥。否则，我的见证发表了，各种支持也来了，但我却可能又必须离开美国。可是，我立即意识到这是小信！回顾事情的前前后后，神的带领已经这么清楚了，为什么还信不过呢？既然神把我带到基金会，身份问题他自然会解决。我决定，不等面试通知，马上开始写见证。

动笔以后，我内心有一个很强的感动：当我的见证写好后，面试的通知便会到。1997年3月14日（星期五），见证的第一稿写好了。我急切地回家看信件。但没有面试通知。第二天我到另一个城市传道去了，很晚才回家。第三天（星期日）从教堂回家后，我问妻子："昨天取信件了吗？"她说："没有"，于是我去信箱拿信件。我一下子楞住了：移民局面试通知！3月14日我把见证写完，3月15日，面试的通知就到了！我也跪在地上，涕泗滂沱。

全职事奉两年来，时时经历神的恩典、丰盛和同在，处处领受弟兄姊妹的关怀、体贴和支持。"有了我的命令又遵守的，这人就是爱我的；爱我的必蒙我父爱，我也要爱，并且要向他显现。"（约14:21）感谢神，因他的应许，使每一个信他的人，都能用心灵的眼睛看见他。

里 程

1999年8月11日